KB194330

보노보

BONOBO : THE FORGOTTEN APE

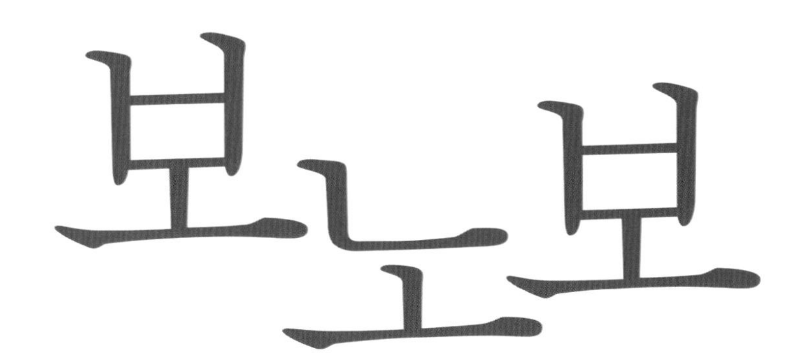

프란스 드 왈 · 프란스 랜팅

새물결

일러두기

1. 이 책은 프란스 드 왈과 프란스 랜팅의 *BONOBO: THE FORGOTTEN APE* (California, 1997)를 우리말로 옮긴 것이다.
2. 지은이의 원주는 모두 책의 말미에 실었고, 본문 옆의 주와 본문 안의 〔 〕는 모두 옮긴이가 삽입한 것이다.
3. 인명, 지명 등의 고유명사 표기는 주로 『브리태니커 백과사전』을 따랐다.

옮긴이 김소정
전문 번역가

보노보

지은이 프란스 드 왈 · 프란스 랜팅 | 옮긴이 김소정
펴낸이 홍미옥 | 펴낸곳 새물결 출판사
책임편집 이병무 | 마케팅 윤병우 유추자 | 조판 홍창희
1판 1쇄 2003년 12월 5일 | 등록 서울 제15-52호(1989.11.9)
주소 | 서울특별시 마포구 연남동 481-18 우편번호 121-868
전화 (편집부) 3141-8696 (영업부) 3141-8697 | 팩스 3141-1778
E-mail sm3141@kornet.net
ISBN 89-5559-123-3

차 례

호기심으로 가득 찬 보노보. 전형적으로 좁은 어깨와 가는 목, 비교적 작고 동그란 두개골을 눈여겨 보라. 해부학자들이 처음에 보노보가 침팬지와는 전혀 다른 종일지 모른다고 생각한 것은 바로 이 때문이었다. 처음에 보노보는 "피그미 침팬지"로 알려져 있었다. 하지만 지금 보노보와 침팬지의 몸무게 차이가 그렇게 크지 않다는 점에서 이러한 명칭이 적절하지 않다는 데에 대부분의 과학자들이 동의하고 있다. 보노보는 사촌인 침팬지보다 좀더 늘씬하며 얼굴이 검고 입술은 붉다. 또한 머리에는 가늘고 검은 머리털이 자란다. 사육 상태의 보노보들은 서로의 털을 고르는 데 너무나 많은 시간을 보낸다. 이런 습성 때문에 어떤 녀석들은 머리가 벗겨지는 경우도 있다. 하지만 대머리는 일시적인 현상이다. 이 암컷의 머리카락은 털 고르기를 덜 즐기는 새로운 동료들과 함께 생활하자 다시 자라났다.

다음 쪽: 왐바 숲 주변에서 발견된 보노보들. 보노보 무리가 모든 서식 지역에서 똑같이 행동하는 것은 아니기 때문에 자이르(콩고민주공화국)의 열대 우림 지역에 살고 있는 다른 보노보 집단에 대한 연구도 반드시 이루어져야 한다. 그러나 지금까지는 왐바 지역의 보노보에 대한 관찰만 20년 이상 지속되고 있다.

전세계적으로 동물원에서 사육되고 있는 보노보는 1백여 마리 남짓 된다. 그러나 침팬지는 수천 마리가 동물원에서 사육되고 있다. 동물원의 사육 프로그램은 쾌적한 생활환경을 제공할 뿐만 아니라 귀중한 보노보의 건강과 번식을 증진시키는 데 도움이 되는 방향으로 획기적인 발전을 이루었다. 신시내티 동물원의 이 보노보 실내 우리는 자연 서식지를 그대로 옮겨놓았다.

우아하고 날씬한 인류의 사촌 보노보에게,

그리고 일생을 바쳐 이들을 발견하고 연구하고 보호해온 사람들에게

이 책을 바칩니다.

거의 알려지지 않았지만 우리 인류와 가장 가까운 친척을 널리 알리는 방법으로 과학과 예술을 결합시키는 것, 이를테면 매우 어렵게 얻어낸 정보를 도발적인 이미지들과 한데 묶는 것보다 더 효과적인 방법이 있을까? 이 책은 바로 그러한 노력의 최초의 결실로, 이런 식으로 우리는 가능하면 많은 독자들이 쉽게 이해할 수 있도록 보노보와 관련된 퍼즐을 하나로 꿰어 맞추려고 노력해보았다.

서 문

이미 오래 전에 여러 대륙에서 이들을 찾아 나선 오디세이가 시작되었기 때문에 지금의 지식이 축적될 수 있었다. 1929년 벨기에의 한 박물관에서 이 종(種)이 발견된 후 독일의 동물원들에서 진행된 초기의 연구들은 보노보의 행동이 사촌인 침팬지와 얼마나 다른가를 밝혀주었다. 이후 좀체 파악하기 힘든 이 유인원의 사회 생활을 파악하기 위해 일본과 서구의 연구자들이 자이르의 내륙으로 최초의 탐사 여행을 떠났다. 이어 현장에서의 지속적인 관찰과 사육 상태에서의 후속 연구를 통해 우리는 마침내 보노보의 독특한 사회를 처음으로 흘끗 들여다보고 있는 중이다. 하지만 이는 아직 말 그대로 흘끗 들여다본 것에 지나지 않는다. 전문 연구가 외에 보노보를 야생 상태에서 본 사람은 거의 없으며, 이들을 찍은 사진 또한 거의 없다고 해도 과언이 아니다.

최근 보노보 연구가 어느 정도 진척됨에 따라 동물학자와 사진작가인 우리 두 사람은 서둘러 공동 작업에 착수했다. 우리는 직업은 다르지만 성장 배경이 비슷하다. 우리 둘 다 유명한 소설가, 시인, 심지어 텔레비전 스타들까지도 모두 콘라트 로렌츠*와 니콜라스 틴베르헨**의 생각에 열광하던 시기에 성장한 네덜란드의 자연학자 세대에 속한다. 이 두 사람은 나중에 동물 행동에 관한 획기적인 연구로 노벨상을 공동 수상했다. 이후 동물행동학(ethology)으로 불리게 된 이러한 연구 방법은 동물을 포괄적으로 바라보는 것을 가능하게 해주었다. 여기서 동물은 인간을 위한 모델이라기보다 가히 예술적인 솜씨를 지닌 적응의 대가(大家)로 다뤄진다. 모든 동물 종은 서로 의사소통하고 환경에 의해 제기되는 문제들을 다루는 나름의 방식과 사회 조직 형태를 발전시켜왔으며, 또 바로 그렇게 해서 살아남고 번성해나가니까 말이다.

보노보의 행동은 동물행동학적으로 상호 보완적인 두 관점에서 연구되어왔다. 야생에서의 연구는 이 종의 자연사에 대한 귀중한 정보를 제공해왔으며, 현대적인 시설을 갖춘 동물원에서의 관찰은 보노보의 행동에 대한 좀더 세부적인 자료를 보충해주고 있다. 불과 열 명 남짓한 전문가들의 획기적인 연구를 통해 수많은 사실이 알려지게 되면서 이제 보노보는 영장류학자들 사이에서 뜨거운 관심사가 되었다. 하지만 불행히도 이들은 하나의 작은 공동체에 불과한 형편이다. 침팬지와 고릴라, 오랑우탄에 대해서는 다큐멘터리나 잡지 등을 통해 누구나 알고 있지만 보노보의 경우 심지어 이들의 이름을 들어본 사람조차 드문 편이다. 다른 유인원들의 경우 이들에 관한 책과 논문만으로도 쉽게 작은 도서관 하나 정도는 너끈히 채울 수 있지만 보노보에 관한 문헌은 다 그러모아도 기껏해야 작은 종이 상자 하나도 채울 수 없는 실정이다.

이제 이 매혹적인, 너무나 매혹적인 영장류를 좀더 많은 대중에게 널리 알림으로써 인류의 기원에 대한 전통적인 개념들을 전면적으로 수정해야 할 적기가 되었다. 이러한 도전은 최근에 발견된 화석의 분석 결과와도 일맥상통하는데, 이 화석들은 사바나에서의 생활이 인간의 진화에 미친 영향에 대한 기존의 확고한 견해들을 부인하도록 만들고 있다. 이러한 증거들은 직립 보행, 즉 오랫동안 인류의 선사 시대의 결정적인 순간으로 규정되어온 〔사바나에서의 직립 보행으로의〕 이행이 나무 위 생활과 상당 기간 공존했다는 것을 암시하고 있다. 이러한 발견은 숲 속에서 생활하는 보노보가 인류의 과거를 새롭게 복원시켜줄 열쇠가 될 수도 있다는 것을 시사하고 있다.

하지만 보노보는 〔지나간 과거의〕 역사적 현상이 아니다. 적어도 아직까지는 말이다. 보노보는, 현재 열대 지방 도처에서 대규모로 동식물의 서식지를 파괴하고 있는 힘이 닿을 수 없는 깊숙한 세계의 오지 속에서 아직도 살고 있다. 이들을 잘 보살핀다면 우리는 우리 자신을 완전히 새롭게 바라보게 해주는 이 사촌과 함께 오랫동안 이 지구에서 살아갈 수 있을 것이다.

조지아 주 애틀랜타에서 프란스 드 왈
캘리포니아 주 산타크루즈에서 프란스 랜팅

* Konrad Lorenz(1903～1989). 오스트리아의 동물학자. 비교동물학적 방법으로 동물의 행동을 연구하는 현대 행동학의 창시자로서 행동 양상을 통해 진화 양상을 밝혀내는 데 공헌했고, 공격의 근원에 대한 연구로도 유명하다. 말년에 그는 인간을 사회를 구성하는 동물의 하나로 생각하고 자신의 생각을 인간 행동에 적용시켰는데 이는 철학 사회학적인 논쟁을 야기하기도 했다.

** Nikolaas Tinbergen(1907～1988). 네덜란드 태생 영국의 동물행동학자.
1973년 노벨 생리학 의학상을 받은 틴베르헨은 로렌츠, 프리슈와 함께 동물행동학을 부활시켰다고 평가받고 있다. 그는 생존을 위한 본능적 행동과 학습 행동 둘 다 모두 중요하다고 강조했고 인간의 폭력과 공격성의 본질을 추론하기 위해 동물의 행동을 활용했다. 특히 오랫동안 바다갈매기를 관찰한 것으로 유명한데, 여기서 구애와 짝짓기 행동에 대한 중요한 일반화가 이루어졌다.

1

최후의 유인원

내가 누군지 알아맞혀 보라는 듯 우리를 쳐다보는 생기 넘치고 사색하는 듯한 두 눈을 보고 있노라면, 우리가 그저 단순한 "동물"을 쳐다보고 있는 것이 아니라 이 세계에서의 자기 위치를 정확히 알 만큼 놀라운 지성을 지닌 존재와 마주하고 있음을 금세 알아차리게 된다. 우리는 지금, 우리 인류와 다른 소수의 종만이 포함되어 있는, 꼬리가 없고 납작한 가슴에 긴 팔을 지닌 사람상과(科) 동물을 만나는 중이다. 이상한 동물을 보면 으레 그렇게 하듯 이 동물이 우리와 얼마나 다른가 하는 생각을 해보기도 전에, 우리는 어떤 오랜 인연 같은 것을 느끼게 된다.

보노보를 보고 있으면 우리와 다르다는 생각을 그리 오래 하기가 쉽지 않다. 이들의 행동은 모든 면에서 우리와 너무 닮았다. 불만에 찬 어린 보노보는 투정부리는 어린아이처럼 입술을 삐죽거리기도 하고, 먹을 것을 달라고 보챌 때는 두 팔을 활짝 벌려 애원한다. 짝짓기를 하는 동안 암컷은 환희에 젖어 울부짖고, 서로 옆구리나 배를 간질이며 놀 때는 떠나가라 큰 소리로 낄낄거린다. 이런 모습을 보고 있노라면 우리와 다르다고 말하기란 거의 불가능하다. 어찌나 닮았는지 이들과 우리 사이의 경계선마저 희미하게 느껴질 정도이다.

그러나 많은 사람들이 보노보를 보면서 신기해하고 이들의 행동에 흥미를 느끼긴 하지만 인류의 진화 이론들에 대해 이들의 행동이 지니는 함의는 우리를 난처하게 하곤 한다. 이들은 이제까지 초기 인류의 행동을 설명할 수 있는 모델

영장류학자들은 인간과 비슷한 이 유인원과 처음으로 눈을 마주친 뒤로 이들에 대한 태도가 근본적으로 바뀌는 체험을 하게 되었다고 말하고 있다. 종과 종 사이의 장벽을 뛰어넘는 이러한 충격적인 교감은 결코 잊을 수 없을 것이다. 이 유인원의 눈에서 감성적으로나 지적으로나 우리 자신과 너무나 유사한 강한 개성을 느낄 수 있기 때문이다.

역할을 해온 침팬지만큼이나 우리 인류와 가까우면서도 전통적인 진화 가설에는 들어맞지 않기 때문이다. 따라서 보노보가 좀더 일찍 알려졌더라면 인류 진화를 재구성하는 과정에서 전쟁 · 사냥 · 도구 제작과 활용 기술 · 그외의 다른 남성적 장점 대신, 예컨대 성적인 관계 · 수컷/남성과 암컷/여성 간의 평등 · 가족의 기원이 더 강조되었을 것이다. 보노보 사회는 적어도, 지난 30년 동안 교과서를 지배해온 피에 굶주린 사냥꾼 유인원이라는 신화가 아니라 '전쟁이 아니라 사랑을(Make Love, Not War)' 이라는 1960년대의 슬로건에 의해 지배되고 있는 것 같다.

우리는 과연 사냥꾼 유인원인가?

1925년 레이먼드 다트가 오스트랄로피테쿠스 아프리카누스(*Australopithecus africanus*)를 발견했다고 발표했는데, 이는 '잃어버린 고리' 의 발견이라 할 만큼 인류의 화석 발굴 역사에서 핵심적인 사건이었다. 유인원을 닮은, 직립의 이 사람상과 동물의 발견은 그때까지 생각했던 것보다 인류의 혈통이 유인원의 혈통과 훨씬 더 가깝다는 것을 확인시켜주었다. 또 인류 발생의 요람은 아시아나 유럽이 아니라 아프리카라고 생각한 찰스 다윈의 생각이 옳았다는 것을 처음으로 입증해주었다.

이 화석이 발견된 장소에서 나온 여러 증거를 기반으로 다트는 오스트랄로피테쿠스가 먹이를 산 채로 잡아 갈기갈기 찢은 다음 게걸스럽게 먹어치우고 채 식지 않은 희생물의 피로 갈증을 푸는 잔인한 사냥꾼이었던 것이 틀림없다고 추정했다. '사냥꾼 유인원(killer-ape)' 이라는 신화는 과학 저술가인 로버트 아드리가 이러한 생각에 그 밖의 다른 생각들을 모아 극화(劇化)시킨 것으로, 그러한 생각 중에는 전쟁이 사냥에서 유래하며 공격성이 없으면 문화의 진보도 불가능하다는 가설도 포함되어 있었다. 저명한 동물행동학자인 로렌츠도 이에 한몫 했다. 그는 사자나 늑대 같은 '전문적인' 육식 동물들은 같은 종을 향해 무기를 휘두르는 것을 금하는 강력한 금제(禁制)를 발전시켰지만 불행히도 인간에게는 이러한 방향으로 진화할 수 있는 시간이 모자랐다고 주장했다. 그의 주장에 따르면 원래 채식을 하던 조상들을 둔 인류가 어느 날 갑자기 육식을 하게 되었다는 것이다. 이로 인해 우리 인류는 동족간의 살인을 통제할 수 있는 적절한 억제책과 균형 감각을 잃게 되었다고 한다.

이러한 가설이 엄청난 호소력을 가졌던 것이 화석 증거보다는 제2차세계대전 당시의 대량 학살과 더 관련이 많다는 점은 여러 차례 지적된 바 있다.

전후에 인간 본성에 대한 신뢰는 땅에 떨어졌고, 아드리와 로렌츠의 생각이 대중화되면서 인간을 불신하는 분위기는 한층 더 강화되어갔다. 매트 카트밀은 『아침에 죽음을 맞이할 생각을 하고*A View To a Death in the Morning*』에서 이제는 한물 간 주제, 즉 오늘날의 인간을 만든 것은 살인욕이라는 명제가 야기한 충격을 이렇게 요약하고 있다.

> 1960년대에는 사냥 가설의 핵심적인 명제, 즉 사냥과 그에 따른 선택의 압력 때문에 인류가 유인원을 닮은 조상들에게서 분리되었으며, 또 바로 이 때문에 인류가 폭력에 대한 취향을 발달시켰고 동물의 왕국에서 고립되었으며 자연의 질서로부터도 멀어졌다는 명제는 국민 문화의 친숙한 주제가 되었다. 또 호모 사피엔스는 정신적으로 불안정한 약탈자라는 이미지는, 이들만 없었다면 자연 세계는 조화로웠을 것이라는 생각으로 이어지면서 널리 퍼져 이제 이러한 명제에 대해 굳이 이의를 제기하는 사람을 하나도 찾아볼 수 없을 정도였다. (……) 1968년 수백만 영화 팬들은 스탠리 큐브릭 감독이 <2001년 스페이스 오디세이>에서 보여준 단 하나의 충격적인 이미지를 통해 다트의 이론 전체를 한방에 흡수할 수 있었다. 큐브릭은 오스트랄로피테쿠스 계의 한 원인(原人)이 얼룩말의 대퇴골을 사용해 인류 최초의 살인을 저지른 후 그 뼈를 허공으로 힘껏 날리며 환호하는 장면을 보여준 다음 그 뼈다귀의 동선을 곧바로 우주선의 궤도로 연결시켜 우주선이 우주를 떠도는 장면으로 넘어간 것이다.[1]

그러나 오늘날 역설적이게도 오스트랄로피테쿠스는 잔혹한 육식 동물이 아니라 거꾸로 거대한 육식 동물에게 쉽게 잡아먹히는 사냥감이었다는 것이 일반적인 견해가 되었다. 다트가 인류의 조상이 무기를 사용하는 유인원이었다는 증거로 생각했던 화석의 두개골 상처는 사실은 표범이나 하이에나의 이빨 자국이라는 것이 밝혀졌다. 따라서 인류 최초의 조상들은 용맹한 사냥꾼의 모습이 아니라 겁에 질려 떨고 있는 모습이었을 가능성이 더 크다.

보노보는 원시 인류의 모델인가?

인류가 보노보가 될 가능성이 없듯이, 보노보도 인류로 진화할 가능성은 없어

보인다. 둘 다 고도로 진화했고 다른 종과의 경계가 뚜렷한 종들이다. 그러나 우리 두 종 모두 "기껏해야" 600만 년 전쯤에 살았다고 여겨지는 공통의 조상에게서 갈라져 나온 후손들이므로, 보노보를 관찰함으로써 우리 자신에 대해 뭔가를 더 자세히 알 수는 있을 것이다. 어쩌면 보노보는 현재의 우리 인류에게서는 찾아보기 힘든, 혹은 진화라는 관점에서는 생각하기가 쉽지 않은 공동의 조상의 특징을 간직하고 있을지도 모른다.

얼마 전까지만 해도 보노보보다 우리 인류와 훨씬 먼 친척뻘인 사바나 비비〔개코원숭이〕가 원시 인류의 행동을 연구하기에 가장 적당한, 살아 있는 모델이라는 견해가 지배적이었다. 땅에서 생활하는 이 영장류는 사람상과 동물의 조상이 나무에서 내려온 후에 접했을 것이 분명한 환경과 유사한 조건에 적응한 동물이었다. 그러나 비비에게는 침팬지에게서 찾아볼 수 있는 인간의 몇 가지 기본적인 특징들이 전혀 없거나 아니면 미미하게 발달했을 뿐이라는 것이 밝혀지면서 곧 모델로서의 가치를 상실하게 되었다. 침팬지에게서는 협동 사냥, 음식을 나누어 먹기, 도구의 사용, 힘의 정치, 원시적인 전쟁 등이 관찰되어왔다. 또 이 유인원들은 실험실에서 기호 언어(sign language)와 같은 상징을 이용한 의사소통 방법을 배울 수 있는 능력을 보여주었고, 거울을 보면서 자기 모습을 알아보기도 했다. 이처럼 자아를 인식할 수 있다는 표시는 지금까지 원숭이들에서는 거의 또는 전혀 관찰된 바 없다. 물론 인간과 마찬가지로 침팬지도 오래 전에 영장류 계통수의 다른 영장류들에서 분리되어 나온 가지인 호미노이데아(Hominoidea)에 속한다. 따라서 유전학적으로 침팬지는 비비보다는 인류에 훨씬 더 가깝다.

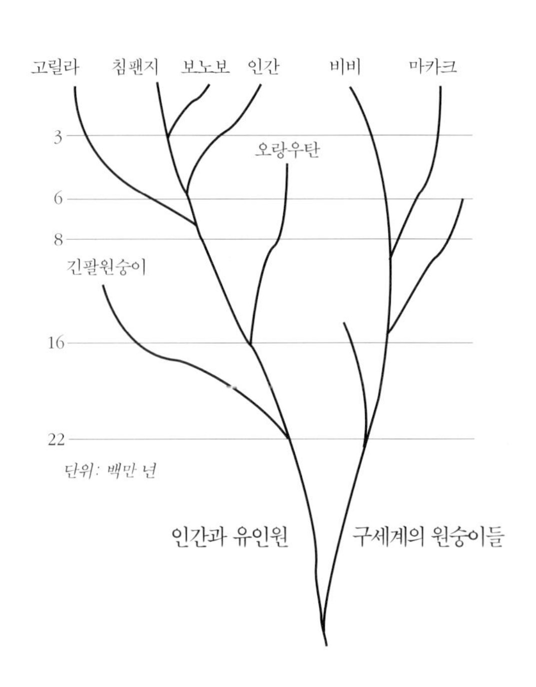

약 3천만 년 전 구세계[아시아, 유럽, 아프리카]의 영장류는 원숭이들(monkey)과 사람상과 동물이라는 두 개의 큰 가지로 나뉘어졌다. 이 사람상과 동물의 가지에서 인류와 유인원의 공동 조상이 생겨났다. 인류는 침팬지와 보노보가 분리되기 훨씬 전인 600만 년 전에 갈라져 나왔다. 따라서 이 두 유인원 중 어느 쪽이 다른 쪽보다 우리 인간과 더 가깝다고는 할 수 없다. 이러한 진화 계통수(系統樹)는 유전 정보를 담고 있는 DNA 분자를 비교 분석해 작성한 것이다.

그러나 인류 진화의 표본으로 침팬지를 선택함으로써 비비를 모델로 할 때보다 여러 모로 진전이 있었지만 모델이 바뀌었어도 한 가지 측면만큼은 전혀 조정할 필요가 없었다. 즉 수컷 지배가 "자연스러운" 상태로 계속 남아 있는 것이 그것이다. 침팬지와 비비 양쪽에서 모두 수컷이 압도적으로 암컷을 지배하고 있다. 수컷 비비는 암컷에 비해 덩치가 두 배나 클 뿐만 아니라 표범처럼 무시무시한 송곳니를 갖고 있는 반면 암컷에게는 그러한 무기가 없다. 침팬지의 경우 성별에 따른 차이점이 비비만큼 두드러진 편은 아니지만 이 종에서도 수컷이 지배권을, 그것도 종종 잔인하게 행사한다. 다 자란 건강한 어른 수컷이 암컷에 지배되는 것은 거의 불가능하다.

보노보를 살펴보자면, 아무래도 이 종의 특징은 암컷 중심적이고 평등주의적인 영장류로서 공격(성)을 섹스로 대체한다는 점으로 가장 잘 규정될 수 있을 것 같다. 이 영장류의 성생활을 고려하지 않고 이들의 사회 생활을 이해하는 것은 불가능하다. 이 둘은 분리할 수 없다. 성적인 행위가 사회 생활과는 전혀 무관한 범주를 이루는 대부분의 다른 종들과는 달리 보노보에게 성적인 행위는 사회적 관계의 핵심적인 부분이며, 그것도 단지 수컷과 암컷 사이의 관계에서만 그러한 것이 아니다. 보노보는 사실상 가능한 모든 짝과 어울려 섹스를 한다. 수컷과 수컷, 수컷과 암컷, 암컷과 암컷, 수컷과 어린 개체, 암컷과 어린 개체 등 다양한 파트너 조합이 이루어진다. 또 성적 접촉의 빈도도 다른 영장류에 비해 월등히 높은 편이다.

그러나 보노보의 출산율은 낮다. 야생 상태에서 보노보의 출산율은 침팬지와 비슷하며, 암컷이 대략 5년마다 한 마리를 출산하는 정도이다. 물론 성욕과 낮은 출산율의 이러한 결합은 왠지 친숙하게 들릴 것이다. 자손을 얻는 것을 목적으로 하지 않는 섹스야말로 우리 인간의 두드러진 특징이 아닌가?

일부 종교 교리에서 주장하는 대로 성행위의 유일한 목적이 자손을 낳는 데 있다면, 무수히 많은 커플들이 정기적으로 성관계를 맺는 선진국에서 한 가정당 평균 출생률이 두 명 이하로 떨어지는 것을 어떻게 설명할 것인가? 사람들이 성관계를 맺는 이유는 그것이 즐겁기 때문이며, 따라서 점점 더 성에 탐닉하게 되는 것이다. 그렇다면 자연스레 이런 질문을 떠올릴 수 있다. 왜 사람들에게 이러한 결과가 생기게 되었을까? 어쨌든 인간과 달리 대부분의 다른 동물들은 특정한 계절이나 배란 주기에 맞춰 며칠 동안만 짝짓기 행위를 한다. 이들은 재생산〔생식〕과 관계 없는 성적 욕구는 느끼지 않는 것 같다.

보노보의 다양하고 온갖 상상을 자극하는 에로티시즘은 성적인 관계를 좀더 넓은 맥락에서 바라볼 수 있게 해준다. 성을 재생산〔생식〕 중심으로만 바라보는 이데올로기는 즐거움과 사랑, 유대감 같은 인간 섹슈얼리티의 몇몇 측면을 간과하도록 만든다. 종종 이러한 행위가 자연스런 것인지 그렇지 않은지를 놓고 온갖 도덕론이 난무하는 것을 볼 때 이런 측면들이 초기 단계에서부터 이미 인류의 특징이었을지도 모른다는 가능성은 아주 중요한 함의를 갖는다. 일반적으로 자연적인 것은 좋은 것이며, 따라서 허용할 수 있는 것으로 등치되는 경향이 있기 때문이다. 결국 다음과 같은 결론이 나오게 된다. 즉 보노보의 이러한 행동이 일종의 단서가 될 수 있다면 인간의 성적 행위 중 "자연스럽지 못하다"는 이유로 비난받을 것은 거의 없으리라는 것이다.

성의 사회적 역할은 너무나 많은 것을 함축하고 있고 또 논란의 여지가 많은 주제이기 때문에 과학자들은 보노보의 행동에서 이러한 측면을 가능하면 무시

1929년, 보노보가 정식으로 독립된 종으로 인정받기 전에도 일부 행동학자들은 보노보가 독립된 종이 아닌가 하는 의구심을 갖고 있었다. 1911~1916년에 암스테르담 동물원에서 찍은 이 흐릿한 사진에는 당시 사람들이 침팬지로 알고 있던 두 유인원, 마푸카(왼쪽)와 키즈의 모습이 담겨 있다. 네덜란드의 자연학자인 안톤 포르털려는 마푸카가 새로운 종일지도 모른다고 기록했다. 오늘날 우리는 사진 속의 작은 머리와 검은 귀, 긴 머리카락을 통해 마푸카가 보노보라는 것을 쉽게 알 수 있다. 마푸카는 이 동물원의 가장 인기 있는 동물이었다(사진 제공 : 아르티스 자연사박물관, 암스테르담).

하려고 하는 경향이 있는 반면 보노보에 관해 글을 써온 일부 저널리스트들은 당연히 이를 과장하며 떠드는 경향이 있다. 이 책에서 나는 이 둘 사이에서 균형을 잡으려고 노력했다. 우리 인간과 가장 가까운 이 종은 한때 음탕한 호색가로 취급받았던 적이 있다. 하지만 나는 그런 식으로 보노보를 깎아 내리는 것이 아니라 이들의 성적인 행위에 대해 그러한 주제가 응당 받아야 할 만큼의 관심을 기울이도록 해볼 생각이다. 보노보들이 갖는 성적인 접촉은 지극히 편안한 것으로, 선정적이라기보다는 애정이 어려 있다. 막상 이들 유인원들 본인은 그러한 행위에 대해 그토록 너그러운데 우리가 너무 인간 중심적인 강박관념에 사로잡혀 이를 바라보는 것은 온당치 않은 것 같다. 게다가 보노보의 자연사(自然史)에는 섹스 외에도 다른 많은 시사점들이 있다. 보노보 사회의 의사소통 방식, 새끼의 양육, 뛰어난 지능, 생태계에서 그들이 차지하는 위치 등 이 종(種)이 사회를 조직하는 방식 전체가 매혹적이다. 이 동물은 단지 몇몇 측면에서만이 아니라 모든 면에서 주목을 요하는 셈이다.

지난 몇 년 동안, 그간 수수께끼 투성이였던 이 유인원에 대한 다양한 갈래의 지식이 하나로 모아졌다. 여러 발견들에 주목해야만 하는데, 이는 보노보가 사촌인 침팬지만큼이나 인류와 가까운 종이기 때문이다. DNA 분석에 따르면 인간은 98%가 넘는 유전 물질을 이 두 유인원과 공유하고 있다. 그들이 우리와 가장 가까운 친척일 뿐만 아니라 우리가 바로 그들의 친척이기도 한 셈이다! 침팬지와 보노보의 유전자 지도는 전통적으로 인간보다는 고릴라와 더 비슷하다고 여겨져왔다. 그러나 실은 고릴라 같은 다른 영장류를 포함해 그 어떤 동물보다 우리의 유전자 지도와 더 일치하는 것이다.

인간과 유인원을 분류학적으로 구별했던 스웨덴의 식물분류학자인 칼 린네가 말년에 그러한 결정을 후회했던 것은 전혀 놀랄 일이 아니다. 그러한 구분은 이제 완전히 인위적인 것으로 간주되고 있다. 과(科)적인 유사성이라는 관점에서 오직 두 가지 선택만이 존재한다. 즉 바로 우리가 그들 중의 하나이거나 아니면 그들이 우리 중의 하나인 것이다.

보노보라 불리다

몇 해 전 암스테르담 동물학 박물관의 포유류 관리인이 "마푸카"라는 이름의 영장류 박제 위에 쌓인 먼지를 털게 되었는데 그는 위에 침팬지라는 표시가 되어 있었음에도 불구하고 곧 그것이 보노보라는 것을 간파할 수 있었다. 물론 몇몇 예리한 관찰자들은 이미 다른 종과의 차이를 어렴풋이 눈치채고 있었지만 마푸카가 짧은 생애를 살다간 1911~1916년까지만 해도 보노보는 독립된 종으로 인정받지 못했다.

1916년 뛰어난 통찰력을 지닌 네덜란드의 자연학자 안톤 포르틸려는 암스테르담 동물원 안내서에 당시 인기가 가장 높았던 마푸카가 영장류의 새로운 종일지도 모른다는 견해를 밝혔다. 그로부터 몇 년 후 유인원 연구의 선구자였던 미국의 로버트 여키스는 오늘날에는 보노보인 것으로 밝혀진 '프린스 침(Prince Chim)'을 침팬지와 비교하면서 이렇게 기록하고 있다. "이 두 동물의 체형을 철저하게 기술해보면 과연 이들이 둘 다 같은 침팬지인가 하는 의문이 떠오를 것이다."[2] 이처럼 어느 면으로 보나 보노보와 침팬지 사이의 종적인 차이〔種差〕는 포르틸려나 여키스 같은 동물행동학자들이 이 두 동물이 다른 종이라는 결론을 내리기에 충분한 것이었다.

그러나 해부학자들이 동일한 결론에 도달하고서야 비로소 세계는 이 동물에 주목하게 되었다. 1929년에 이르러 비로소 보노보는 새로운 종으로 인정받게 되었는데, 이것은 엄청나게 중요한 사건이었다. 보노보는 과학이 발견한 최후의 거대 포유류 중의 하나였다. 이러한 역사적 발견은 숲이 우거진 아프리카의 자연 환경이 아니라 식민 본국이었던 벨기에의 한 박물관에서 이루어졌다. 크기가 너무 작아 혹시 새끼 침팬지의 것이 아닌지 의심되는 두개골이 발견되자 이것을 더 면밀하게 조사했던 것이 단초가 되었다. 보통 포유류 새끼들의 두개골의 봉합선은 벌어져 있어야 하지만 이 영장류의 두개골은 붙어 있었다. 독일의 해부학자 에른스트 슈바르츠는 그렇다면 이 두개골은 특별히 작은 머리를 가진 성체의 것이 틀림없다는 결론을 내리고 새로운 침팬지의 아종(亞種)을 발견했다고 발표했다. 하지만 얼마 지나지 않아, 차이들이 너무 크다는 결론과 함께 보노보는 완전히 독립된 새로운 종으로 인정받게 되었다. 그리고 공식적으로 '판 파니스쿠스(*Pan paniscus*)'라는 학명을 얻게 되었다.

슈바르츠의 이름이 공식적으로 이 새로운 종과 함께 기록되게 되었으나 — 생물학자들에게 이보다 더 큰 영광은 없다 — 1933년에 보노보에 대해 훨씬 더 세밀하게 기록한 사람은 미국의 해부학자인 헤럴드 쿨리지였다. 그로부터 반세기 후 쿨리지는 슈바르츠의 우선권에 이의를 제기하고 나섰다. 1982년에 개최된 국제 영장류학회의 회의석상에서 쿨리지는 벨기에 박물관에서 그처럼 범상치 않은 두개골을 제일 먼저 발견한 사람은 바로 자기라고 주장했다. 발견 당시

두 마리의 어린 유인원과 함께 있는 유인원 연구의 개척자 로버트 여키스. 왼쪽은 팬지란 이름의 암컷이고 오른쪽은 프린스 침이란 이름의 수컷이다. 로버트 여키스 역시 보노보가 독립된 종으로 인정받기 전에 보노보가 가진 특수한 위치를 눈치채고 있었다. 1924년에 폐렴으로 죽은 침이 보노보라는 사실에는 이제 이론의 여지가 없다. 여키스는 자신의 저서 『유사 인간*Almost Human*』을 침에 대한 감동적인 헌사로 마무리하고 있다. 그가 보기에 침은 행동이나 기질 면에서 다른 유인원과 구별되는 독특한 개성을 지녔고 지적 능력도 탁월했다(리 러셀의 사진, 1923, 여키스 영장류센터 제공).

흥분한 그는 그것을 즉각 박물관장에게 보여주었고, 대략 2주 후에 관장이 친구인 슈바르츠에게 그것을 알려주었다고 한다. 그러자 슈바르츠가 즉시 박물관에서 발행하던 무명의 잡지에 그러한 사실을 게재했다는 것이다. 쿨리지는 회의장에서 "그가 나의 분류학적인 특종을 가로챘습니다!"라고 외쳤다. 불행히도 슈바르츠 측의 이야기는 들을 수 없었는데, 이러한 비난이 제기되었을 때 그는 이미 이 세상 사람이 아니었기 때문이다.

참으로 기묘하게도 보노보의 속명(屬名)인 판(Pan)은 허리 위쪽은 사람이지만 염소의 뿔과 다리, 수염과 귀를 가진 그리스 신화의 산양과 목동, 숲의 신인 판에서 따온 것이다. 장난꾸러기에다 호색가였던 판은 님프들을 쫓아다니길 좋아하고 남근(男根)의 상징인 목신의 피리를 즐겨 불었다. 보노보의 종명(種名)인 파니스쿠스(paniscus)는 '작다'라는 의미를 갖고 있다. 같은 속에 속하는 침팬지는 트로글로디테스(troglodytes)라는 종명을 갖는데, 이는 동굴 거주자라는 뜻이다. 나무 위 생활에 적응한 동물치고는 두 동물 모두에게 다소 기이한 이름이 붙여진 셈이다. 보노보에게는 작은 목동의 신이라는 이름이, 그리고 침팬지에게는 동굴에 사는 목동의 신이라는 이름이 붙여졌으니 말이다.

보노보와 침팬지는 아주 가까운 친척관계이고, 침팬지가 우리에게 더 친숙하기 때문에 이 두 종은 종종 침팬지의 두 부류인 것처럼 하나로 묶여 이야기되곤 한다. 그래서 보노보는 "보노보 침팬지"나 "피그미 침팬지"라는 별칭으로 알려져 있기도 하다. 그러나 불행히도 그렇게 부르게 되면 진짜 침팬지를 "보통 침팬지"로 불러야 하는데, 이는 멸종 위기에 처한 이 동물에게는 적절한 이름이 아니다. 게다가 일부 과학자들은, (침팬지와 보노보의 체격이 상당히 비슷하기 때문에) 보노보가 그저 같은 속에 속하는 사촌인 침팬지보다 덩치가 조금 왜소한 이종(異種)이라고 생각하도록 만들기 때문에 이 "피그미 침팬지"라는 명칭은 적절하지 않다고 주장하고 있기도 하다. 다른 한편으로 "보노보"라는 명칭은 아무런 의미가 없으며, 단지 자이르*의 도시인 "볼로보(Bolobo)"라는 지명이 선적 수송 상자에 보노보로 잘못 쓰인 데서 유래했다고 주장하는 과학자들도 있다.

* 콩고민주공화국(Democratic Republic of Congo)이 정식 명칭으로 인접국인 콩고공화국(Republic of Congo)과는 다른 나라이다. 이 책이 출간된 1997년에 나라 이름을 자이르에서 콩고민주공화국으로 바꾸었다.

그러나 "보노보"라는 이름은 적어도 이 동물이 인간을 서툴게 축소시켜놓은 침팬지가 아니라 완전히 독립된 종이라는 느낌을 주기 때문에 점차 이 동물의 명칭으로 굳어지게 되었다. 뿐만 아니라 "보노보"를 발음할 때 느껴지는 경쾌함은 이 동물의 본성과 잘 어울리기도 한다. 여기서 더 나아가 보노보의 행동을 잘 아는 영장류학자들 사이에서는 언젠가부터 아예 보노보라는 단어가 동사처럼 사용되기 시작했다. "오늘밤 우리는 보노보하러 간다"는 식으로 말이다(이것이 무슨 뜻인지는 독자들의 상상에 맡기겠다!).

이 최후의 유인원의 발견에 대한 기록들을 살펴보는 일을 마무리하면서 다음과 같은 사실을 하나 더 추가하기로 하자. 역설적이게도 최근 이 보노보가 다른 어떤 거대 유인원보다 과학계에 훨씬 더 먼저 알려졌을 가능성이 있다는 것이 밝혀졌다. 렘브란트의 그림 <해부학 강의>로 불멸의 생을 얻은 유명한 네덜란드의 해부학자인 니콜라스 툴프 박사가 1641년 한 유인원에 대해 최초의 정밀한 기록을 남겼다. 툴프 박사가 해부한 유인원의 시체는 골격 구조나 근육 구조, 기관 할 것 없이 모든 면에서 인간과 너무 흡사했으므로 박사는 이처럼 〔인간과〕 유사한 형태의 동물은 도저히 찾을 수 없을 것이라고 기록했다. 박사는 이 유인원에게 '인도 사티로스'라는 명칭을 붙이고 이 동물의 서식지에서는 "오랑-우탕"이라 부른다고 덧붙였지만 실은 아프리카에서 가져온 것이었다. 이름만 동인도에서 온 것이었다(말레이어로 오랑 후탄oran hutan은 "숲에 사는 사람"을 의미한다).

툴프 박사의 기록은 17세기와 18세기 동안 여러 저서에서 그대로 계속 복제되어 암컷 침팬지의 표본처럼 사용되었다. 이것은 최소한 영국의 영장류학자인 버논 레이놀즈가 툴프의 사티로스는 아마 보노보일지 모른다고 주장할 때까지는 정설로 받아들여졌다. 레이놀즈는 툴프 박사가 직접 그린 원래의 해부도에서는 이 유인원의 오른쪽 둘째 발가락과 셋째 발가락이 피부 조직으로 연결되어 있다는 점을 주요 논거로 들었다. 발가락 사이에서 발견되는 "물갈퀴 같은 이러한 피부 조직"은 침팬지가 아니라 보노보에게서 훨씬 더 흔하게 나타나는 특징이다. 더구나 툴프 박사의 표본은 앙골라에서 가져온 것으로 알려져 있다. 물론 지금은 앙골라에 보노보가 서식하고 있지 않지만 그곳은 자이르 강(콩고 강)의 남쪽에 위치해 있다. 폭이 1킬로미터가 넘는 곳이 있을 정도로 매우 거대한 이 강은 지금 두 동물의 서식지를 완전히 갈라놓아 북쪽, 동쪽, 서쪽에는 침팬지가 남쪽에는 보노보가 살고 있다.[3]

첫인상

여키스는 자기가 관찰한 보노보의 성격과 지능에 감탄을 금치 못하면서 이렇게 쓰고 있다. "프린스 침만큼 육체적으로 완벽하고 민첩하며 뛰어난 적응력과 유쾌한 기질을 가진 동물은 생전 처음 본다."[4]

유인원 심리학의 최고 대가 중의 한 사람이 한 이 말은 상당한 영향력을 행사했다. 그러나 침에 대한 그의 열광적인 찬사를 이 종 전체에 대한 발언으로 액면 그대로 받아들이기 전에 그가 침의 나이를 상당히 어리게 추산하고 있었다는 것도 알아야 한다. 여키스는 침의 작은 체구를 보고 세 살 정도라고 생각했으나 침이 죽은 후 사체를 해부한 쿨리지는 침의 나이가 여섯 살 정도라는 것을 알아냈다. 다른 아이보다 나이가 두 배나 많은 아이는 지적 수준이 뛰어날 수밖에 없는 것처럼 침 역시 함께 사육된 침팬지인 팬지에 비해 뛰어난 지능을 보여주었을 것이다. 게다가 팬지는 결핵을 앓고 있었기 때문에 건강했던 침에 비해 이 점에서도 크게 불리했다. 여키스 본인도 이런 비교가 가진 한계를 잘 알고 있었는지 지능과 기질, 성격 등은 신체 조건에 크게 좌우된다고 말한 바 있다.

하지만 불행히도 이러한 유보 조항은, 침에 대한 여키스의 높은 평가가 보노보가 유별나게 지능이 뛰어나다는 주장을 뒷받침하는 근거로 인용될 때 좀처럼 언급되는 일이 없다. 물론 나도 보노보가 지능이 뛰어나다는 데는 동의하지만 과연 다른 유인원보다 월등히 뛰어난가 하는 질문에는 대답하기가 쉽지 않다. 유인원의 IQ는 사람의 IQ만큼이나 논란의 여지가 많은 문제이다. 가령 개체에 따른 차이가 아주 클 것이다. 따라서 불과 몇 마리의 보노보와 침팬지를 비교해 본 것만으로 단정적으로 결론을 내린다는 것은 무리이다. 나는 아주 영리한 몇몇 유인원들을 알고 있지만 이들이 모두 보노보인 것은 아니다. 또 (혹시 정말 보노보가 다른 유인원들보다 뛰어난 영역이 있다고 하더라도) 지금으로서는 과연 어떤 인지 영역에서 체계적으로 그러한지는 전혀 확실하지가 않다.

보노보와 침팬지를 최초로 본격적으로 비교 연구하기 시작한 곳은 1930년대 뮌헨의 헬라브룬 동물원이었다. 이 연구에는 시간이 많이 걸려 제2차세계대전이 지난 후에야 에두아르트 트라츠와 하인츠 헤크의 실험 결과가 책으로 출판되었다. 그들은 유인원 사체 세 구와 이 유인원들이 살아 있을 때 찍어둔 필름을 연구했다. 이 세 마리의 보노보는 전쟁중 도시에 공습이 가해지자 충격을 받아 심장마비로 죽었다.[5] 두 사람이 판 속(屬)에 속하는 두 동물의 행동상의 차이점을 여덟 가지로 분류해 작성한 항목은 차이가 가장 두드러지는 영역들 — 성적인 행동, 공격성의 정도, 소리의 표현 등 — 에 대한 최초의 개요로서 여전히 의미가 있다. 이들이 설정한 항목을 간략하게 요약하면 아래와 같다.

1. 보노보는 감수성이 풍부하며 생동감이 넘치고 약간 겁이 많은 반면 침팬지는 성질이 거칠고 급하다.

2. 보노보가 머리털을 곤두세우는 경우는 드물다. 그러나 침팬지는 자주 그렇게 한다.

3. 보노보는 격하게 싸우는 일이 드물지만 침팬지는 곧잘 심하게 싸운다.

4. 보노보의 방어법은 발로 상대방을 차는 것이지만 침팬지는 상대를 움켜잡고 물어뜯는다.

5. 보노보는 보통 〔아〕와 〔에〕 모음을 사용하여 소리를 내는 반면 침팬지는 〔우〕와 〔오〕를 사용한다.

6. 보노보가 침팬지보다 더 풍부한 소리를 낸다.

7. 보노보는 상대방을 부를 때 팔을 뻗고 손을 흔들면서 부르지만 침팬지는 그런 행동을 하지 않는다.

8. 보노보의 성행위는 인간과 비슷(more hominum)하고 침팬지의 성행위는 개과(科) 동물과 비슷하다(more canum).

침팬지는 매우 시끄러운 동물이다! 어른 암컷이 다른 암컷에게 거부당하자 울분을 참지 못하고 있다. 이 암컷은 때때로 자기 몸을 주먹으로 마구 치며 귀가 찢어질 듯 소리를 지르고 있다. 난폭하고 활동적이며 호전적인 기질로 잘 알려진 침팬지들에게서는 기쁨과 흥분의 표현뿐 아니라 실망과 적개심의 표현도 아주 분명하게 나타난다(프란스 드 왈의 사진).

지금까지 알려진 바에 따르면 첫째부터 넷째까지의 항목은 아주 정확하다. 물론 공격성의 차이는 그저 정도의 차이일 뿐이지만 침팬지처럼 상대방을 물어뜯고 맹렬히 공격하는 장면은 보노보의 경우에는 거의 발견되지 않는다. 침팬지는 또한 극히 사소한 자극에도 머리털을 곤두세우고 나뭇가지를 들고 달려든다. 또 상대가 자신보다 약하다는 것을 알게 되면 쉽게 공격하고 위협하는 행동을 한다. 따라서 이들은 철저하게 무리 내의 지위에 따라 서열화되어 있다. 그러니 보노보와 비교해보면 침팬지는 난폭하고 길들여지지 않은 야수와 같은 셈이다. 트라츠와 헤크는 이를 두고 "보노보는 대단히 감수성이 풍부하며 온화한 동물로 이들에게서 어른 침팬지의 잔인하고 원시적인 폭력〔*Urkraft*〕은 전혀 찾아볼 수 없다"[6]고 말하고 있다.

다섯번째 항목과 관련해서는 이들이 자주 내는 소리에 관한 블랑슈 러니드의 선구적인(본인은 이러한 사실을 모르고 있었다) 비교 연구를 참고하는 것이 좋을 것이다. 그녀는 침과 팬지가 다른 종이라는 사실이 확인되기 전에 예민한 귀로 여키스의 두 마리 유인원, 즉 침과 팬지가 내는 소리를 구별했던 것이다. 러니드가 기록해놓은 100여 개의 소리 목록표를 분석해보면 침은 보통 〔아〕(48%) 발음이나 〔아에〕(38%), 〔우〕(10%) 발음을 주로 내는 반면 팬지는 〔우〕(68%), 〔오〕(12%), 〔오아〕(7%)라는 발음을 주로 냈다. 음색만큼 이 종을 더 빨리 구분할 수 있도록 해주는 것도 없다. 헬라브룬 동물원의 원장으로 있을 때 헤크는 천으로 덮인 운반 상자에서 흘러나오는 보노보 소리를 듣고 곧 동물이 잘못 배달

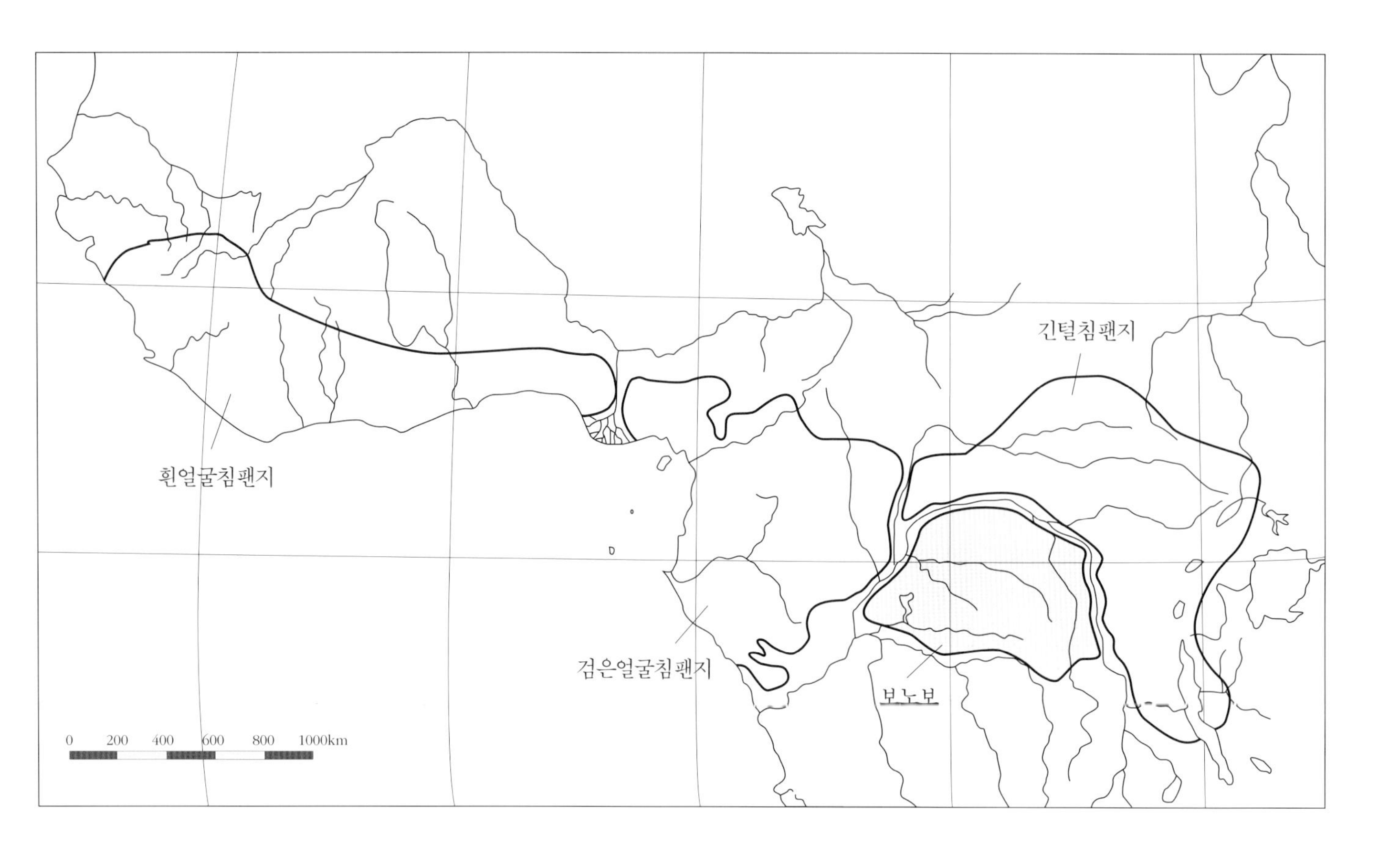

1900년경 판 속(Pan 屬)의 구성원들의 분포 추정도를 보여주는 적도 부근 아프리카의 지도. 서식지가 파괴됨에 따라 현재의 분포도는 이보다 훨씬 더 파편화되어 있다. 침팬지의 아종에는 세 종류가 있는데, 가면침팬지 또는 흰얼굴침팬지는 서아프리카에 서식하고 검은얼굴침팬지는 중앙아프리카에 서식하며 이보다 작은 긴털침팬지는 동부 아프리카에 서식하고 있다. 보노보 서식지는 자이르 강 남쪽 지역으로 한정되어 있다. 이 지도는 벨기에의 테르뷰른 박물관에 있는 덜크 테이스 반 던 아우든나르드의 지역사(史) 기록 요약본에 기초한 것이다.

되었다고 확신하게 되었다. 보노보는 침팬지들이 야유하듯이 길게 내뱉는 "후우 ~ 후우" 소리와 달리 높고 날카로운 소리를 낸다. 이 두 종간의 이러한 음색 차이는 어린아이와 성인 남자의 음성 차이만큼이나 크다.

또 보노보는 소리를 낼 때 몸짓도 함께 사용하며, 서로 소리로 대화하는 경우가 많다. 보노보는 흔히 주변에서 일어나는 작은 일에 대해서도 특유의 높은 톤으로 빽빽거리거나 짖어대며 끊임없이 "뭐라고 한마디하는" 아주 반응이 빠르고 활발한 동물이다. 보노보의 목소리를 들으려면 아주 가까이 다가가야 하지만 어쨌든 침팬지 집단보다 보노보 집단이 의사소통을 하는 데 목소리를 더 많이 사용한다는 것은 확실하다. 침팬지가 소리를 내는 경우는 심각한 위험에 처하거나 식량을 발견하고 흥분했을 때 아니면 서로 상대방을 위협할 때가 대부분이다. 침팬지는 이처럼 다른 어떤 동물보다도 요란한 소리를 내지르는 동물이지만 그런 모습을 목격할 수 있는 것은 아주 특별한 상황에서뿐이다.

마지막 항목은 섹슈얼리티(sexuality)와 관련되어 있다. 트라츠와 헤크는 성혁명이 일어나기 전의 저술가들이었기 때문에 자신들이 발견한 충격적인 사실들을 라틴어로 포장해야 할 필요를 느꼈다. 당시만 해도 둘이 얼굴을 마주 보고 성행위를 하는 것은 인간에게만 고유한 것으로 간주되고 있었다. 이것은 인간의 존엄성과 감수성을 반영하고 있는 문화적 혁신으로서, 바로 이것이 인류를 다른 "하등" 동물과 구분해주고 있다고 생각되고 있었다. 그런데 이 두 동물학자는 침팬지는 개와 같은 자세로(*more canum*) 성행위를 하는 반면 보노보는 인간과 같은 자세로(*more hominum*) 성행위를 한다고 주장했다. 또 두 사람은 보노보 암컷의 성기는 이러한 체위에 적합하게 발달한 것 같다는 중요한 지적을 덧붙였다. 즉 보노보 암컷의 외음부는 침팬지에서처럼 등 쪽으로 있는 것이 아니라 두 다리 사이에 있다는 것이다.

오늘날까지도 학자들이나 대중 저술가들 모두 인간의 짝짓기 유형, 남근의 크기, 성적 매력 등에 대해 터무니없는 주장들을 계속 늘어놓고 있다.[7] 그런데 오래 전에 이루어진 보노보에 대한 중요한 보고들이 사람들의 관심을 끌지 못했던 가장 큰 이유는 이것들이 대부분 영어가 아닌 다른 언어로 쓰여졌기 때문이다. 대체 누가 『*Säugetierkundliche Mitteilungen*(포유동물학 보고)』처럼 발음하기도 어려운 학술지를 일부러 찾아서 읽겠는가? 명명을 둘러싼 게임에서 이들이 한 역할("보노보"란 이름을 최초로 제안한 사람들이 바로 이들이었다)은 논외로 하더라도 트라츠와 헤크는 학계에서 무시되고 잊혀져갔다. 마찬가지로 클라우디아 요르단이 유럽에 있는 동물원 세 곳을 돌아다니며 경탄을 자아낼 만큼 상세히 조사하여 밝혀낸 연구 결과도 진가를 인정받지 못했다. 1977년에 나온 그녀의 논문 「동물원에 사는 피그미 침팬지의 행동 방식Das Verhalten zoolebender Zwergschimpansen」은 이후의 여러 문헌들에서 새로운 발견이라고 떠들게 되는 보노보의 기본적인 행동 방식에 대한 정보를 사실상 거의 다 기록해놓고 있다.

초기의 일부 연구 결과들이 제대로 주목받지 못한 두번째 원인은 동물원에서 관찰할 수 있는 특이한 행동을 동물들이 포획된 후 습득한 인위적인 행동 방식으로 치부해버린 데 있었다. 그러나 보노보가 그렇게 유별난 행동들을 하는 것이 따분해 죽겠기 때문이라든가 또는 인간의 영향을 받았기 때문이라는 것이 말이 되는가? 오늘날 극한 상황이 아니라면 포획된 동물의 행동이 그렇게 극적으로 변하지 않는다는 사실은 꽤 알려져 있다. 사실 어떤 환경에 처해져도 다른 영장류들은 보노보처럼 행동하지 않는다. 다시 말해 보노보들이 독특한 행동을 하는 것은 환경적 요인 때문이 아니라 보노보에게 뭔가 특별한 것이 있기 때문이다. 그러나 보노보의 행동이 인간의 영향을 받아서 그렇게 되었다는 생각은 현장 연구가 시작된 후에야 비로소 잦아들 수 있었다. 그리고 보노보의 자연 서식지에서 이루어진 연구 결과는 여키스, 트라츠와 헤크, 러니드, 요르단 등의 선구적인 관찰들과 모순되기보다는 그것들의 타당성을 입증해주었다.

1974년 아일랜드와 남아프리카 공화국 출신의 젊은 부부인 앨리슨 배드리안과 노엘 배드리안이 재정 지원도 없이 용감하게 자이르 북쪽에 위치한 오지의 정글로 들어갔다. 두 사람은 로마코 숲 주변에 연구 기지를 세웠다. 관찰이 불연속적으로, 게다가 연구자들이 바뀌는 가운데 이루어져오긴 했지만 이 연구 기지는 아직까지 사용되고 있다. 같은 해에 자이르에 중요한 다른 연구 기지가 하나 세워졌는데, 이곳에서의 연구는 이보다 훨씬 오래 지속되어 야생 상태의 보노보에 대한 많은 정보를 이 기지가 제공하게 되었다. 왐바라는 이름의 이 기지를 설립한 사람은 교토 대학의 다카요시 가노인데 그는 다섯 달 동안 자이르에 서식하는 보노보의 분포도를 조사한 다음 이 기지를 세웠다. 실제로 이 지역에는 별다른 교통수단이 없기 때문에 가노는 엄청난 거리를 도보로 혹은 자전거로 돌아다녀야 했다.

이들을 포함하여 다른 혁신적인 현장 연구가들은 보노보의 행동 양식에 관한 우리의 지식을 크게 진전시켰다. 이들의 연구는 이 유인원의 성적인 행위가 얼마나 중요하고 풍부한지를 확인시켜주었으며, 보노보의 사회 조직을 이들이 적응해 살고 있는 환경, 즉 자이르 강 유역의 울창한 열대 우림과 연관지어 설명해주었다. 야생 상태의 보노보는 대단히 수줍음이 많은 동물이기 때문에 이들이 사람의 출현에 익숙해지는 데는 많은 시간이 필요했다. 왐바에서는 이 문제를 해결하기 위해 일본의 마카크원숭이를 관찰할 때 자주 사용되는 기술을 보노보에게 적용해보았다. 먹이를 공급하는 것이 그것이었다. 가노는 보노보의 서식지 근처에 소규모 사탕수수 밭을 만들어놓고 보노보들을 숲 밖으로 나오도록 유인했다. 로마코에서는 이런 시도를 해본 적이 한번도 없다. 따라서 로마코 기지는 나름대로 또 뭔가 독특한 것을 제공할 수 있었다. 즉 먹이 제공과 같은 인위적인 환경에 영향을 받지 않고 여기저기 돌아다니면서 먹이를 찾고 있는 보노보의 다양한 행동 유형을 관찰할 수 있었던 것이다.

왐바나 로마코, 그리고 그 밖의 몇몇 다른 곳에도 현장 연구 기지가 세워졌지만 보노보에 대한 연구는 규모나 양적인 면에서 침팬지와는 비교가 안 될 정도로 뒤쳐져 있는 게 현실이다. 다행히 최근 몇 년 동안 보노보에 대한 관심이 급속도로 증가했다. 이 과정에서는 특히 보노보가 지금까지 전통적으로 남성 지배적이고 폭력적으로 그려져온 우리 영장류 사촌들[침팬지]의 거울-이미지를 제공한 듯 보이는 것이 한몫 했을 것이다. 자연을 다루는 잡지사에 근무하는 한

페미니스트 저널리스트가 한번은 내게 이런 말을 한 적이 있다. "보노보만이 우리의 희밍이에요." 사실 보노보에 대한 이데올로기적인 관심은 대부분의 과학자들에게는 그리 유쾌한 일은 아닐 것이다. 하지만 그것이 학문적이고 진실하며 엄밀한 연구로 이어지기만 한다면 굳이 그것을 반대할 이유도 없다. 연구를 지속해나간다면 현재의 인상이나 이론들이 사실로 입증되거나 수정될 테니 말이다. 그러면 우리는 어떻게 해서 보노보가 지금과 같은 사회 조직을 발전시켜왔는지 좀더 심층적으로 이해할 수 있게 될 것이다.

한편 동물원에서 사육되고 있는 보노보들은 이들의 행동 방식을 연구할 수 있는 대상으로서 날로 인기를 더해가고 있다. 오늘날 주요 동물원에서는 한두 마리나 소규모 집단을 사육하던 과거와는 달리 자연 환경과 유사한 생태를 꾸며놓고 많은 개체를 사육하고 있다. 게다가 이 유인원의 평균 수명도 과거보다 늘어났다. 보노보는 호흡기 질환에 극히 취약해 과거의 사육 상태에서는 기껏해야 두서너 해 동안만 살아남을 수 있었다. 그러나 위생 상태를 철저히 점검하고 다양한 영양식을 제공한 결과 동물원과 연구소에서는 스무 살, 서른 살 또는 이보다 더 나이가 많은 보노보들도 찾아볼 수 있게 되었다. 생존율을 높이고 사회 집단의 크기를 늘려나가기 위한 이런 변화는 내가 직접 연구에 참가했던 샌디에이고 동물원에서 처음 시작되었다. 이 동물원이 보노보를 키우기 시작한 1960년대 초만 해도 이곳에는 한 쌍의 보노보만 있을 뿐이었다. 바로 '카코웻'이라는 수컷과 '린다'라는 암컷이었다. 그러나 이 두 마리는 매우 번식력이 강해 동물원이나 야생 상태를 통틀어 세계에서 가장 많은 자손을 낳았다. 그럴 수 있었던 이유 중의 하나는 새로운 새끼가 태어날 때마다 동물원의 사육실에서 새끼를 기른 데 있다. 사육실에서 새끼를 길렀기 때문에 린다는 새끼를 양육하는 긴 시간을 줄일 수 있었고, 이 때문에 새로운 새끼를 임신하는 간격이 전례 없이 짧아졌다. 두 마리는 14년 동안 모두 열 마리의 새끼를 낳았다.

그러나 이것이 바람직한 모습은 아닐 것이다! 린다의 많은 신생아들이 자니 카슨의 <한밤의 TV 쇼>에 출연했다. 나는 그들이 조금만 덜 유명했어도 그리고 엄마의 사랑을 조금만 더 받고 자랐어도 훨씬 더 행복하지 않았을까 생각해본다. 다행히 오늘날에는 샌디에이고 동물원을 포함한 대부분의 동물원이 어미와 새끼가 떨어지는 일이 없도록 힘쓰고 있다.

현재 거의 마흔 살로 추정되는 린다는 지금 다 자란 딸 중의 하나와 함께 밀워키 카운티 동물원에서 살고 있다. 카코웻은 몇 년 전에 죽었다. 이 동물원에 있는 보노보들의 대부〔카코웻〕에 관해서는 온갖 풍설이 떠돌고 있다. 그중 한 이야기에 따르면 아직 어린 보노보였던 카코웻을 번쩍 안아 올린 에른스트 슈바르츠는 기뻐 어쩔 줄 몰랐다고 한다(카코웻이라는 이름은, 이 녀석이 믿기 어려울 정도로 작았기 때문에 프랑스어로 땅콩이라는 의미를 가진 'cacahuète'에서 따왔다고 한다).[8] 박물관에 안치된 해골과 피부 조직의 분류 작업만을 수도 없이 해왔을 뿐 실제로 살아 있는 보노보를 직접 본 것은 그때가 처음이었기 때문이다. 이 유인원을 품에 안고 기뻐하며 서 있는 이 독일 해부학자에게 한 여성이 다가와 이렇게 인사했다. "아, 선생님이 이 재미있는 꼬마 원숭이에게 이름을 지어주신 분이죠?" 원숭이와 유인원의 차이에 대해 누구보다도 명확히 아는 과학자에게 보노보를 원숭이라고 하다니 얼마나 충격을 받았겠는가![9]

근래 들어 사육된 보노보들이 사회 행동을 전공하는 학생들의 관심을 끌고 현장 연구도 양적으로나 질적으로 증가하면서 이제 우리는 어느 때보다도 보노보의 사회 생활을 요약할 수 있는 호기를 맞이하고 있다. 물론 보노보에 대한 우리의 지식은 완벽한 것과는 한참 거리가 멀다. 하지만 영장류 전공자들이 자기들끼리만 모여서 갑론을박을 벌여온 어두컴컴한 구석으로부터 보노보를 끌어내기에는 이 정도 지식만으로도 충분할 것이다. 이들의 행동은 인류의 진화 과정과 관련해 그동안 소중하게 모셔져온 일련의 가설을 뒤엎도록 만들고 있다. 게다가 보노보라는 이 종 자체만으로도 충분히 매력이 있다. 따라서 이들은 좀더 널리 알려진 인류의 사촌인 침팬지와 함께 대중들의 마음속에 한 자리를 차지할 자격이 충분하다.

모두 다 한 가족(屬)

커다란 나무의 밑동에 앉아 있는 어린 수컷 보노보. 보노보는 네 종류의 거대 유인원 중에서 연구가 가장 미진하고 따라서 가장 알려진 바가 적다. 그 이유는 부분적으로는 이 종의 자연 서식지가 중앙아프리카의 오지 중의 오지에 있고, 게다가 이 지역이 정치적으로 불안정했기 때문이기도 하다. 게다가 침팬지와 비슷한 행동 양식을 지니고 있다는 오래된 억측도 현장 연구를 가로막는 장애 요인이었다. 그러나 이제 보노보는 침팬지와는 극적으로 다른 사회 조직을 갖고 있다는 것이 알려져 있다. 이들이 '판 파니스쿠스'라는 독립된 학명을 갖게 된 것은 너무나 당연한 일로, 이들은 점차 학계의 뜨거운 관심을 불러일으키고 있다.

오랑우탄(퐁고 피그마이우스)은 사람상과 동물 속에 속하는 동물 중 가장 화려한 털 색깔을 자랑한다. 유일하게 서식지가 아시아인 이 거대 유인원은 보르네오와 수마트라 섬의 고온 다습한 정글 속을 헤매고 다닌다. 이 종의 가장 큰 특징은 암수 사이의 현격한 성별 차이이다. 수컷은 암컷보다 거의 두 배 이상 크다. 이에 덧붙여 수컷 오랑우탄은 볼에 섬유질로 된 푹신푹신한 조직이 발달해 얼굴이 비대해진다(위 사진 왼편의 수컷과, 위 사진 오른편 및 옆쪽 사진의 암컷을 비교해보라). 다 자란 수컷들은 서로에게 강한 적대감을 보인다. 수컷은 침입자를 쫓아내거나 짝짓기 상대를 유혹할 때 독특한 소리로 울부짖는다. 어른 오랑우탄은 드문 짝짓기 시기를 제외하면 대부분 홀로 떠돌이 생활을 한다. 오랑우탄의 신체 구조, 즉 긴 팔과 갈고리 모양의 손발 그리고 짧은 다리는 이들이 오랜 세월 동안 나무 위 생활에 적응해왔다는 것을 말해주고 있다.

고릴라(학명: 고릴라 고릴라)는 할리우드 영화 〈킹콩〉으로 유명해졌다. 영장류 중에서 가장 무거운 고릴라는 어른 수컷의 몸무게가 거의 180킬로그램(400파운드)에 이른다. 오랑우탄과 마찬가지로 암수의 크기는 현저하게 차이가 난다. 성격이 포악하다는 부당한 오해를 받고 있지만 사냥꾼으로부터 가족들을 방어해야 하는 등의 극한적인 상황이 아니면 사람을 공격하지 않는다. 실제로 고릴라의 성격은 매우 온순하다. 넓은 지역을 돌아다니는 고릴라 무리는 보통 십여 마리가 한 집단을 이룬 채로 평생 함께 지낸다. 이 무리는 [보통 무리를 이끌며 등뒤에 회색 털이 나 있어 '실버 백' 고릴라로 불리는] 나이든 수컷 고릴라 한 마리와 어른 암컷 서너 마리, 그리고 새끼들로 구성된다. 일단 암컷의 무리를 확정하면 수컷은 일생 동안 이들과 함께하는 경향이 강하다. 심각한 공격성은 오직 다른 수컷이 무리를 이끄는 수컷을 공격할 때만 표출된다. 이 새로운 도전자가 무리를 접수하는 경우도 있는데, 이 과정에서 새로운 승리자는 종종 새끼들을 죽이기도 한다. 두 사진 모두 저지(低地)에 사는 고릴라를 보여주고 있다. 포획된 암컷 고릴라(위)와 자이르의 카후지 비에가 국립공원에서 늪지의 식물 줄기를 먹고 있는 수컷 고릴라(옆쪽).

침팬지(판 트로글로디테스)는 인간에게 가장 친숙한 유인원이다. 동물원에서 흔히 볼 수 있는 이들은 지능 검사에서도 뛰어난 능력을 나타내며 또한 야생에서의 습성도 잘 알려져 있다. 침팬지는 암수의 크기의 차이가 고릴라나 우랑우탄에 비해 훨씬 더 작다. 이런 점에서는 이들은 보노보(그리고 인류)와 유사하다. 게다가 보노보와 침팬지 모두 집단의 구성원들이 헤어짐과 만남을 반복(fission-fusion)하는 사회를 구성하고 있다(90쪽 참고). 그러나 이 밖의 다른 측면에서는 커다란 차이가 있다. 침팬지 수컷은 보노보 수컷보다 훨씬 더 지배 지향적이고 "정치적"이며, 침팬지 암컷은 보노보 암컷만큼 큰 사회적 영향력을 행사하지 못한다. 위의 사진의 젊은 수컷 침팬지가 암컷들을 지배하려면 앞으로 몇 년이 더 흘러야 하지만 일반적으로 완전히 다 자란 수컷은 집단의 모든 연령의 암컷을 지배한다. 옆쪽의 사진은 암컷 한 마리가 새끼를 데리고 있는 모습을 보여주고 있다. 새끼의 얼굴은 밝은 색인데, 바로 이것이 이 침팬지와 아프리카의 다른 유인원들을 구분해주고 있는 특징 중의 하나이다. 보노보와 고릴라 새끼의 얼굴은 태어날 때부터 검은색이다.

2

두 종류의 침팬지

새로운 것은 항상 통념과 비교된다. 실제로 보노보를 둘러싼 논의도 이들이 침팬지와 얼마나 다른가 하는 것을 중심으로 전개되고 있다. 침팬지는 1920년대에 이들의 도구 사용 능력을 연구한 독일의 심리학자 볼프강 쾰러, 그리고 이들의 성질과 지능을 연구한 로버트 여키스의 선구적인 작업 이래 포획 상태에서 계속 연구되어왔다. 그 밖에도 영국의 영장류학자 제인 구달*이 곰베 국립공원에서 행해온 널리 알려진 관찰 기록을 비롯하여, 지금도 계속되고 있는 야생 상태의 침팬지에 대한 다른 몇몇 연구를 통해 견고한 지적 기반이 다져지고 있다.

* Jane Goodall(1934~), 영국의 비교행동학자. 탄자니아 곰베 강에 위치한 국립공원의 침팬지를 오랫동안 자세히 연구했다.

그러나 보노보의 행동을 지금 우리가 침팬지에 관해 알고 있는 것과 비교하는 작업은 아주 복잡한데, 최근 상당한 "문화적" 편차(variation)가 발견되었기 때문이다. 침팬지가 모든 곳에서 본질적으로 똑같이 행동한다는 생각은 급속하게 포기되고 있으며, 의문의 여지 없이 이러한 가변성은 다른 유인원들 사이에서도 존재한다. 게다가 이 장에서 논의될 차이들은 유사성들에 비하면 다소 피상적이다. 보노보와 침팬지는 모두 나무 위 생활에 적응한 거대 포유류로 대부분의 시간을 과일을 찾아다니는 데 보내고 모자간의 결속을 오랫동안 지속시키며 수컷들은 높은 서열을 차지하기 위해 경쟁한다. 이 두 종은 해부학적 구조나 행동, 그리고 자연사에서 근본적으로 비슷하다. 그렇기 때문에 당연히 분류학상 동일 속(屬)에 속해 있다.

◀ 적도의 어둠 속의 수컷 어른 보노보

'오스트랄로피테쿠스 아파렌시스'는 약 350만 년 전에 살았다. 이 자그마한 사람상과 동물(hominid)의 뇌 크기는 침팬지만큼 작았지만 이미 직립 보행을 하고 있었다. 이는 인류의 진화 과정에서는 직립 보행이 뇌의 확장보다 앞선다는 것을 암시하고 있다. 이 인류의 조상에 대해서는 알려진 바가 거의 없기 때문에 이 삽화에 나오는 것처럼 남녀가 짝을 지어 함께 다녔는지는 확신할 수 없지만, 탄자니아의 라에톨리에서 발견된 발자국은 이들이 완벽한 직립 보행을 했음을 확인해주고 있다(루시 복원화, 미국 자연사박물관, 뉴욕).

그렇지만 앞으로 나는 이처럼 공통적인 기반은 당연한 것으로 전제하고 차이를 강조할 생각이다. 우리는 우리 자신을 다른 동물과 비교할 때도 종종 이와 똑같이 한다. 즉 양쪽에 공통적인 특징들은 무시하고 차이점을 부각시키는 것이다. 통상 이런 전략으로 자연 세계에서 우리 인류가 차지하는 특별한 위치를 확인한다. 이와 똑같은 전략으로 보노보의 위치를 규정할 수 있을 것이다.

살아 있는 고리들

크기만으로 보노보를 침팬지와 구분하는 것은 불가능하다. 최근 미국의 인류학자인 에이미 패리쉬가 전세계의 거의 모든 포획된 보노보를 대상으로 실시한 조사에 따르면 보노보 수컷은 몸무게가 평균적으로 43킬로그램(95파운드)이고 암컷은 37킬로그램(82파운드)이다. 이러한 수치는 침팬지 아종(亞種) 중에서 가장 작은 종과 같거나 조금 더 나가는 것이지만 다른 두 종류의 침팬지 아종보다는 적게 나가는 무게다.

또 패리쉬는 성별에 따른 차이, 즉 어른 암수간의 몸무게의 차이가 침팬지보다 보노보에게서 약간 더 적을지도 모른다는 사실도 알아냈다. 침팬지의 경우 암컷의 몸무게는 평균해서 수컷의 약 80~84%를 차지하고 있다. 하지만 침팬지 중에서도 드물게 아주 작은 곰베의 침팬지들에게는 이러한 차이가 아주 커서 암컷의 몸무게는 수컷의 71~75% 정도밖에는 되지 않는다. 다른 한편 보노보와 인간에게서 암컷의 몸무게는 수컷의 85%가량 된다. 암수간의 크기가 상대적으로 작은 편이긴 하지만, 특히 평균적으로 암컷이 보통 수컷 크기의 채 반도 되지 않는 고릴라나 오랑우탄 같은 다른 유인원들에 비하면 보노보는 암수 차이가 그리 그다고는 할 수 없지만 싸움이 일어날 경우 이 15%의 차이는 매우 중요해진다. 또 수컷 보노보는 암컷보다 몸무게가 더 나갈 뿐만 아니라 힘도 훨씬 세며 암컷에게는 없는 기다란 송곳니도 갖고 있다. 외형만 본다면 이들이 평등한 사회를 형성하고 살아가리라고는 감히 아무도 상상할 수 없을 것이다.

보노보와 침팬지의 몸무게가 거의 비슷함에도 불구하고 보노보가 훨씬 더 가냘프고 우아하다는 것을 한눈에 알 수 있을 것이다. 아마 침팬지도 이러한 사실을 인정해야 할 것이다. 호리호리하고 날씬한 몸매, 작은 머리, 가느다란 목과 좁은 어깨, 검은 얼굴에 선명한 붉은 입술, 작은 귀와 고릴라만큼이나 넓은 콧구멍이 보노보의 특징이다. 또 얼굴도 더 평평하고 넓으며 이마도 침팬지보다 더 앞으로 튀어나와 있다. 무엇보다 압권인 것은 이들의 머리 모양인데 하나같이 길고 가느다란 검은 털이 가운데 가르마로 말쑥하게 나뉘어져 있다.

보노보와 침팬지의 주요한 차이점은 신체의 비율에 있다. 침팬지는 머리가 크고, 목이 두껍고, 어깨가 넓은 반면 보노보는 상체가 매우 왜소한 대신 가늘고 긴 다리가 인상적이다. 그리하여 앞다리의 지관절을 땅에 대고 네 다리로 걸어갈 때 침팬지의 등은 무거운 어깨 때문에 구부정하게 굽지만 보노보의 등은 높은 엉덩이 때문에 거의 수평을 유지할 수 있다. 똑바로 서거나 걸어갈 때도 보노보는 침팬지보다 곧은 자세를 유지할 수 있기 때문에 인간의 직립 자세와 매우 유사한 형태를 취할 수 있다. 미국의 신체 인류학자인 아드리엔 질먼은 모든 현생 유인원 가운데 보노보의 몸무게 분포가 선사 시대의 아프리카 "원인(猿人)" 또는 오스트랄로피테쿠스 계(界) 원인과 가장 가깝다고 주장한 바 있다. 네 발로 걸어 다니는 오랑우탄 같은 일부 유인원들은 상체와 하체의 무게가 거의 비슷하다. 그러나 사람처럼 두 발로 걷는 것에 익숙한 동물들은 하체의 무게가 훨씬 더 많이 나간다. 이러한 양 극단 사이에서 보노보는 다른 유인원들보다 훨씬 더 인간에 더 가까운 신체 구조를 갖고 있다. 질먼은 이를 근거로 인류는 긴 다리를 가진 보노보와 아주 흡사하게 생긴 공동의 조상에서 진화했을 것이라고 주장하고 있다.

그러나 이를 우리가 보노보와 좀더 밀접한 관련을 맺고 있다는 증거라고 오해해서는 안 된다. 보노보와 침팬지라는 이 두 판(*Pan*) 종은 우리 인류가 이 두 종으로부터 갈라지고 나서 수백만 년 후에 갈라졌다는 점으로 미루어 보아 이는 전혀 불가능한 이야기이다. 보노보나 침팬지는 우리 인류로부터 같은 거리에 있는 것이다. 아니 오히려 질먼의 주장은 보노보가 소위 잃어버린 고리의 최고의 모델이라는 말로 받아들이는 것이 더 좋을 것 같다. 이러한 견해는 종종 인용되는 쿨리지의 결론, 즉 "살아 있는 어떤 침팬지보다도 보노보가 인류와 침팬지의 공동 조상과 더 비슷한 모습을 하고 있을 것"[1]이라는 결론을 떠올리게 한다.

다시 말해 여전히 베일에 싸여 있는 우리 공동의 조상이 땅 위를 걸어다니고 있을 무렵, 그러니까 대략 6백만 년 전이라고 추정되는 때부터 보노보의 몸의 구조는 침팬지보다 덜 변형을 겪은 것 같다. 우리 인류는 직립 보행을 비롯, 뇌의 크기가 커지고 피부를 덮은 털이 사라지는 등 다양한 변화를 겪으며 새로운 모습을 갖추게 되었다. 침팬지의 진화는 아마 사바나나 삼림처럼 반쯤 개방되고 보다 건조한 서식지에 적응해야 할 필요 때문에 일어났을 것이리라. 그러나 보노보는 열대 우림의 보호에서 벗어난 적이 없던 것 같다. 현재 보노보의 서식지

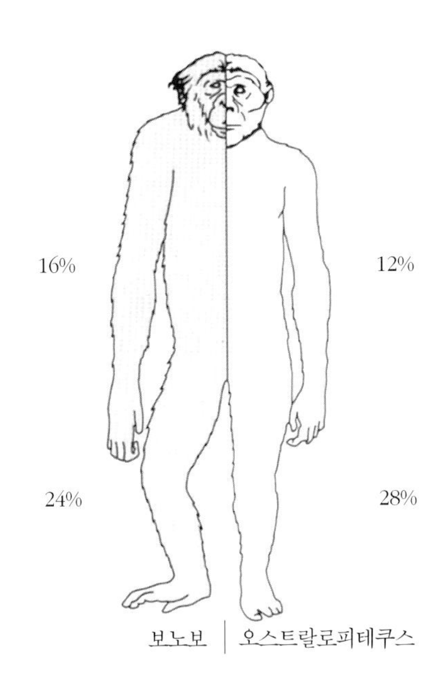

오스트랄로피테쿠스의 화석인 "루시"의 팔다리 무게를 가늠해본 아드리엔 질먼은 다리가 팔보다 두 배 가량 무거웠을 것이 틀림없다고 추정했다. 이러한 몸무게 분포는 우리 인류처럼 고도로 진화된 직립 동물에 버금가는 것이다. 인간의 다리는 팔보다 거의 네 배나 더 무겁다. 현존하는 유인원과 루시를 비교해본 후에 질먼은 보노보의 신체 비례가 루시의 이 비례와 가장 가깝다는 것을 알아냈다. 위의 그림은 질먼의 논점을 잘 보여주고 있다. 루시의 팔은 전체 몸무게의 12%에 지나지 않지만 다리는 28%에 육박한다. 보노보의 경우에는 각각 16%와 24%이다. 정말로 인간과 유인원의 공동 조상들이 보노보와 같은 신체 구조를 갖고 있어서 직립 보행에 재빨리 적응할 수 있었던 것일까?(칼라 시몬스의 원본 그림에 기초한 삽화, 아드리엔 질먼 제공)

는 습한 적도 지역으로만 한정되어 있다. 다카요시 가노는 이러한 이유로 보노보는 별다른 변형의 필요를 느끼지 않았을 것이며, 따라서 인간이나 침팬지보다 공동의 조상의 특성을 더 많이 간직하게 되었으리라고 생각하고 있다. 그렇다면 보노보는 현존하는 이들 세 영장류의 원형과 가장 닮은꼴이라고 할 수 있다.

인간은 숲 속에서 어떻게 초기 사람상과 동물로 진화했을까

오랫동안 우리 인류의 결정적인 특징인 직립 보행은 아프리카의 드넓은 평원에서 시작된 것으로 추정되어왔다. 인간이 곧추선 자세를 취하게 된 것은 높다란 풀숲 너머에 무엇이 있는가를 보거나 무기를 들기 위해 두 손을 사용할 필요가 있었기 때문일 수도 있다. 아니면 내리쬐는 뜨거운 태양에 최대한 적게 몸을 노출시켜 열을 피하기 위해서일 수도 있으며 기동성을 증가시키기 위해서였을 수도 있다. 실제로 과학자들 중에는 사바나를 횡단할 때 네 발보다는 두 발로 걷는 것이 에너지가 덜 소비된다고 주장하는 사람도 있다. 그러나 우리 인류의 직계 조상들과 유인원들이 갈라진 직후의 것으로 추정되는 화석 증거(이것들의 숫자는 점점 더 증가하고 있다)들을 보면 가장 초기의 사람상과 동물(protohominid)들은 적어도 부분적으로는 여전히 숲 속의 서식지에서 살고 있었다는 것을 알 수 있다. 직립 보행으로의 이행은 과학자들이 생각해온 것보다는 아마 더 완만하게 진행되었을 것이다. 우리 조상들은 두 발로 여기저기 돌아다니면서도 여전히 나무를 타기도 하는 등 긴 중간 단계를 거쳤을 것이다.[2]

최근 남아프리카공화국의 인류학자인 로널드 클라크와 필립 토비어스가 스테르크폰타인에서 최소한 3백만 년 전에 살았을 것으로 추정되는 인류 조상의 화석을 발굴해냈는데, 이 화석은 모두 네 조각으로 왼쪽 발의 일부에 해당하는 것이었다. 이 화석의 뒤꿈치는 두 발로 걷기에 적합하도록 체중을 지탱할 수 있는 형태를 하고 있었지만 동시에 발가락은 유인원처럼 움켜쥐거나 좌우로 비틀 수 있는 형태를 하고 있었다. 유명한 "루시"와 아주 가까운 사촌뻘인 이 오스트랄로피테쿠스 화석에는 "작은 발"이라는 이름이 붙여졌다. 이 화석을 놓고 과학자들 사이에 열띤 논쟁이 벌어졌다. 우리 인류의 조상들이 나무 사이를 휘젓고 다녔다는 것은 상상도 할 수 없다는 연구자들도 있었고, 나무를 타고 오르는 데 적응한 모양을 갖춘 발이 그런 용도로 사용되지 않았다는 것은 말도 안 된다고 주장하는 사람들도 있었다. 클라크와 토비어스가

▶ 인간을 제외한 영장류들은 기어오르거나 이 나뭇가지에서 저 나뭇가지로 건너뛰거나 네 발로 옮겨다니는 경우가 많기 때문에 앞발은 이동할 때 아주 중요한 역할을 한다. 그러나 인간의 손은 그러한 일로부터는 해방되어 있어 다른 영장류와 비교해볼 때 엄지손가락이 나머지 네 손가락과 마주보는 모양이 더 뚜렷하게 되었다. 그렇게 된 결과 손은 물건을 집거나 도구를 사용하기에 이상적인 모양이 되었다. 다른 한편 다리는 오직 이동에만 적합한 형태로 진화했다. 체중을 지탱할 수 있는 인간의 발과는 달리 유인원과 긴팔원숭이의 발은 가장 커다란 발가락이 다른 네 개의 발가락과 멀리 떨어져 있기 때문에 움켜잡는 데 적합한 형태를 띠고 있다(아돌프 H 슈바르츠의 삽화).

외교적으로 표현한 바와 같이 만약 이 '작은 발'이 나무 위 생활에 필요한 능력을 포기하지 않았다면 그것은 아마 그러한 능력이 없이는 생존이 불가능했기 때문일 것이다. 아마 '작은 발'은 나무 위에 있는 열매를 따거나 포식자를 피하기 위해 여전히 그런 능력을 필요로 했을지도 모른다. 혹은 다른 유인원 사촌들처럼 땅이 아니라 나무 위에 은신처를 만들어서 잠을 자는 것이 훨씬 더 안전하다고 생각했기 때문일 수도 있다.[3]

이 화석을 둘러싼 논쟁 덕분에 보노보를 보는 과학자들은 보노보를 다른 각도에서 바라보게 되었다. 보노보는 긴 다리를 갖고 능숙하게 두 발로 걷지만 이들에게는 '작은 발'을 우리 인류의 직계 조상으로 인정받도록 해준 바로 그 발목이 없다. 로마코에서 보노보의 이동 방식을 자세히 기록한 미국의 해부학자 랜달 서스먼은 보노보의 이동 방식에서 초기 사람상과 동물과 비슷한 점을 발견했다. 유인원들 사이에서도 나무 위 생활로부터 지상 생활로의 이행은 매우 천천히 진행되었을 것이다. 아프리카 유인원들의 공동 조상은 주먹을 땅에 대고 걸음으로써, 즉 나무를 타고 오르는 데 적합한 기다란 손가락을 보호하면서도 지상에서도 자유롭게 이동할 수 있는 방식을 채택함으로써 이러한 방향으로 진화할 수 있었다. 서스먼은 이어 다음과 같은 가설을 제시하고 있다.

> 가장 최초의 사람상과 동물의 조상 또한 지상 생활에 적응하기 시작했으며 또 이와 동시에 오늘날의 아프리카 유인원들처럼 얼마 동안은 나무 위를 오르내릴 수 있는 능력을 그대로 유지하고 있었다. 그렇다면 무엇 때문에 이 초기 사람상과 동물들은 지상에서의 생활에 적응하는 문제에 대해 유인원들처럼 주먹을 땅에 대고 걷는 대신(혹은 이와 다른 해결책을 찾는 대신) 똑바로 일어서 걸어다닐 생각을 했을까? 아마 이것이 핵심적인 의문점일 것이다. 이에 대해서는 의견이 크게 갈리고 있지만 현재 대부분의 가설들은 뭔가를 옮기기 위해 손을 사용해야 했기 때문이라는 데에 동의하고 있다. 이와 관련해 실제로 자연 상태의 침팬지(침팬지와 피그미 침팬지, 즉 보노보)를 관찰해온 많은 사람들이 이 동물들이 두 발로 걷는 이유는 물건을 나르거나 과시용으로 어떤 물건을 들고 있는 것과 밀접한 관련이 있다고 지적하는 것은 상당히 흥미롭다.[4]

직립 보행뿐만 아니라 도구 제작이나 협동 사냥 등 사람상과 동물로 진화

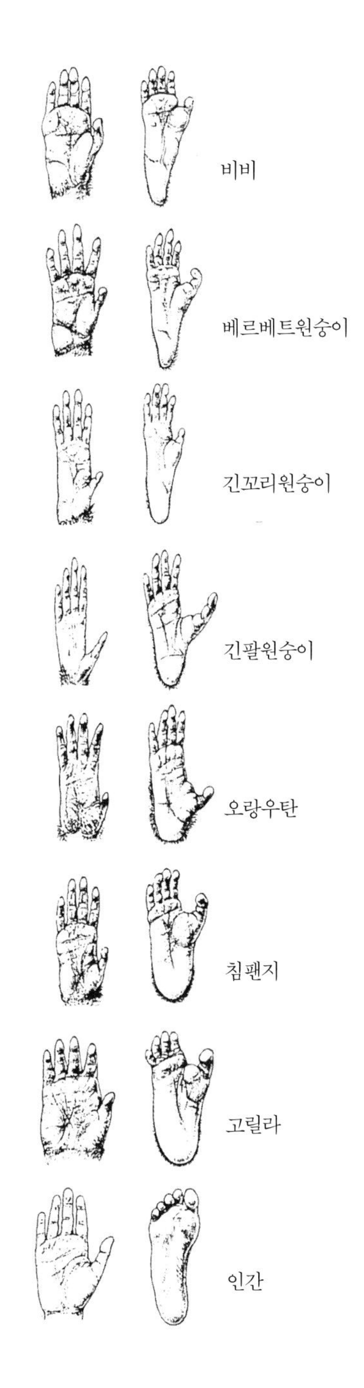

하는 과정의 몇몇 측면들 역시 우리 인류의 조상들이 평원으로 나오기 전에 숲 속에서 진화했을 가능성도 얼마든지 있다. 헤트비게 뵈쉬와 크리스토페 뵈쉬 부부는 숲 속에 살고 있는 침팬지에 대한 관찰을 근거로 이러한 명제를 제시하고 있다.

언뜻 보기에 보노보는 이와 정반대되는 증거를 보여주는 것 같다. 보노보는 울창한 열대 우림 지역에 살고 있는데 지금까지 도구를 만들거나 협동하여 사냥하는 모습은 관찰된 적이 없다. 그러나 이 동물에 대한 연구는 전혀 다른 문제를 조명해볼 수 있을지도 모른다. 사람상과 동물로 진화하는 과정에 관한 기존의 모델은 지나치게 남성/수컷간의 결속과 협동에 무게를 두고 있지만 우리의 계통 발생에서 여성/암컷들간의 결속이 그에 못지않게 중요하다는 데는 의문의 여지가 없다. 이것은 숲 속에 살았던 우리 인류 역사의 또다른 유산, 우리가 이 우아한 사촌들과 공유하고 있는 유산이라고 해도 무방할 것이다.

하지만 지금까지 살펴본 내용은 영장류학계의 한 학파가 주장하는 내용일 뿐이다. 이와 달리 다른 한 학파는 보노보 역시 상당한 변화를 겪었다고 주장하고 있다. 이러한 입장은 보노보의 염색체의 독특한 특징[5]과 혈액형, 치아의 배열 상태, 성에 따른 신체 구조, 생식 생리학 등에 의해 지지되고 있다. 보노보는 장성한 후에도 유년 시절의 특징을 그대로 간직할 수 있는 방식으로 진화한 것으로 추정되는데, 이러한 과정은 '유태성숙(幼態成熟)'*으로 알려져 있다. 가령 어른 보노보의 작은 두개골을 보고 슈바르츠와 쿨리지가 어린 침팬지라고 추정했던 것을 생각해보라. 또 보노보는 하얀 꼬리털도 그대로 간직하는데, 침팬지에게서는 이유할 나이가 지나면 이것이 사라진다. 어른 보노보의 새된 목소리는 어린 침팬지만큼 높으며, 심지어 앞쪽으로 향해 있는 암컷의 성기 또한 유태성숙의 한 특징으로서 이는 우리 인류에게서도 찾아볼 수 있다. 유태성숙은 인간 진화의 보증서로 간주되어왔다. 이것은 우리 몸에서 털이 사라지고, 거대한 뇌가 발달하고, 장난을 좋아하는 특성 등에 반영되어 있다. 즉 보노보는 인류가 겪은 화려한 진화 과정의 이면에 놓여 있는 것과 유사한 과정을 겪으면서 침팬지로부터 분화된 것으로 추정된다. 따라서 보노보들이 더 원시적인 형태인가 아니면 더 진화한 형태인가 하는 문제와는 무관하게 이들은 우리 인류에 대해 흥미로운 이야기를 들려줄 수 있을 것이다.[6]

* 애벌레나 올챙이 같은 유충(幼蟲) 혹은 유생(幼生) 상태에 멈춘 채로 생식소가 성숙하여 번식하는 현상. 개체 발생이 어느 단계에서 정지되고 그대로 생식선만 성숙되거나 완전 변태를 하지 못하고 유생 상태에서 성적으로만 성숙해 번식한다. 최근 유태성숙이 진화상 중요한 역할을 한다는 설이 점차 설득력을 얻고 있다. 예를 들면 곤충류는 다지류의 유태성숙에 의해 생긴 것이라고 한다.

인류의 과거를 연구하는 데서 점점 더 중요한 비중을 차지하고 있는 정보원은 DNA 분석법이다. 인간과 유인원의 DNA를 비교해본 결과 진화 계통수를 전면적으로 수정하지 않을 수 없게 되었다. 아프리카의 유인원들이 이전에 추정되었던 것보다 우리 인간과 훨씬 더 가까운 사이로 밝혀진 것이다. DNA 분석 기술은 날이 갈수록 발전하고 있으며, 이로 인해 최근에는 판(*Pan*) 속(屬)에는 오직 두 종만이 있다는 견해가 도전받기 시작했다. 침팬지의 세 아종, 즉 흰얼굴침팬지와 검은얼굴침팬지 그리고 긴털침팬지 사이에서는 적지 않은 차이가 발견된다. DNA의 특성 면에서는 서부에 사는 흰얼굴침팬지가 가장 많은 차이가 난다. 따라서 이들은 독립된 종으로 따로 구분해야 한다는 주장이 나오고 있다. 그러나 이를 둘러싼 논쟁이 아직 끝나지 않은 상태이기 때문에 당분간 나는 판 속에 속하는 종은 보노보와 침팬지 둘뿐이라고 전제하고 이야기를 전개해나갈 생각이다.[7]

웃음과 익살스러운 표정

새로운 종을 연구할 때 가장 먼저 해야 할 일은 소위 에소그램(ethogram)을 작성하는 것이다. 즉 동물의 행동 유형을 체계적으로 기술해야 한다. 예를 들어 침팬지의 경우 네덜란드의 영장류학자인 얀 반호프와 제인 구달이 작성한 일급의 에소그램이 있다. 비록 반호프의 기록은 동물원의 침팬지에 대한 기록이고 구달의 기록은 자연 상태의 침팬지에 대한 기록이지만 두 에소그램이 많은 부분에서 일치하고 있는 것은 주목할 만하다. 이것은 종에 특유한 발성 방식이나 몸짓, 얼굴 표정 그리고 그 밖의 다른 의사소통 방식들은 환경의 변화에 따라서는 거의 변하지 않는다는 것을 분명히 보여준다.

나는 침팬지에 대한 나의 지식과 이 두 사람의 에소그램을 토대로 샌디에이고 동물원에서 에소그램을 작성해나가기 시작했다. 이 에소그램은 보노보의 행동을 다른 영장류들의 행동과 직접 비교하여 기술하는 것을 목적으로 하고 있었다.[8] 당시 샌디에이고 동물원에는 열 마리의 보노보가 있었는데, 나는 보노보 우리 앞에 서서 관찰 결과를 녹음기에 기록하는 방식으로 연구를 진행해나갔다. 또 식사 시간이나 새로운 성원이 들어올 때 등 아주 특별한 순간에는 비디오카메라로 해당 장면을 촬영해두었다. 나는 보노보가 적대감을 표출하거나 접촉을 원할 때 혹은 성적 충동을 나타낼 때 등 자극된 상태를 전달하는 신호에 초점을

맞추었다. 이런 식으로 나는 이들이 하는 일련의 행동 양식에 대한 정보를 상당히 많이 — 정확히 말해서 5,135가지나 — 수집할 수 있었는데, 너무 많아서 수집하는 데 든 시간보다 컴퓨터에 입력하는 데 걸린 시간이 훨씬 더 많았다.

이렇게 구분해낸 50가지 이상의 행동 유형 중 침팬지와 보노보 두 종 모두에서 나타나는 행동 유형이 절반을 넘었다. 물론 이러한 행동 유형이 엄밀히 말해 완전히 똑같은 것은 아니지만 적어도 비슷하거나 동일한 의미를 갖고 있었다. 예를 들어 두 종 모두 음식을 달라거나 도움을 구할 때 혹은 접촉을 원할 때는 두 팔을 길게 뻗어 애원하는 방식을 취했다. 어미가 새끼를 내버려두고 떠나버리면 혼자 남은 새끼는 손을 내저으며 구슬프게 울어댐으로써 어미가 새끼의 소리를 듣고 다시 돌아오게 만들었다. 손과 발이 거의 같은 역할을 하는 보노보의 경우 다리를 길게 뻗어 애원하는 경우도 있었다.[9] 또 보노보는 종종 손〔앞발〕을 쫙 편 상태에서 네 손가락을 빠르게 구부렸다 폈다 하는 동작을 반복함으로써 빨리 오라고 재촉하기도 했다.

하루는 오랫동안 떨어져 있던 어른 수컷 보노보 두 마리를 만나게 한 적이 있었다. 두 마리는 날카롭게 소리치면서 약 6분 정도 아무런 신체 접촉도 없이 그저 상대의 주변을 맴돌기만 했다. 우리는 두 마리 사이에 격렬한 싸움이 벌어지는 것은 아닌가 하고 걱정했다(대부분의 동물은 비슷한 힘을 가진 동성同性의 낯선 상대를 만났을 때는 싸움을 벌인다). 하지만 좀더 어린 보노보인 케빈이 손을 뻗어 버논에게 좀더 가까이 다가오라는 듯 손가락을 굽혔다 폈다 하는 자세를 취했다. 이따금씩 케빈은 아주 조급하게 손을 흔들어대기도 했다. 마침내 암컷에게 성교를 요구할 때와 같이, 두 발을 벌리고 선 두 수컷의 성기가 발기했다. 두 마리 모두 접촉을 원하고 있었지만 과연 상대방을 믿어도 될지 확신할 수 없었던 모양이다. 한참을 마주 보던 두 마리는 마침내 서로 다가가더니 싸우기는커녕 이빨까지 드러내며 활짝 웃는 표정으로 얼싸안았다. 그런 다음 버논이 성기를 케빈의 성기에 비벼댔다. 이내 조용해진 두 마리는 즐거운 몸짓으로 사육사들이 뿌려놓고 간 건포도를 줍기 시작했다. 소리지르며 싸우는 대신 이제 두 마리는 먹이를 놓고 즐겁게 재잘거리고 있었다.

이처럼 아주 짧지만 긴장된 만남이 이루어지는 방식, 즉 성기의 접촉, 여러 신호의 집중적인 교환, 평화로운 결말이야말로 보노보의 전형적인 특징이다. 물론 포획 상태에 있든 야생 상태에 있든 보노보에게도 공격 행동이 없는 것은 아니지만 교묘하고 맹렬한 공격성을 과시하는 침팬지에 비하면 극히 온화하고 절제되어 있다고 할 수 있다. 화가 나서 털을 잔뜩 세우고 있는 수컷 침팬지는 평소보다 훨씬 더 커 보이며 작은 나무를 뿌리째 뽑아 땅에 내리치기도 하고 엄청난 힘으로 땅을 쿵쾅거리며 사방 아무 데로나 씩씩대며 달려든다. 침팬지가 이렇게 화가 났을 때 그의 앞을 지나는 사람은 호되게 당할 각오를 해야 한다. 침팬지는 몇 분씩이나 이런 행동을 계속하기도 한다. 아마 이러한 과시 행동의 지속 기간과 박력의 정도가 동료 침팬지들에게 그의 힘과 체력을 알려주는 것 같다. 탄자니아의 마할레 국립공원에서 도시사다 니시다가 거대한 바위로 둘러싸인 강바닥에서 과시 행동을 하는 서열이 높은 수컷 침팬지의 행동을 기록한 적이 있다. 이 침팬지는 경쟁자들에게 보란 듯이 괴력을 발휘해 돌을 들어올려 비탈로 밀었고 돌은 무시무시한 소리를 내며 굴러 떨어졌다.

이에 비하면 보노보 수컷의 전형적인 과시 행동은 어린아이의 장난처럼 보인다. 나뭇가지를 움켜쥔 다음 땅바닥에 질질 끌면서 약간 뛰어갈 뿐이다. 이러한 행동을 증기 기관차 같은 폭발적인 에너지를 뿜어내는 강인한 사촌과는 도저히 비교할 수 없을 것이다. 또 침팬지에게서 찾아볼 수 있는 복잡한 충돌도 거의 일어나지 않는다. 침팬지들의 경우 싸움이 일어나면 어느 한쪽이 지원자를 그러모으며, 그렇게 되면 상대편에서도 마찬가지로 지원자를 불러모으는데 이것은 결국 무리 전체의 전면전으로 확산될 때까지 멈추지 않는다. 침팬지들은 사방을 돌아다니며 손을 내밀거나 껴안으면서 친구들에게 싸움에 끼어들라고 부추긴다. 이리하여 온갖 종류의 동맹관계가 맺어진 가운데 서로 소리지르고 물어뜯고 하는데, 충돌은 30분이나 그 이상 동안 계속된다. 그러나 이와 반대로 보노보는 제3자를 끌어들이기 위한 교묘한 술책은 사용하지 않고 일 대 일로 싸우는 경우가 대부분이다.

그렇다고 해서 보노보가 침팬지와 같이 있을 때 이들 침팬지들 사이에 벌어지는 일 때문에 주눅이 들어 어쩔 줄 모른다거나 어떠한 동맹도 맺지 않는다는 이야기는 아니다. 보노보들에게도 침팬지처럼 상호 작용할 수 있는 능력이 충분히 있지만 침팬지의 정치 체계에 특징적인 대규모 충돌은 이들에게는 웬만해서는 일어나지 않는다. 또 침팬지들은 정교한 의식(儀式)을 통해 상대방에게 자기 지위를 알려준다. 특히 어른 수컷들 사이에서 서열이 낮은 수컷은 바닥에 납작 엎드려 죽어가는 목소리로 낑낑댐으로써 누가 서열이 높은지를 분명하게 보여주는 반면 서열이 높은 수컷은 그 앞에서 말 그대로 두발로 꼿꼿이 서서 과연 누가 대장인지 과시하듯 으름장을 놓는다. 결국 공격성, 지배, 복종과 관련된 의사소통 유형은 침팬지들 사이에서 좀더 분명하고 확실하게 드러난다고 할 수 있다. 또 침팬지가 육체적 정신적으로 훨씬 더 많은 에너지를 일종의 정치 활동에

◀ 기후 변화로 인해 아프리카 식림상은 시대에 따라 다양한 형태로 변화해왔다. 남아프리카 공화국의 고생물학자인 엘리자베스 브르바의 주장에 의하면 빙하기를 거치면서 낮은 온도와 강우량의 감소로 삼림 지대가 급격히 줄어들었다고 한다. 인류의 조상을 비롯한 많은 생물 종은 상대적으로 개방된 서식지에 적응할 수밖에 없었을 것이다. 보노보가 위에서 두번째 지도에서처럼 '열대 우림 레퓨지아[빙하기와 같은 기후 변화기에 비교적 영향을 덜 받아서 다른 곳에서는 사라진 종이 살아남은 고립된 삼림 지대]' 중 한 지역에서 성공적으로 살아남았다면 이러한 변화의 압력에 크게 노출되지 않았을 수 있다(도널드 요한슨, 『루시의 후손 *Lucy's child*』에 포함된 지도에 기초).

* miocene, 신생대 제3기의 암석과 시간의 세계적인 주요 구분 단위.

** pliocene, 후기 제3기 암층과 이 암층의 퇴적 시기에 대한 전세계적인 주요 구분 단위.

하늘에서 내려다 본 자이르 중부의 숲과 대초원의 현재 모습. 이 사진을 통해 우리는 숲에서 일어난 역사적 변화들이 인류의 조상을 포함한 유인원들에게 어떤 방식으로 새로운 생태적 공간을 마련해주었는지를 유추해볼 수 있다. 그러한 변화로 인해 일부 종들은 점점 더 사바나의 자원에 의존해야 했을 것이다.

투입하는 것처럼 보인다. 침팬지들은 영장류 세계의 마키아벨리이다.

그러나 과연 인간이 아니라 동물과 관련해서 "정치"라는 말을 할 수 있을까? 만약 정치란 "누가 무엇을 언제 어떻게 획득하는가를 결정하는 방식"이라는 고전적 규정을 내놓은 사회 과학자인 헤럴드 라스웰을 따른다면 인간이 아닌 영장류들에게 나타나는 지배 전략이나 다양한 동맹관계들을 정치 활동이라고 부르지 못할 하등의 이유가 없다. 예를 들어 보노보와 침팬지들 사이에서는 공동의 적을 물리치기 위해 두 마리의 수컷이 연대하는 일은 너무도 흔하다. 마찬가지로 수컷들은 암컷을 유혹할 때도 동맹을 맺는다. 그런 식으로 누가 무엇을 얻을지를 결정하는 것이다. 일단 동맹이 맺어지면 이전보다 훨씬 높은 수준의 사회의식이 요구된다. 누가 우리 편이고 누가 적인가를 아는 것뿐만 아니라 상대방과 정기적으로 동맹을 맺는 것이 누구인지 아는 것이 무엇보다 중요하다. 이들의 존재 여부에 따라 판세가 많이 달라지기 때문이다. 동맹의 성공 여부는 정말 다양한 사회적 요소들을 얼마나 잘 파악하고 있느냐에 달려 있다. 따라서 1950년대와 1960년대에 영장류학자들이 제시한 바와 같이, 사회가 안고 있는 문제를 해결하는 능력이야말로 인간을 포함한 영장류들에게서 고도로 발달한 정신적 능력의 본래적 기능이라고 할 수 있는 셈이다.

만약 침팬지가 정말로 가장 정교하게 권력의 전략을 구사한다면 아마 이들이 사회적인 동기에 의해 뇌가 진화한 동물을 가장 잘 대변한다고 해야 할 것이다. 그렇다면 이 말은 결국 침팬지보다 덜 정치적인 동물인 보노보는 그만큼 지능이 낮다는 의미일까? 그러나 보노보들은 "누가 무엇을 언제 어떻게 획득할 것인가" 하는 문제를 이와는 다른 좀더 미묘한 방식으로 푼다는 여러 징후들이 존재한다. 침팬지는 영향력을 유지하고 우위를 점하기 위해 노력하지만 보노보는 힘을 과시하는 일에는 그다지 신경을 쓰지 않는다. 결국 원하는 것을 얻을 수 있는 방법은 여러 가지가 있으며, 보노보 사회에서는 이해관계에 따른 갈등을 평화적으로 해결하는 데 중점을 두는 것처럼 보인다.

이리하여 우리는 보노보가 정말 특출한 능력을 보여주는 영역으로 다가가게 된다. 성(性)과 권력이라는 두 가지 쌍둥이 개념 중에서 침팬지는 확실히 후자를 선호하는 반면 보노보는 전자를 선호한다. 침팬지는 성 문제를 권력으로 해결하는 반면 보노보는 권력 문제를 성으로 해결한다. 따라서 보노보의 성적 행동을 자세히 검토하는 것은 매우 중요하며, 그래서 나는 4장 전체를 이 주제에 할애했다. 여기서는 단지 성 문제에서 침팬지들은 거의 우습다고 할 수 있을 정도로 단순한 도식을 따르고 있다는 것을 언급하는 것만으로도 충분할 것이다. 이 모

든 사실은 나의 에소그램에 반영되어 있는데, 내 기록은 당연히 이 두 종이 가장 큰 차이를 보여주는 바로 이 영역에서 가장 풍부해질 수 있었다. 보노보는 침팬지보다 훨씬 더 다양한 성적 구애 방식, 더 다양한 성적 결합 방식을 갖고 있다. 뿐만 아니라 성행위를 할 때 침팬지보다 더 풍부한 얼굴 표정을 지을 수 있으며 또 감정을 다양한 목소리로 표현할 수 있다. 그에 비하면 침팬지의 성생활은 단순하며 지루하기까지 하다. 보노보를 보고 있으면 혹시 이들이 『카마수트라』를 읽은 것이 아닌가 하는 착각마저 들 정도이다.

하지만 에소그램 상으로 가장 두드러지게 나타나는 차이는 목소리를 사용한 의사소통과 관련되어 있다. 트라츠와 헤크가 지적한 대로 이 두 종의 목소리는 너무 다르기 때문에 누구나 쉽게 구분할 수 있다. 보노보의 목소리가 침팬지에 비해 높고 새되다는 것 외에도 두 종은 서로 부르는 소리가 완전히 다르다. 가령 먼 곳에 있는 동료를 부를 때 침팬지는 느린 속도로 야유하듯이 "후우~" 하는 소리를 내는 반면 보노보는 조금 신경질적으로 급하게 울어댄다. 이 소리를 멀리서 들으면 마치 작은 개 한 마리가 요란하게 짖어대는 것처럼 들린다. 때로는 작은 개 여러 마리가 짖어대는 것처럼 들리기도 하는데, 이는 한 마리의 부름에 화답하여 다른 동료들이 한꺼번에 높은 소리로 울어대기 때문이다. 이 때문에 거대한 합창이 이루어져 이 속에서 각각의 보노보들의 목소리가 "공명하게" 된다.

이보다 훨씬 더 극적으로 소리를 주고받는 것은 싸우려고 서로 마주 섰을 때이다. 마주 보고 서 있는 양쪽이 교대로 울어대는데, 이들은 프로 탁구 선수들이 공을 주고받듯 아주 빠른 속도로 소리를 주고받는다. 이처럼 보노보는 소리로 감정과 의지를 전달하는 것처럼 보인다. 보노보의 목소리는 아주 다양하다. 상대방을 위협하는 소리가 있는가 하면 어떤 목소리는 공포를 드러내며, 화해를 원할 때 내는 소리도 매우 독특하다. 게빈과 버논이 처음 만났을 때도 이처럼 강렬한 목소리로 빠르게 대화를 주고받았다. 이들의 대화를 음성 분석기를 통해 연구해보니 이들의 소리는 시간이 지남에 따라 음색이 계속 바뀌면서도 둘 사이에서는 서로 비슷한 톤이 유지되고 있었다(이를 음성 정합vocal matching 과정이라고 한다). 이것은 마치 두 수컷이 서서히 곤란한 처지를 모면할 수 있는 해결책에 합의하는 과정인 것처럼 보였다. 이들의 목소리가 겹치는 일은 거의 없었다. 즉 두 수컷 모두 상대방을 방해하지 않고 의사를 전달했던 것이다. 이러한 관찰과 함께 소위 '꽥꽥거리는 싸움(Quiekduelle)' 에 관한 클라우디아 요르단의 비슷한 서술을 근거로 나는 다음과 같은 결론을 유추하는 것이 가능하다고 생각한다. 즉 침팬지가 시각적 과시 행동을 통해 힘과 단호한 의지를 보여주는 반면 보노보는 내면 상태에 관한 정보를 좀더 "언어와 유사한" 형태로 교환한다고 말이다. 물론 그렇다고 해서 이들이 어떤 주제에 대해 이야기할 수 있다고 말하는 것은 아니다. 하지만 침팬지의 결투와 달리 목소리를 이용한 보노보들의 경연(競演)은 분명 대화적이고 또 함께 조화를 모색하는 듯한 성격을 강하게 갖고 있다.

다른 한편 이 두 종의 얼굴 표정은 놀라울 정도로 비슷하다. 두 종 모두 접촉을 원하거나 뭔가 좌절된 일에 대한 실망을 나타낼 때는 입술을 삐죽거린다. 예를 들어 샌디에이고 동물원의 칼린드라는 젊은 수컷은 서열 1위 수컷이 가장 좋아하는 암컷을 쫓아다니다가 퇴짜를 맞는 일이 종종 있었다. 그럴 때마다 칼린드는 먼 곳을 응시하며 멍하니 앉아 입술을 삐죽거리고는 했다. 이처럼 풀이 죽어서는 스스로를 위로하기라도 하듯이 종종 손가락으로 빠르게 자기 젖꼭지를 어루만지고는 했다.

장난을 칠 때면 느긋한 표정으로 입을 크게 벌리며, 상대편이 간지럼을 필 때마다 거칠고 쉰 목소리로 참기 힘든 것처럼 헐떡댄다. 이 두 종 사이에서 거의 구분할 수 없을 정도로 비슷한 유일한 소리가 바로 이 "웃음소리"이다. 상대방을 공격할 태세에서는 유인원의 얼굴에 긴장감이 흐르며 눈썹을 잔뜩 찌푸리고 눈을 부릅뜬 상태에서 입술은 굳게 다문다. 반대로 공포에 질려 있을 때는 입술을 뒤로 젖힌 상태에서 이빨을 모두 드러낸다. 이 모습은 〔마치 씩 웃는 것처럼 보여〕 혼동을 일으킬 수 있는데, 사람들은 기분이 좋거나 애정을 표현할 때 웃거나 미소짓는다고 생각하기 때문이다. 아주 흥미롭게도 그런 의미가 전혀 없는 것은 아니어서 보노보는 새로운 장난감을 발견하거나 성교가 절정에 이르렀을 때 혹은 자위를 할 때도 이빨을 모두 드러내는 표정을 짓는다. 내가 연구하는 동안 루이스라는 다 큰 암컷은 새로운 가지와 잎사귀를 모아 만든 새로운 보금자리 주위를 빙글빙글 돌면서 이렇게 웃는 듯한 표정을 지어 보였다. 이 모든 경우에서 유인원들은 자랑스러워하고 만족스러워한다는 인상을 준다. 따라서 이처럼 "좋아서 이빨을 다 드러내고 웃는 것"과 공포를 느끼거나 긴장된 상태에서 이빨을 드러내는 것을 구분해야 하는데, 아무래도 후자의 경우가 더 흔하게 나타난다. 이처럼 똑같은 얼굴 표정을 전혀 상반된 의미로 사용하는 것은 모순되어 보일지도 모르겠다. 하지만 갑자기 잠재적인 적대자가 출현한다든지 하는 위험한 상황이 되면 종종 역으로 마음을 달랠 필요가 있다는 점을 생각해보면 꼭 그렇지만도 않다는 것을 알 수 있을 것이다. 결국 이런 표정에서 이처럼 위안을 주고 우호적인 의미를 가진 성질이 점차 중요해졌을 텐데, 이러한 의미 변화는 특히 우리 인간에게서 크게 두드러지고(물론 우리에게서도 긴장된 웃음의 의미가 완전히 사라진 것은 아니다), 보노보들에게서는 약간 덜한 것 같다.[10]

마지막으로, 돌아보건대 에소그램을 작성하는 동안 얼마나 행복했는지를 말해야겠다. 초목이 우거진 널따란 사육장 안에서 한 떼의 어린 보노보들을 관찰하는 동안 이들의 표정을 기록한 목록은 자꾸만 길어져갔다. 정말 아주 기묘한 표정도 기록해야 했는데, 전에는 결코 본 적이 없는 것이었다. 당시에는 그러한 표정이 어떤 의미였는지 알 수 없었지만 시간이 조금 흐르자 주로 혼자 떨어져 있을 경우에만 그런 표정이 나온다는 것을 알 수 있었다. 이처럼 특이한 표정을 짓기 전이나 지은 후에는 섹스나 공격 행위와 같은 특별한 행동이 나타나지 않아 해석하기가 여간 어렵지 않았다. 한 어린 보노보는 그저 우두커니 앉아 있다가 갑자기 볼을 오므리고 윗입술을 부풀리며 아래턱을 빠르게 움직였다. 종종 손으로 기분을 나타낼 때도 있는데, 가령 손으로 입술을 잡아 비틀거나 손을 완전히 머리 반대편으로 돌려 "반대쪽"에서 손가락을 입에 무는 듯한 자세를 취하거나 하는 것이 그런 경우였다.

결국 나는 보노보들이 특정한 의사를 전달하기 위해 그렇게 하는 것이 아니라 몽상에 잠겨 우거지상을 하면서 즐겁게 놀고 있을 뿐이라는 결론을 내렸다. 이처럼 보노보들이 "익살스러운 표정"을 하는 것 자체가 대단히 흥미로운 일인데, 이것은 결국 보노보들이 얼굴 근육 조직을 자유롭게 움직일 수 있다는 것을 의미하기 때문이다. 그저 장난삼아 이런저런 얼굴 표정을 짓는 동물은 다른 동물들을 교묘히 속여넘기기 위해서도 똑같이 할 수 있지 않을까? 그러한 웃음에 함축된 의미가 무엇이든 간에 이들 어린 유인원들은 어떤 식이든 분류하는 데 목을 매는 과학의 강박 관념이 얼마나 어리석은 것인지를 적나라하게 깨우쳐주었다. 보노보들은 나를 놀리고 있었던 것일까? 보노보의 오묘한 얼굴 표정들이 도대체 무슨 의미였는지 깨달은 다음부터 나는 때때로 그들이 나에게 윙크를 한다는 생각을 떨쳐버릴 수가 없었다!

보노보의 총명함

샌디에이고 동물원에서 살고 있는 늙은 카코웻의 이야기는 보노보가 얼마나 총명한지를 생생하게 보여준다. 보노보 우리 앞에 있는 2미터 깊이의 해자(垓子)를 청소하기 위해 물을 빼놓았다가 청소가 끝난 후 관리인들이 보노보를 우리에 풀어놓은 다음 다시 물을 채우기 위해 취사장의 수도꼭지를 틀었을 때였다. 갑자기 카코웻이 소리를 지르면서 관리인을 향해 팔 그러니까 앞발을 휘저었다. 관리인들에 따르면 마치 뭔가를 말하는 것과 거의 똑같은 모습이었다고 한다. 알고 보니 물이 빠진 해자에 어린 보노보 몇 마리가 들어갔다가 채 나오지 못한 것이었다. 관리인들은 이들이 타고 올라오도록 체인을 내려주었다. 사람들의 도움으로 가장 어린 보노보를 뺀 모든 보노보들이 사다리를 타고 올라올 수 있었다. 이 꼬마 보노보는 결국 카코웻이 끌어올렸다.

그로부터 십여 년이 흐른 후 바로 이 일화가 있었던 우리에서 나도 이에 비견할 만한 광경을 목격했다. 오늘날의 동물원들은 현명하게도 해자에 물을 채워두지 않는다(유인원은 헤엄칠 줄 모른다). 대신 해자 밑으로 쇠사슬을 걸쳐놓아 보노보들이 원하면 언제든지 해자 밑으로 내려갈 수 있게 해놓았다. 그런데 보노보 무리의 수컷 일인자인 버논이 해자 밑으로 내려가면 종종 칼린드가 나타나 재빨리 쇠사슬을 치워버리는 경우가 있었다. 그런 다음 칼린드는 해자 벽을 치면서 입을 벌린 채 익살스러운 표정을 지으며 버논을 내려다보는 것이었다. 몇 차례에 걸쳐, (버논을 제외하고는) 무리의 유일한 어른인 로레타가 소동이 벌어진 해자까지 달려와 자기 배우자를 구하기 위해 사다리를 다시 내려놓고 그가 올라올 때까지 자리를 지키곤 했다.

이 두 일화는 보노보들에게는 타인의 처지를 이해할 수 있는 능력이 있음을 말해주고 있다. 카코웻은 분명히 자기에게는 아무런 해도 되지 않지만 아직 어린 보노보들이 안에 있는데 해자에 물을 채우는 것은 좋은 생각이 아니라는 것을 알고 있었던 것 같다. 칼린드와 로레타 모두 해자 밑에 내려가 있는 동료에게 사다리가 어떤 역할을 하는지 그리고 어떻게 행동해야 하는지도 알고 있었던 것 같다. 칼린드는 속수무책인 상대를 괴롭히는 데 이를 이용했고 로레타는 곤경에 빠진 동료를 구하는 데 사용한 차이가 있기는 하지만 말이다. 타인의 입장을 이해할 줄 아는 능력은 인지 심리학의 뜨거운 논쟁거리이다. 이것은 고도로 발달된 능력으로, 일부 사람들은 이것은 오직 우리 인류만이 지닌 특성이라고 믿고 있다.

이러한 정신적 능력은 사회관계를 혁명적으로 바꾸는 힘을 갖고 있다. 타인을 지각하고 느낄 수 있으며 생각할 수 있는 존재로 바라보고, 상대방의 "처지"가 되어볼 수 있다면 타인들과 공감하고 상대방이 어떤 도움을 필요로 하는지를 알고…… 또 어떻게 다른 이를 속여넘길 수 있을지도 알 수 있을 것이다. 고의로

남을 속이려면 상대방이 아는 것이 무엇이고, 모르는 것이 무엇인지를 알아야 하니 말이다. 이를 잘 보여주는 흥미로운 사례가 어린 보노보들을 돌보던 동물원의 육아실에서 벌어졌다. 보육사가 어린 로라에게 접시에 담긴 음식을 깨끗하게 치우라고 명령했다. 로라는 즉시 사육사의 말에 따랐다 — 하지만 로라가 어떻게 해서 그렇게 빨리 음식을 치울 수 있었는지는 기저귀를 갈아 채울 때까지는 아무도 몰랐다. 로라는 자기가 차고 있던 기저귀 속에다 음식을 감추기 위해, 사육사가 등을 돌릴 때를 기다리고 있었음에 틀림없다.[11]

클라우디아 요르단도 이와 비슷한 경험을 했다(사실 이와 비슷한 일은 보노보 무리에서는 일상적으로 일어난다). 한 젊은 수컷이 머뭇거리면서 어미가 쌓아놓은 음식더미에서 굴러나온 사과를 잡기 위해 애쓰고 있었다. 그러나 사과를 집으면 귀찮은 일이 생길 거라는 것을 깨달았는지 이내 그런 행동을 멈추고는 아주 과장되고 익살스러운 표정을 지으면서 어린 여동생에게 다가갔다. 어미 근처에 앉아 있는 동생의 위치는 사과가 굴러간 곳과 꽤 가까웠지만 동생은 사과가 굴러온 것을 눈치채지는 못한 상태였다. 어린 수컷은 동생과 노는 척하면서 사과가 떨어져 있는 곳으로 점점 가까이 다가갔다. 마침내 기회가 오자 수컷은 휙 하고 사과를 움켜쥐었다. 이제 놀이에는 흥미를 잃은 수컷은 횡재한 것을 조용히 즐기기 위해 우리 한 구석으로 사과를 갖고 갔다.

상대방의 입장을 생각하고 남을 속이는 능력은 다른 동물들에게는 없고 오직 인간과 유인원들에게만 있는 "종합적인" 인지 기술의 일부라는 생각이 점점 더 설득력을 얻고 있다. 이처럼 새로운 경계선 — 물론 이것은 우리를 다른 모든 동물과 분리시키는 것은 아니라 약간 더 포괄적으로 엘리트를 구별해줄 뿐이다 — 을 긋는 것을 지지해주는 핵심적인 연구 결과가 또 하나 있다. 인간과 유인원만이 거울에 자기 모습이 비칠 때 이 거울 속의 상(像)이 주변의 동료나 친구들이 아니라 바로 자기라는 것을 안다는 것이 그것이다. 미국의 실험 심리학자인 고든 갤럽이 실시한 아주 정밀한 실험은 이들이 이러한 자아 인지 능력을 갖고 있다는 증거를 보여주고 있다. 그는 유인원이 눈치채지 못하게 얼굴에 살짝 색 잉크로 점을 찍은 후 거울 앞에 데려다놓았다. 그러면 통상 유인원들은 자신과 거울에 비친 상 사이의 관계를 알아챘다. 즉 거울에 비친 상을 보면서 자기 얼굴에 묻은 얼룩을 조심스럽게 만진다. 이들이 자아를 인식한다는 또다른 증거도 있다. 거울을 보여주면 처음에는 흥미롭게 생각하지만 이내 거울에 비친 모습이 다른 동료가 아니라는 것을 깨닫고 별다른 관심을 보이지 않는 것이다. 이들은 빠른 시간 안에 거울에 비친 상을 향해 위협적인 행동을 하거나 가까이 다가오라고 어르는 행동을 멈추고 대신 다른 동물들에서는 거의 또는 전혀 볼 수 없는 행동으로 옮겨간다. 유인원들은 자기 몸 중에서 평소에는 볼 수 없었던 신체 부위들을 살펴본다거나 코를 찡그려보고, 또는 채소나 지푸라기로 머리를 장식하는 등 이런저런 식으로 꾸며본 후 거울에 어떤 모습으로 비치는지 살펴보는 것이다.

아직까지 보노보를 대상으로 공식적으로 이처럼 색 잉크 실험을 해본 적은 없지만 결과는 다른 유인원들과 비슷할 것이다. 여키스 영장류센터와 안트웨르펜 동물원에서는 보노보들이 거울에 비친 자기 모습에 어떻게 반응하는지를 비디오에 담아 정밀하게 분석해본 적이 있다. 결론은 보노보들도 다른 유인원들과 똑같이 반응한다는 것이었다. 즉 거울 앞에 서서 눈이나 코를 만져보거나 입을 벌려 안을 들여다보는 등 거울을 갖고 의식적으로 이런저런 행동을 한다는 것을 알 수 있었다. 정말로 보노보도 자아를 인식할 수 있는 동물 중의 하나라면 이는 매우 중요한 의미를 지닌다. 왜냐하면 오랑우탄과 침팬지, 고릴라, 인간을 제외하고는 지금까지 연구해온 다른 모든 동물은 이러한 시험을 통과하는 데 실패했기 때문이다. 일부 과학자들에 따르면 이것은 유인원과 인류의 조상이 동물의 세계에서는 전례가 없을 정도로 높은 수준으로 자아 인식 능력을 발달시켰다는 것을 의미한다.[12]

그렇다면 도구 사용 능력처럼 유인원의 지능을 알아보는 전통적인 실험에서는 어떤 결과가 나올까? 볼프강 쾰러는 소위 '아하-경험(aha experience)'이라고 부르는 침팬지의 행동을 보고한 바 있다. '아하-경험'이란 침팬지가 특정한 문제에 부딪혔을 때 오랫동안 고민하다가 갑자기 머릿속에서 전구가 번쩍 켜진 듯 재빠르게 문제를 해결하는 것을 말한다. 가령 높은 곳에 바나나를 매달아놓고 주변에 상자 몇 개와 기다란 막대기를 가져다놓고 침팬지의 행동을 관찰해보았다. 상자를 차례로 쌓아놓고 맨 위로 올라가 막대로 바나나를 쳐서 떨어뜨리면 해결될 문제였다. 침팬지들은 미리 계획을 세우고 이런저런 예측에 기반해 이러한 문제들을 해결하는 것처럼 보였다. 때문에 쾰러의 이러한 실험은 문제 해결은 모두 시행착오에 기반해야 한다는 미국의 행동학자들의 명제에 최초로 심각한 도전을 제기했다.

침팬지들은 이러한 일에 워낙 천부적인 소질이 있기 때문에 야생에서도 이들이 도구를 사용한다고 해서 놀랄 사람은 거의 없을 것이다. 제인 구달은 침팬지가 흰개미를 잡기 위해 막대기를 사용하는 것 — 가느다란 나뭇가지를 흰개미집에 집어넣어 개미가 딸려나오게 하는 행동 — 과 나뭇잎을 자근자근 씹어 스펀지처럼 만든 다음 나무 구멍에 고인 물을 흡수해서 먹는 행동을 기록한 바 있다. 도구 제작은 우리 인간에게서만 나타나는, 즉 우리 인간을 다른 종과 구분시켜주는 가장 중요한 특징이라고 선언되어왔기 때문에 구달이 관찰한 침팬지의 능력, 즉 나뭇잎을 스펀지처럼 만들고 나뭇가지로 흰개미를 잡기 전에 옆에 난 잔가지들을 모두 잘라내는 행동은 특히 중요한 의미를 가진 것이었다. 이 밖에도 인간에게만 고유하게 나타나는 것이라고 주장되어오던 다른 특성들도 그렇지 않다는 것이 드러났다. 이제 우리는 야생에서 도구를 사용하는 다른 많은 사례를 알고 있는데, 이중 가장 볼 만한 것은 견과류를 까는 방식이다. 침팬지들은 딱딱한 견과류를 평평한 바위 위에 올려놓고 망치처럼 생긴 돌로 내리쳐서 까먹는다.

이처럼 침팬지가 석기 시대에 진입했다면 보노보들은 어떨까? 사육 상태의 보노보를 관찰하던 요르단은 보노보들이 고춧잎을 반으로 접어 물을 떠먹고 손이 닿지 않는 물체를 끌어당기기 위해 막대기를 사용하는 것을 목격했다. 또 이들은 장대를 이용해 해자를 건너고 나뭇가지로 등을 긁었으며 침입자를 향해 정확히 무기를 던지고 테니스 공에 물을 적신 다음 핥아먹는 등의 행동도 보여주었다. 정말 놀라운 또다른 예로 칸지가 있는데, 언어를 배운 이 보노보에게는 칼이나 모서리가 뾰족한 돌처럼 날카로운 물건이 있어야만 해결할 수 있는 문제가 주어졌다. 그러나 실험자는 칸지에게 칼을 주지 않았다. 능숙한 고고학자인 닉 토스는 망치로 굵은 돌멩이를 내리쳐서 생긴 작은 파편을 칸지에게 주었다. 당시 닉 토스는 대략 250만 년 전에 사용된 것으로 추정되는 올두바이 석기와 같은 도구를 만들어 사용했던 초기 인류의 정신 능력을 밝히는 데 관심을 갖고 있었다.

칸지는 재빨리 날카로운 파편 조각의 용도를 간파했다. 그것을 사용해 먹이가 들어 있는 상자를 묶고 있던 노끈을 끊어버렸던 것이다. 그는 아주 명민해서 노끈을 끊기 전에 파편 조각 하나 하나를 입술로 가져가 얼마나 날카로운지 확인해보았다. 물론 날이 무뎌 쓸모 없는 파편 조각은 버렸다. 얼마 지나지 않아 칸지는 스스로 돌멩이 두 개를 부딪쳐 파편 조각을 만들려고 했다. 그러나 칸지를 기르고 이 실험을 기록한 수 세비지-럼바우에 따르면 이런 식으로 파편을 만드는 칸지의 실력은 그리 뛰어나지 않았다고 한다. 어느 날 칸지는 더 나은 방법을 고안해냈다. 그러나 그것은 파편 조각이 만들어질 리가 없는 방법이었기 때문에 닉 토스는 화가 나지 않을 수 없었다. 칸지는 돌멩이를 단단한 바닥에 대고 있는 힘껏 던져 산산조각을 냈기 때문에 파편 조각들은 사방으로 잘게 부수어져

나갈 뿐이었다. 실험자들이 이러한 방법을 사용할 수 없도록 실험실 전체에 부드러운 카펫을 깔자 칸지는 자꾸 그것을 치워버렸다. 결국 그는 돌멩이 두 개를 부딪쳐 파편 조각을 만드는 방법을 습득했는데, 비록 올두바이 석기와 비교해볼 때 원시적인 도구였지만 이러한 도구를 이용해서 문제를 제대로 해결해나갈 수 있었다.

그러나 사육 상태의 보노보들이 다양한 도구 사용 능력(예를 들어 빨대로 흰개미 집에서 꿀을 추출해내는 행동)을 보여준 데 반해 자연 서식지에서 생활하는 보노보가 막대기로 개미 등을 잡아먹고 나뭇잎을 이용해 물을 마시거나 돌로 견과류를 깨는 등 도구를 사용하는 모습은 아직까지 관찰된 바 없다. 만약 과시 행동을 하는 동안 막대기를 질질 끌고 다니거나 나뭇가지를 이용해서 보금자리를 만드는 것을 고려하지 않는다면 야생의 보노보는 전혀 도구를 사용하지 않는 것처럼 보일 정도이다! 이처럼 당혹스런 발견은 두 가지 방식으로 설명될 수 있을 것이다. 먼저 보노보는 도구를 사용하는 것을 별로 좋아하지 않는다는 설명이 가능하다. 도구를 만들 수 있는 인지 능력을 갖고 있지만 그것을 사용하는 것은 그리 좋아하지 않는다는 것이다. 두번째로는 이제까지 연구해온 보노보 무리들은 도구 없이도 원하는 먹이를 모두 구하는 데 아무런 불편이 없었으리라는 설명이 가능하다. 도대체 도구를 쓸 필요가 없다는 것이다. 그렇다면 오직 도구를 사용해야만 획득할 수 있는 아주 귀한 먹이 공급원들로 둘러싸인 군락지를 찾아야 할 것이다. 만약 그러한 군락지에서도 도구를 사용하는 것이 관찰되지 않는다면 첫번째 가설이 신빙성을 갖게 될 것이다.

야생 상태의 보노보가 도구를 사용하지 않는 것은 아마 오랑우탄을 통해 새롭게 밝혀진 흥미로운 사실을 통해서 보면 가장 잘 이해할 수 있을 것이다. 이 아시아 산(産)의 붉은 털북숭이 유인원은 동물원 세계에서는 인간 이외의 영장류 중 도구를 가장 잘 사용하는 동물이자 탈출의 귀재로 널리 알려져 있다. 오랑우탄이 도구를 사용하는 것을 보면 확실히 침팬지보다는 느리고 신중하다. 그러나 만약 네 종류의 유인원의 대표들에게 똑같은 도구를 주어 사용하도록 할 경우 나는 아무런 망설임도 없이 오랑우탄에게 한 표를 던질 것이다. 하지만 오랫동안 자연 상태의 오랑우탄은 거의 도구를 사용하지 않는다고 믿어져왔다. 물론 오랑우탄도 나뭇가지로 등을 긁거나 퍼붓는 비를 피하기 위해 나뭇잎으로 머리를 가리는 등 간단한 도구를 사용하는 것으로 알려져 있지만 이는 야생 침팬지가 보여주는 정교한 도구 사용 능력에 비하면 보잘것없는 것이다. 그러다가 최근에 들어서야 현장의 영장류학자들이 수마트라의 토탄 습지에서 마주친 오랑

수 세비지-럼바우와의 인터뷰

수 세비지-럼바우(이하 세비지-럼바우)와 그녀의 남편인 두안 럼바우는 애틀랜타의 조지아주립대학 내에 있는 언어연구센터를 운영하고 있다. 이들은 몇 가지 종류의 영장류를 대상으로 실험을 하고 있는데, 이중 가장 탁월한 언어 능력을 보이는 영장류는 칸지라는 15세의 보노보이다. 1996년 2월에 가진 아래의 인터뷰는 영장류들의 기질과 사회성에 초점을 맞춘 것이다.

프란스 드 왈(이하 드 왈): 당신이 지금 연구하고 있는 것은 유인원의 언어입니까 아니면 지능입니까? 둘은 같은 것인가요?

세비지-럼바우: 물론 둘은 다른 겁니다. 우리가 연구하고 있는 유인원들은 인간적 의미에서의 언어 능력은 전혀 갖고 있지 않지만 미로 찾기처럼 인지 능력을 요구하는 문제에는 아주 탁월한 해결 능력을 보입니다. 그러나 언어 능력은 인지 능력을 정교하고 세련되게 만들어줄 수 있습니다. 언어 훈련을 받은 유인원에게는 그가 모르는 것을 가르쳐줄 수 있기 때문입니다. 이것은 인지 과제를 전혀 다른 차원에 놓을 수 있습니다.

예를 들어 우리는 유인원들에게 세 개의 퍼즐 조각으로 각각 다른 모양의 초상화가 나타나는 컴퓨터 게임을 시켜본 적이 있습니다. 어느 정도 게임에 익숙해진 후 우리는 화면에 네 개의 퍼즐 조각을 올려놓았는데, 이 네번째 조각은 다른 초상화에 맞도록 되어 있는 것이었습니다. 우리는 이 실험을 칸지에게 제일 먼저 시켜보았는데 처음에 칸지는 토끼의 얼굴 조각을 택한 다음 그것을 내 얼굴 조각에 갖다 맞추려 했습니다. 그는 계속 두 조각을 맞추어보려고 했지만 당연히 그렇게 할 수 없었습니다. 칸지는 구어를 능숙하게 이해하고 있었기 때문에 저는 칸지에게 이렇게 말해주었습니다. "칸지야, 지금 토끼를 만드는 게 아냐. 수(Sue)의 얼굴을 만들어야지." 이 말을 듣자마자 칸지는 곧 토끼 얼굴을 만드는 것을 중단하고 제 얼굴을 맞추어냈죠. 제가 지시한 내용을 즉시 알아들은 겁니다.

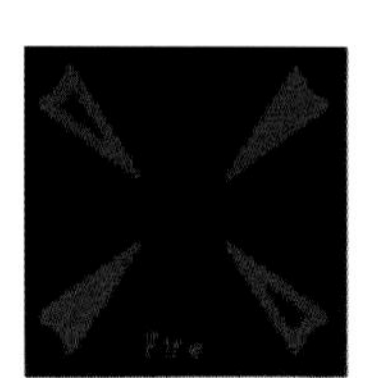

드 왈: 당신은 침팬지와 보노보를 둘 다 연구하고 있는데 이 두 종 사이에 특별한 기질상의 차이가 있습니까?

세비지-럼바우: 보노보가 훨씬 더 무리 지향적이라고 할 수 있습니다. 보노보들은 함께 있고, 함께 행동하길 좋아합니다. 그들이 함께 있고 싶을 때 갈라놓으려면 …… (웃음) …… 정말 애를 많이 써야 하죠. 하지만 침팬지는

젊은 암컷 보노보인 판바니샤와 함께 있는 수 세비지-럼바우. 애틀랜타에 있는 언어연구센터 근처의 야외 연구소에서 찍은 사진으로 이 연구소는 숲으로 둘러싸여 있다. 럼바우는 다양한 상징 또는 '여키스 언어'라고 불리는 그림 문자(lexigram)로 가득 찬 판을 들고 있다. 각 그림 문자는 하나의 단어를 가리키고 각각 동사, 명사, 형용사로 되어 있다. 판바니샤는 자기가 원하는 것, 먹고 싶은 것, 하고 싶은 것에 해당하는 그림 문자를 가리키면서 의사를 표시하고 있고 세비지-럼바우도 같은 방식으로 판바니샤에게 질문하고 있다.

그렇지 않습니다. 좀더 독립적이라고 할 수 있죠.

그렇다고 해서 침팬지들이 서로에게 크게 신경 쓰지 않는다는 말은 아닙니다. 하지만 분명 조금 무심한 것은 맞습니다. 침팬지들도 동료의 처지를 인지하면 보노보들과 마찬가지로 보호해주고 돌봐주려고 할 것 같습니다. 하지만 보노보는 끊임없이 상대방을 살펴보죠. 단지 상대가 고통을 받거나 어려움에 처했을 때만 그러는 것이 아닙니다. 상대방을 속이고 싶을 때도 똑같이 합니다. 지금도 상대를 속이기 위해 머리를 굴리고 있을지 모릅니다. 이들은

상대방이 무슨 생각을 하고 있는지, 왜 그런 식으로 생각하고 있는지를 쉽게 알아냅니다. 사회 영역이 바로 이들의 삶에서 절대적인 중심이라고 할 수 있습니다.

드 왈: 어떤 식으로 속이려 들죠?

세비지-럼바우: 보노보는 상대방이 뭔가를 하도록 만들죠. 가령 뭔가 다른 것을 바라보게 한다거나 주스를 가져오게 한다거나 해서 말입니다. 그러나 그들의 실제 목적은 상대방이 문을 열어둔 채 나가게 하는 것이거나 아니면 갖고 싶은 것을 남겨두고 나가도록 하는 데 있죠. 마치 아무 일도 없다는 듯이 행동하지만 상대방이 등을 돌리는 순간 이제까지 할 수 없었던 일을 해치워버리죠. 우리는 끊임없이 이 점을 의식하고 있어야 합니다.

드 왈: 당신은 보노보인 판바니샤를 팬지라는 침팬지와 함께 길러온 것으로 알고 있습니다. 둘을 비교해주시겠습니까?

세비지-럼바우: 보노보들처럼 팬지도 그저 사람들이 하는 행동을 보고 상징들을 배웠습니다. 그러나 팬지가 상징들을 익히는 속도는 판바니샤보다 여섯 달 정도 느렸습니다. 또 배운 양도 판바니샤보다 적었고 사용 방식도 극히 제한적이었습니다. 이후 팬지와 계속 실험을 할 수 없었기 때문에 지금 이 둘을 비교하는 것은 어려운 일입니다[당시 두 마리의 나이는 여덟 살 반이었다]. 따라서 판바니샤가 상징을 이용한 의사소통에서 팬지보다 훨씬 더 능숙하죠. 그러나 팬지가 판바니샤를 따라잡을 수도 있었을지 누가 알겠습니까?

퍼즐 맞추기나 도구 사용, 미로 찾기 등과 같은 과제에서는 언제나 팬지가 판바니샤보다 뛰어났다는 점을 덧붙여야겠습니다. 물체 조작이나 공간에서 방향을 찾는 문제 등 사회적 의사소통의 영역 밖에서는 침팬지가 상대적으로 앞섰습니다. 그러나 텔레비전의 영상을 그에 대한 설명과 연결하는 것 등 의사소통과 지각 능력에서는 언제나 보노보가 더 뛰어났습니다. 따라서 두 종은 인식 능력 면에서 각기 다른 강점을 갖고 있다고 할 수 있을 겁니다.

드 왈: 판바니샤와 팬지는 아직도 함께 사이좋게 지냅니까?

세비지-럼바우: 팬지는 이제 다른 침팬지 무리와 함께 생활하고 있습니다. 하지만 저는 종종 판바니샤를 데리고 팬지를 찾아가곤 합니다. 팬지가 훨씬 덩치도 크고 힘도 세며, 항상 판바니샤를 지배하려고 하는데, 판바니샤는 그런 사실을 받아들이는 것 같습니다. 둘은 함께 뛰놀며 멋진 시간을 보내죠.

정말로 우리를 난감하게 만든 유일한 문제는 팬지와 칸지 사이에 있었죠. 팬지가 나이가 들면서 칸지에게 물건을 던지거나 대들면서 괴롭히는 경우가 종종 있었습니다. 암컷 보노보는 이런 식으로 수컷에게 대들거나 공격하는 일이 없습니다. 문제가 생기면 화해를 청하고 선물을 주어 마음을 달래줍니다. 그러나 팬지는 칸지에게 전혀 이런 식으로 행동하지 않았죠. 그러자 칸지도 똑바로 일어서서 소리를 질렀습니다. 둘은 한참 동안 밀고 당기기를 계속하다가 말 그대로 한바탕 난투극을 벌이곤 했죠. 그러면 통상 팬지는 칸지를 물어뜯었고요. 하지만 칸지가 이빨로 물거나 하는 일은 없었습니다.

그래서 다른 수컷 침팬지 무리로 옮겨놓자마자 팬지는 즉각 이 수컷들과는 그렇게 해서는 안 된다는 것을 깨닫더군요. 감히 모험을 감행하려고는 하지 않았습니다. 여기서 칸지와 함께 있을 때는 머리털을 높이 세우고 수컷처럼 뽐내면서 의기양양해 했으나 같은 침팬지 수컷 무리들 사이에서는 전혀 다르게 행동했습니다. 진짜 말쑥한 암컷 침팬지로 다시 태어난 셈이죠. 완벽하게 자기 자리를 찾은 셈이에요.

드 왈: 그러나 칸지는 팬지보다 더 커 보이고 힘도 세며, 날카로운 송곳니도 갖고 있습니다. 칸지가 이런 행동을 스스로 억제했다고 말해도 좋을까요?

세비지-럼바우: 아, 그럼요. 판바니샤와 있을 때도 그렇고요. 수컷 보노보가 암컷을 무는 일은 결코 없습니다. 물론 신체적으로 칸지가 판바니샤보다 월등히 크지만 간혹 싸우는 경우가 생겨도 칸지가 더 많이 다칩니다.

암컷 보노보들이 수컷을 지배하기 때문에 이런 일이 벌어진다고 설명하는 것은, 이렇게 생각하는 사람도 있겠지만, 상황에 대한 정확한 진단과는 거리가 멀다는 점을 덧붙이고 싶습니다. 보노보 암컷이 먹이에 대한 우선권을 주장할 수 있는 것은 사실입니다. 제 두 눈으로 왐바에서 이런 모습을 본 적도 있습니다. 하지만 그렇다고 해서 수컷을 내쫓지는 않습니다. 이는 마치 합의된 행동처럼 보입니다. 저는 암컷과 수컷의 관계를 역할이라는 관점에서 보고 싶습니다. 각 개체마다 무리 안에서 정해진 역할이 있으며, 암컷과 수컷은 그저 다른 역할을 할 뿐인 거죠.

칸지와 판바니샤가 배운 그림 문자의 모양과 색이 각 문자가 유인원들에게 의미하는 바와 어떤 분명한 연관관계가 있는 것은 아니다.

드 왈: 보노보들이 서로 공감할 수 있다는 것을 보여주는 적절한 사례를 알고 계십니까?

세비지-럼바우: 밤이 되면 우리는 보금자리를 만들 수 있도록 모든 보노보에게 담요를 줍니다. 그러면 통상 보노보들은 함께 보금자리를 만들죠. 그러나 요즘은 제가 매일 판바니샤와 실험을 하고 있기 때문에 다른 보조요원이 먹이를 주고 우리를 잠그는 등 나머지 보노보를 돌보고 있습니다. 저는 나중에 판바니샤만 돌보면 되죠.

실험을 하는 동안 저는 판바니샤에게 건포도나 남은 우유 등 다른 보노보들은 손에 넣을 수 없는 것들을 주곤 했습니다. 일부 보노보는 먹이를 조절하고 있었습니다. 판바니샤는 글자판에서 좋아하는 음식을 가리키면 그것을 얻을 수 있었고요. 제가 먹이를 갖고 가면 그들은 곁으로 다가와서 소리를 질러대곤 했습니다. 물론 자신들에게도 똑같은 것을 달라는 거죠. 판바니샤도 이런 사실을 알고 있는 것 같았습니다. 예를 들어 주스를 가져다달라고 해서 주스를 갖다주자 다른 동료들을 가리켰습니다. 그래서 물어봤죠. "이 주스를 칸지나 타물리에게 주고 싶니?" 그러자 판바니샤는 동료들이 있는 곳을 향해 팔을 휘저으며 그들에게 소리를 질렀습니다. 그러자 이들도 큰 목소리로 이에 화답했습니다. 그런 다음 두 보노보는 판바니샤의 우리 옆으로 다가와 음식을 기다렸습니다.

저는 판바니샤가 자기가 먹고 있는 것과 똑같은 맛있는 음식을 동료들에게 갖다주라고 하는 것 같은 인상을 받았습니다.

우탄들이 다양한 방법으로, 게다가 아주 능숙한 솜씨로 도구를 다루고 있는 것을 목격하게 되었다. 이 지적인 유인원이 우리 기대를 저버리지 않고 제 능력을 보여준 것이다.[13]

오랑우탄에 대한 연구는 오랫동안 — 보노보에 대한 연구보다 오랫동안 — 진행되어왔기 때문에 앞으로 더 많은 보노보 집단들이 발견되기 전까지는 보노보가 야생 상태에서 얼마나 능숙하게 도구를 사용하는지에 대해 판단을 유보하는 것이 신중할 듯하다. 도구를 사용하는 방식이 너무나 다양하기 때문에 이제 점차 영장류학계에서도 문화라는 용어를 사용하는 추세다. 그렇게 하는 이유는 인간의 문화와 마찬가지로 한 무리의 관습과 기술의 혁신은 유전 이외의 방법으로 다음 세대에 전달되기 때문이다. 예를 들어 한 공동체에서는 모든 침팬지들이 돌로 견과류를 깔 줄 알고 어린 새끼들도 이 기술을 익히는 모습을 볼 수 있지만 다른 공동체에서는 주변에 아무리 견과류 나무와 그것을 깨는 데 필요한 도구가 풍부해도 견과류를 먹을거리로 생각할 수 있는 침팬지가 아예 존재하지를 않는 것처럼 보이기도 한다. 이처럼 학습을 통해 전달되는 적응상의 행동적 특징들은 전통으로 간주될 수 있다. 그리고 한 무리에 특수한 일군의 전통은 문화로 간주될 수 있을 것이다.[14]

보노보의 경우 문화적 변이라는 측면에서 접근한 연구는 거의 없다. 오직 한 가지 전통만이 제대로 기록되어 있을 뿐인데 그나마도 사육 상태의 보노보를 관찰한 결과이다. 샌디에이고 동물원에서는 털 고르기를 하기 전에 다른 보노보에게 접근하여 자기 가슴을 손으로 찰싹 때리거나 상대방의 얼굴 앞에서 몇 차례 가볍게 박수를 치는 것을 쉽게 목격할 수 있다. 때로 상대방도 같이 치는 경우가 있지만 털 고르기에 몰두해 있는 동안 팔 또는 다리로 박수를 치는 것은 주로 털을 손질해주는 쪽이다. 이런 행동 유형은 내가 샌디에이고에서 처음 관찰을 시작한 이후부터 퍼지기 시작했다. 그러다가 나중에 들어온 일부 보노보들에게서도 이와 똑같은 몸 동작을 찾아볼 수 있게 되었다. 털을 골라주며 서로 접촉하는 것이 얼마나 즐거운지를 열광적으로 표현하고 있는 듯이 보이는 이러한 행동은 다른 곳에 서식하는 보노보에게서는 결코 찾아볼 수 없다. 실제로 보노보들이 털 고르기 하는 것을 '들을' 수 있는 곳은 이 세상에서 샌디에이고 동물원 한 곳뿐이다.

칸지

인간의 뇌 기능은 "수평적 분화(lateralization)"* 과정을 겪었다. 정확히 반으로 나뉘어져 있는 우리 인간의 두뇌는 각기 다른 기능을 전담하고 있다. 도구를 사용할 때 오른손잡이가 월등히 많은 것처럼 우리는 지각과 언어 생산은 좌측 반구에 크게 의존하고 있다. 이런 식으로 뇌와 인간의 몸은 사선으로 연결되어 있는데, 예를 들어 인간의 오른손은 왼쪽 뇌의 지배를 받고 있다. 처음에는 언어와 도구 사용 그리고 뇌의 비대칭 사이의 이러한 연결관계는 오직 우리 인간에게서만 찾아볼 수 있는 것으로 생각했지만 이제는 유인원에게도 이런 뇌 기능의 수평적 분화 현상이 존재한다는 증거들이 점점 더 늘어나고 있다. 이로 미루어보아 위와 같은 관계는 언어 능력이 충분히 발전하기 전에 나타나는 것처럼 보인

* 편측성(偏側性)이라고도 번역하며 대뇌, 손 등 좌우 한 쌍인 기능이 좌우로 분화되어 있는 것을 가리킨다

다.

유인원들은 어떤 일을 할 때는 왼쪽 팔〔다리〕을 사용하지만(가령 어미가 새끼를 흔들어 재울 때는 왼손으로 새끼를 감싸안는다) 다른 일을 할 때는 오른쪽 팔〔다리〕을 선호한다(움직일 때는 종종 오른손부터 옮긴다). 여키스 영장류센터와 샌디에이고 동물원에서 사육하고 있는 보노보에 관한 자료를 비교 분석하던 미국의 뇌 기능의 수평적 분화 전문가인 윌리엄 홉킨스와 나는 어느 한쪽 손을 더 많이 사용하는 것이 몸짓 표현에까지도 적용되는 것을 발견하고 흥분을 감출 수 없었다. 보노보는 손을 흔들거나 애원하기 위해 손을 내밀거나 손목을 돌릴 때는 물론 위협적인 몸짓을 해 보일 때도 거의 오른손만 사용했다. 이것은 우리 인류의 이 사촌에게서는 언어 이외의 의사소통 능력도 좌측 뇌와 연결되어 있을 수도 있다는 것을 암시하는 첫번째 증거이다. 뇌 기능의 수평적 분화에서 찾아볼 수 있는 이러한 유사성은 몸짓과 언어가 동일한 진화의 역사를 공유하고 있다는 것을 암시해주고 있다.[15]

그렇다면 과연 언어 자체가 보노보의 능력 안에 포함되어 있는 것일까? 대부분의 독자는 미국식 기호 언어로 의사소통을 하거나 음식을 요구하기 위해 시각적 도상(圖像)을 가리키는 영리한 동물들로 와슈(침팬지), 코코(고릴라), 챈텍(오랑우탄) 또는 칸지(보노보)의 이름을 들어본 적이 있을 것이다. 이러한 과제가 얼마나 복잡한 것인가에 대해서는 의견이 갈리고 있다. 이처럼 다양한 스펙트럼에서 가장 보수적인 쪽에 있는 사람들은 몸짓 언어를 사용하는 유인원들은 그저 외발 자전거 곡예를 하는 곰 정도만큼만 흥미롭다고 생각한다. 그리고 종종 이들을 셈을 할 수 있다고 믿어졌던 19세기의 말(馬) "영리한 한스"와 비교하곤 한다. 하지만 자기도 모르는 사이에 한스에게 단서를 제공해주었을지도 모르는 사람들에게서 떼어놓고 실험하자마자 이 말은 금세 그러한 능력을 잃어버렸다. 간단히 말해 회의론자들은 유인원의 언어 능력은 보는 사람 나름이라고 여긴다.

이러한 스펙트럼의 정반대 쪽에 있는 과학자들은 상징을 사용하는 유인원들은 우리 인간의 언어에 아주 가까이 있으며, 언어 능력처럼 대단하다고 생각되는 영역에서조차 이들과 우리 인간들 간에는 연속성이 존재하고 있다고 진지하게 믿고 있다. 따라서 우리가 던져야 할 질문은 정말이지 이들 동물들에게 언어가 있느냐 없느냐가 아니다. 그렇게 되면 결국 현상을 전부 아니면 전무라는 식으로만 바라보게 되기 때문이다. 언어는 다양한 능력을 포함하고 있다. 따라서 유인원들이 이 모든 능력을 보여주기를 바라는 것은 어불성설이다. 오히려 우리

세계에서 가장 유명한 보노보인 칸지는 신문 기사와 텔레비전 다큐멘터리에 수도 없이 출연했다. 이 명민한 유인원을 가까이에서 본 사람들이라면 누구나 사람과 유인원 사이의 지적 능력과 인식 능력상의 차이는 통념과는 달리 그리 크지 않다고 생각하게 될 것이다.

유인원들은 텔레비전을 보는 것을 무척 좋아하고 또 화면에서 벌어지는 일을 정확히 이해할 수 있다. 나무타는 유인원을 보면서 혹시 칸지는 이것은 자기는 한번도 살아보지 못한 삶이라는 생각을 하지는 않았을까?

가 던져야 할 질문은 과연 이들이 언어 활동에 필요한 몇 가지 기본적인 조건을 갖고 있느냐가 되어야 할 것이다. "나가 놀자" 거나 "간지럼을 태워달라" 는 신호를 보낼 때 과연 유인원들은 우리가 뭔가 요구할 때 사용하는 것과 동일한 뇌 구조나 정신적인 능력에 의존하고 있을까? 이에 대해서는 여전히 의견이 분분하다.

개인적으로 나는 유인원의 언어 연구에 대해 복잡한 감정을 갖고 있다는 것을 고백해야겠다. 한편으로 나는 그러한 연구가 철저하게 인간 중심적인 기획에서 나온 것으로 생각한다. 진화 과정에서 특히 우리 인간에게 유리하게(아마 오직 우리들에게만 유리할 것이다. 인간의 뇌는 유인원보다 세 배나 크기 때문이다) 만들어진 의사소통 방식을 다른 동물에 적용해서 그것이 과연 얼마나 통하는지를 보려고 하는 것이기 때문이다. 이런 식으로 인간을 기준으로 다른 동물들을 평가하려는 것은 근본적으로 불공평한 일이다. 그렇다면 그들에게 특유한 손짓이나 목소리 등 유인원들의 의사소통 방식을 있는 그대로 탐구하는 것이 더 많은 것을 알려주지 않을까? 다른 한편 우리가 연구 대상인 이들 유인원들에게 온갖 종류의 질문을 던질 수 있는 것은, 이들이 사람들에게 너무나 잘 적응해 있고 너무나 상호 작용을 하고 싶어하고 또 우리가 주위 환경과 맺고 있는 관계에 너무나 익숙해져 있기 때문이다. 결국 이러한 질문들은 우리를 낯선 습관을 가진 이방인으로 바라보는 유인원들로서는 결코 대답할 수 없는 것들일 수밖에 없다. 따라서 이러한 종류의 실험은 유인원의 정신(mind)을 들여다 볼 수 있는 중요한 창문을 열어준다고 할 수 있다. 가령 우리는 실험을 통해 그들에게 우리가 원하는 것을 설명할 수 있으며 그들이 어떻게 사물을 지각하는지 질문해볼 수 있다. 앞서 말한 칸지의 부싯돌 만들기는 훈련받지 않은 유인원이라면 제대로 수행해낼 수 없는 실험의 좋은 예라고 할 수 있다.[16]

그러나 칸지의 능력은 이처럼 상대적으로 간단한 도구를 만드는 수준을 훨씬 더 넘어선다. 어린 시절 칸지는 아무런 보상도 주어지지 않았는데 그림 자판에서 꽤 많은 어휘들을 정확히 집어낸 적이 있었다. 사실 칸지는 양모인 마타타를 대상으로 이러한 실험을 하는 동안 옆에 있다가 그런 능력을 보여주었는데, 같은 기간 동안 마타타는 별다른 학습 능력을 보여주지 못했다. 수 세비지-럼바우에 따르면 칸지는 두세 마디로 이루어진 간단한 문장을 만들어 보였는데, 이 문장들의 순서는 일정한 규칙성을 보여주었다. 이것은 마치 문법 구조처럼 해석될 수도 있었기 때문에 언어학자들 사이에 격렬한 논란을 불러일으켰다. 이들에게는 문법이야말로 언어의 초석이었기 때문이다.

그러나 칸지가 보여준 진짜 탁월한 능력은 뭐라고 중얼거리는 것이 아니라 오히려 그 이상, 곧 사람들의 말을 이해하는 것이었다. 물론 사람이 그들에게 거는 말의 의미를 짐작하는 능력을 보여준 동물들은 많다. 아마 사람의 목소리에 담긴 억양이라든가, 시선이 머무는 방향, 상호 작용이 이루어지는 전체 맥락을 주목함으로써 그렇게 하는 것 같다. 그러나 칸지의 경우 이어폰을 통해 다른 방에 있는 사람이 전달하는 명령을 전해들었기 때문에 의도하지 않은 암시를 받을 수는 없었다. 칸지는 조금도 주저하지 않고 그림 자료 중에서 해당되는 그림을 집어들었다. "멜론"이라는 말을 들으면 멜론 그림을, "고양이"라는 말을 들으면 고양이 그림을 정확히 들어올렸다. 아니 칸지의 이해력은 이것을 훨씬 더 넘어섰다. 들은 것을 기초로 서로 다른 사물을 연결할 수 있는 것이다. 예를 들어 수 세비지-럼바우가 "칸지야, 강아지에게 주사를 놓아주렴" 하고 말하면 칸지는 마루에 널려 있는 여러 가지 물건 중에서 주사기를 찾아 들고 마개를 벗긴 다음 장난감 강아지에게 주사를 놓았다.

'수 세비지-럼바우는 일부 언어학자들처럼 언어를 이해하는 것이 실제로 언어를 만들어내 사용하는 것보다는 쉬운 일이라고는 믿지 않는다. "내가 보기에 이해야말로 언어의 본질이다. 어떻게 언어를 이해하게 되는지를 설명하고 그렇게 할 수 있도록 하는 것이 언어를 만들어 사용하도록 하는 것보다 훨씬 더 어렵다." 이어서 그녀는 이렇게 지적한다. "이해하려면 상대방이 빠르게 내뱉는 말 속에서 그가 전하고자 하는 의미와 의도 — 이 둘은 항상 불완전하게 전달된다 — 를 정확히 가늠해내는 적극적인 지적 과정이 따라야 한다. 이와 달리 말을 만들어 사용하는 것은 간단한 일이다. …… 말을 할 때는 '이 말은 무슨 의미일까?' 에 대해서는 그리 깊이 생각할 필요가 없다. 그저 어떻게 말할까만 생각하면 되는 것이다."[17]

'언어' 라는 단어의 다양한 함의를 어떻게 이해하든 칸지의 뛰어난 지능에 충격을 받지 않을 사람은 없을 것이다. 내 경우에도 칸지를 관찰하면서 보노보에 대한 궁금증이 점점 더 늘어만 갔다. 이들 유인원들은 — 숲 속 생활이나 사회 집단 생활에서 또 도구 사용과 관련하여 — 보통 이러한 두뇌의 힘을 어떻게 사용할까? 나는 그러한 능력의 자연적 기능이 무엇일지가 궁금해졌다. 그것은 '작은 발' 의 유명한 발가락과 약간 흡사했다. 만약 어떤 것이 존재한다면 우리는 마땅히 어떤 기능을 수행하고 있다고 추정해야 할 것이다. 물론 야생 상태에 있는 칸지의 동료들은 이어폰을 끼고 있지는 않다. 하지만 그들은 우리가 감히 상상할 수 있는 것보다 훨씬 더 주의 깊게 서로의 말을 듣고 있을지도 모른다. 보노보들은 우리로서는 전혀 상상도 할 수 없는 방법으로 주위 환경에 있는 다양한 요소들과 사건들을 연결시키는 능력을 갖고 있는지도 모를 일이다.

직립한 유인원

반쯤 직립한 이 늙은 수컷 보노보(40살 정도 되었다)의 자세는, 보노보와 비슷한 해부학 구조를 가진 [우리의] 조상은 별다른 진화 과정을 거치지 않고도 두 발로 걸을 수 있었으리라는 유추를 가능하게 해준다. 일부 과학자들은 보노보가 현생 인류와 유인원들의 공동 조상과 가장 유사한 실존 모델이라고 주장하는 반면, 다른 일부 과학자들은 공동 조상에서 상대적으로 한층 더 분화된 형태라고 주장하고 있다.

보노보의 두 가지 전형적인 이동 유형으로는 나무 위로 기어올라가는 것(왼쪽의 수컷 보노보)과 주먹을 땅에 대고 걷는 것(위의 새끼를 업고 가는 암컷 보노보)으로 분류된다. 주먹을 땅에 대고 이동할 때는 손가락을 안으로 구부린 채 손가락 둘째 마디 부분에 체중을 싣고 움직인다. 땅 위에서 생활하더라도 이러한 방식으로 이동하면 손가락을 짧게 만드는 진화의 압력을 거스를 수 있다. 긴 손가락은 나무 생활에도 이점이 많다. 주먹을 땅에 대고 이동할 수 있는 종(種)은 아프리카에 살고 있는 유인원들뿐이다. 원숭이는 손바닥에 체중을 지탱한 채 이동한다.

보노보는 능숙하게 두 발로 걸어다닌다. 인류의 직립 자세에 대한 몇몇 이론을 입증하기라도 하듯 보노보는 먹이를 들었을 때는 두 다리로 걸어갈 때가 많다. 왼쪽 사진은 우리에서 생강 잎을 들고 가는 암컷의 사진이고 오른쪽은 숲 속에서 연구자들이 나눠준 사탕수수를 들고 있는 수컷의 사진이다.

보노보 두 마리가 우아한 팔다리를 뽐내고 있다. 다른 유인원들과 비교해볼 때 보노보의 다리는 특이할 정도로 길다. 또 암컷의 성기가 신체의 앞부분에 위치해 있고(위) 수컷의 고환이 상당히 큰 것도 함께 주목하라(오른쪽).

3

아프리카의 심장부에서

메르카토르 도법은 북반구의 크기를 지나치게 확대하고 있기 때문에 이러한 지도로 보면 자이르(콩고민주공화국)는 중간 크기의 나라로밖에 보이지 않는다. 그러나 이 나라는 아주 거대하다. 면적은 미시시피 강 동쪽에 위치한 미국 영토와 비슷하거나 스칸디나비아 반도를 제외한 서유럽과 비슷하다. 하지만 인구는 겨우 4천만 명 정도로 이중 40%가 도시 지역에 살고 있다. 자이르는 국토의 거의 80%가 숲으로 덮여 있다. 예전에 벨기에령 콩고라고 불리던 이 나라 국토의 대부분은 식민지 시대의 이름이 연상시키는 이미지 그대로이다. 어두운, 정복할 수 없는 아프리카의 심장이라는 이미지 말이다.

자이르 북쪽에 위치한 큐벳 센트럴 지역은 지구에서 두번째로 광활한 열대우림이다. 비행기에서 볼 수 있는 것이라곤 빈틈 하나 없을 정도로 빽빽히 들어차 있는 나무들뿐으로 이처럼 울창한 숲이 끊임없이 이어지면서 거대한 자이르 강의 평평한 분지를 뒤덮고 있다. 이 숲 속에서는 어떠한 인적이나 개간지도 찾아볼 수 없다. 보노보가 서식하고 있는 이 숲의 표면적을 능가하는 우림 지역은 아마존 정글뿐이다. 이 자연 서식지의 광활한 면적 — 그리고 이와 함께 인간의 접근을 막는 천혜의 환경 — 이 이 유인원의 생존을 보장해주고 있는지도 모르겠다. 보노보 전문가들은 정말 그러기를 바라지만 — 그리고 이제까지 전인미답의 영역으로 남아 있는 지역에 보노보 무리들이 살고 있으리라는 희망에 매달리고 있다 — 전망은 그리 밝지 못하다. 보노보에 대한 현장 조사 — 당연히 이것

자이르에 있는 보노보의 본래의 서식지를 가로지르고 있는 많은 작은 강들이 보노보의 분산을 막는 큰 장애물이 되고 있다. 유인원들은 수영을 못 하기 때문이다.

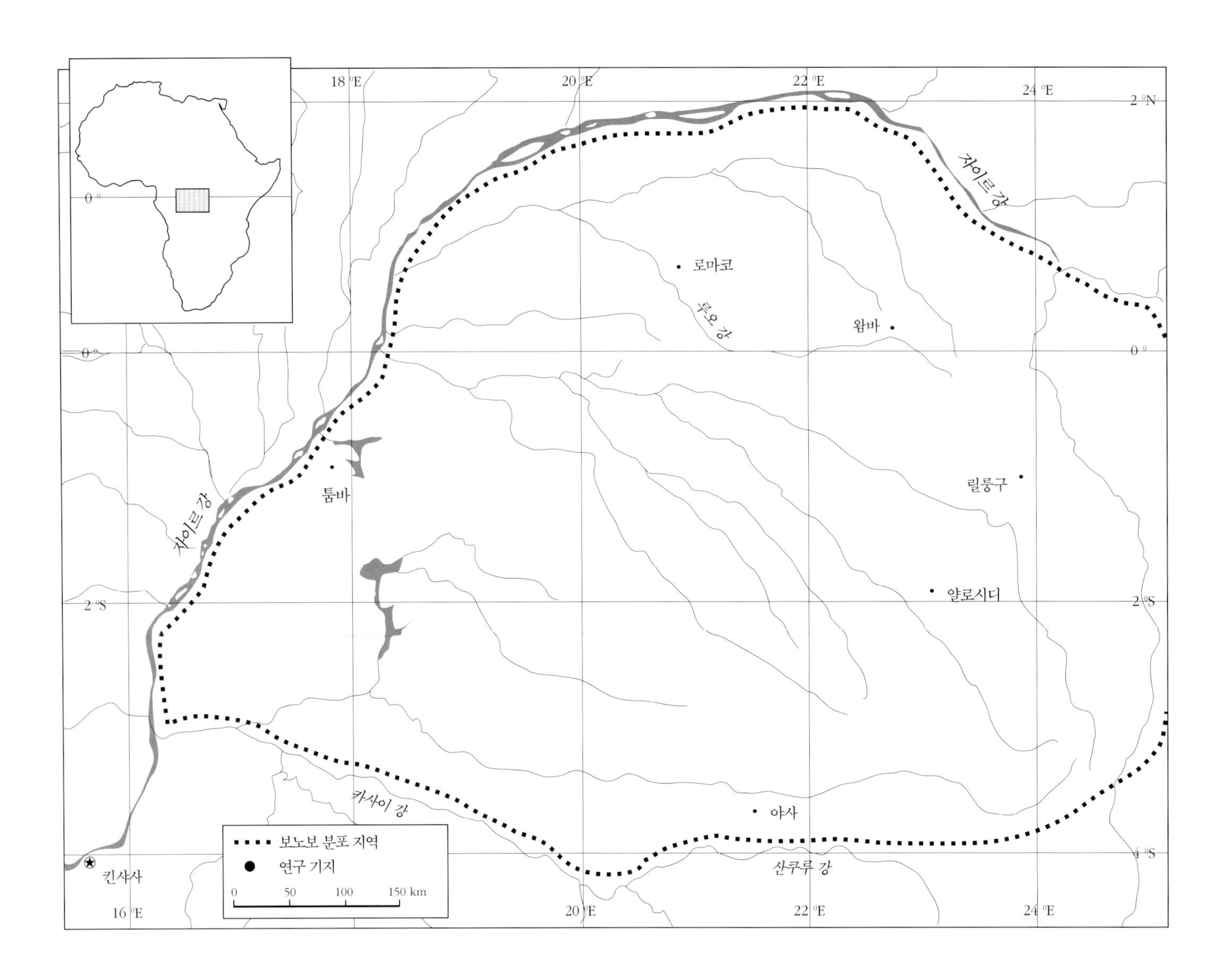

1920년대만 해도 거의 모든 사람들이 자이르 강 남쪽에는 유인원이 서식하지 않는 것으로 믿고 있었다. 그러나 1927년 벨기에의 테르뷰른 박물관에 로마코에서 남쪽으로 얼마 떨어지지 않은 작은 마을에서 발견된 유인원의 두개골이 하나 도착했다 — 2년 후 이 유골이 보노보라는 사실이 밝혀졌다. 자이르 강 북부를 그린 이 지도는 가장 남쪽에 위치한 야사 연구 기지를 비롯해 현재 활동중인 여섯 곳의 연구 기지의 위치를 보여주고 있다.

은 보존 노력과 하나가 되어왔다 — 는 이제 촌각을 다투는 사안이 된 것 같다. 실제로 최근 들어 급증하고 있는 보노보에 대한 학계의 관심이 보노보의 생존에 도움이 될 수 있을 것이다. 연구자들이 서식지에 직접 들어가 있는 것보다 열대의 종들을 보존할 수 있는 더 좋은 방법은 없어 보이기 때문이다.

1960년에 벨기에로부터 독립한 자이르는 이후 10여 년 동안 수백 개의 부족들간의 유혈 분쟁에 시달렸다. 이 때문에 외국의 과학자들은 1970년대까지도 이 나라를 피해왔다. 그리하여 유인원들에 대한 현지 조사가 급속하게 늘어나면서 침팬지와 오랑우탄, 고릴라에 대한 장기적인 현장 연구 계획이 탄자니아와 보르네오, 르완다 등지에서 수립되고 있던 동안 유일한 보노보 서식지는 이로부터 제외될 수밖에 없었다. 게다가 당시만 해도 보노보가 그저 침팬지의 변종이 아니라 침팬지만큼이나 주목할 만한 독립된 종이라는 사실을 알고 있는 과학자는 드물었다. 포획된 보노보가 드물었던 것도 문제였다. 대부분의 과학자들이 보노보를 한번도 본 적이 없었던 것이다.

야생 상태의 보노보를 찾기란 너무 어렵다. 그 이유는 우리가 생각하는 것과는 전혀 다르다. 즉 보노보들이 인간을 두려워하는 것이다. 지금은 거의 잊혀졌지만 사실 제일 먼저 야생의 보노보를 관찰하기 위한 계획을 세웠던 사람은 미국의 인류학자인 아서 혼이었다. 1972년에 그는 2년을 헤매고 다녔지만 보노보를 관찰할 수 있었던 시간은 고작 6시간에 불과했다. 그러나 앞에서 언급한 대로 1974년에 배드리안 부부와 다카요시 가노가 따로 현장 연구를 시작했다. 세 사람은 전보다 훨씬 더 성공적으로 보노보에게 다가갈 수 있었는데, 이들이 만든 연구 기지는 지금도 사용되고 있다. 왐바에 위치한 가노의 연구 기지는 정확히 적도(동경 22도 34분, 북위 0도 10분) 위에 놓여 있는 반면 로마코에 위치한 배드리안 부부의 기지는 왐바 기지에서 북서쪽에 위치해 있다(동경 21도 5분, 북위 0도 51분). 두 기지 모두 북쪽과 서쪽으로는 자이르 강에, 동쪽으로는 로마미 강에, 남쪽으로는 카사이 강과 산쿠루 강에 둘러싸여 있는 것으로 추정되는 보노보 서식지의 북쪽에 자리하고 있다. 보노보의 잠재적인 분포 지역은 80만 제곱킬로미터가 넘을 것으로 추정된다. 그러나 실제로 보노보가 서식할 가능성이 있는 지역은 영국의 국토 면적과 비슷한 20만 제곱킬로미터 정도일 것이라는 것이 가노의 주장이다.

보노보의 숲 속 생활에 대한 아래의 묘사는 — 아주 힘들고 종종 위험한 상황 속에서 — 정기적으로 중앙 아프리카 탐험에 열중했던 사람들이 힘겹게 모은 정보를 요약한 것이다. 나 자신은 현장 연구자가 아니다. 왐바나 로마코 그리고 그 밖의 다른 여러 연구 기지에서 힘들게 얻은 증거가 없었다면 보노보의 자연사를 일관되게 그려 보이는 것은 불가능했을 것이다. 이처럼 중요한 연구가 계속될 수 있기에 충분할 정도로 많은 보노보들이 살아남기를 빌어본다.

다카요시 가노와 스에히사 구로다와의 인터뷰

가노는 자이르의 왐바 연구 기지에서 보노보 연구를 이끌고 있으며, 구로다는 그의 오랜 동료이다. 두 사람 모두 교토 대학교 소속이다. 이 인터뷰는 1994년 11월에 이루어졌다.

드 왈: 가노 박사님, 보노보와 처음 마주쳤을 때 얘기를 좀 해주시겠습니

까?

가노: 1974년이었습니다. 얄로시디 숲에서 열 마리와 부딪쳤습니다. 목소리가 침팬지와 전혀 달라 무척 놀랐습니다. 정말 높은 소리였죠! 또한 침팬지보다 나무 위 생활에 능숙해 보였습니다. (탄자니아에서) 침팬지를 여러 번 본 적이 있었는데, 침팬지들은 나무에서 바로 뛰어내려 땅 위를 달려 도망가곤 했죠. 하지만 보노보들은 나무 밑으로 내려오지 않고 나무 사이를 헤치며 100미터 이상 달아나버렸습니다.

드 왈: 당신이 보기에 보노보와 침팬지의 사회 조직을 비교해볼 때 주요한 차이는 무엇입니까?

가노: 보노보에게서 우리는 첫째 모자관계가 오래 유지되는 것, 둘째 성행위를 사회적 도구로 이용하는 것, 셋째 암컷 중심의 사회를 발견할 수 있습니다. 지금 무리 중에는 여섯 쌍의 모자가 있는데, 새끼가 벌써 다 자랐는데도 모자는 여전히 함께 있습니다. 이 쌍은 거의 언제나 함께 여행하며, 언제나 짝을 이루고 있습니다.

구로다: 아들의 의존 기간이 이렇게 긴 것은 보노보 새끼의 성장 속도가 느리기 때문인 것 같습니다. 보노보 새끼는 침팬지보다 느리게 자라는 것 같습니다. 예를 들어 출생 후 1년이 다 지나도록 걷거나 기어오르는 일이 드물고, 동작도 아주 느립니다. 그러니 어미가 새끼 곁에서 쉽게 떠나지 못하는 거죠. 또래와 어울려 노는 것도 1년 반은 지나야 가능한데, 이것도 침팬지보다 훨씬 느린 거죠. 이 기간 동안 어미는 아주 세심하게 새끼를 돌봅니다. 어미와 새끼는 긴밀하게 의사소통을 합니다. 새끼는 필요한 일이 생길 때마다 어미를 부르고, 그러면 어미가 즉각 달려와서 도와줘야 하니까요*

드 왈: 보노보의 모자 사이가 아주 각별하다는 것은 알겠습니다. 그런데 이것이 딸과 아들에게 똑같이 적용됩니까? 딸하고는 어떻습니까?

구로다: 딸은 어느 정도 성장하면 어미와의 유대가 느슨해져 아들보다는

* 유년기와 청소년기 전반에 보노보의 느린 성장과 작은 몸집 때문에 로버트 여키스는 프린스 침의 나이를 너무 작게 잘못 짐작했으며, 샌 디에이고 동물원의 번식용 수컷은 프랑스어로 "땅콩"이라는 의미의 카코웻이라는 이름을 갖게 되었다(자세한 내용은 1장을 참조하라).

더 멀리 떨어져 나갑니다. 이것은 아주 분명하게 확인할 수 있습니다. 그래서 불과 5~6세밖에 안 된 어린 암컷이 종종 혼자 있거나 무리 주변에서 서성거리는 장면을 목격할 수 있습니다. 반대로 아들은 언제나 어미 곁에 머물고 있죠. 사실, 사람들과 이야기하다보면 종종 인간의 어머니들에게서도 똑같은 이야기를 듣곤 하죠. 즉 딸보다 아들이 더 사랑스럽고 애착이 간다고 말하는 어머니들이 있더군요.

드 왈: 보노보 암컷은 수컷을 지배하나요? 아니면 수컷과 평등하거나 지배를 받고 있습니까?

가노: 서로 거의 비슷한 우위를 보인다고 하겠습니다. 수컷들이 약간 더 우위에 있는 것 같습니다. 왜냐하면 제가 연구하고 있는 무리에서는 서열 1위인 수컷이 최고 높은 서열의 암컷 두 마리를 위협하거나 혼내줄 수 있으니 말입니다. 암컷들을 혼낼 수 있는 것은 이 수컷밖에 없습니다.

드 왈: 그렇다면 암컷들은 그 수컷을 피합니까?

가노: 아니, 그렇지 않습니다. 이 부분이 재미있는데요, 서열 1위인 수컷이 서열 1위인 암컷을 혼내는 동안 암컷은 통상 수컷을 철저히 무시해버리죠(가노와 구로다 웃음).

드 왈: 먹이 분배는 어떻게 합니까? 서열 1위인 암컷이 서열 1위 수컷에게서 음식을 빼앗아오는 일도 가능합니까?

가노: 물론 그런 일도 있습니다. 먹이에 관해서는 암컷에게 우선권이 있습니다.

구로다: 제 생각에는 사회적 지배관계로 이 모든 현상을 설명할 수는 없을 것 같습니다. 먹이를 두고 다툴 때 가장 흥미로운 사실은 암컷들은 자기가 원하는 대로 행동하는 반면 수컷들은 그렇지 않은 것이죠. 물리적으로는 훨씬 더 힘이 센데도 수컷들은 암컷들과 싸우려고 하지 않죠. 이길 수 있는데도 그대로 도망가버리고 말죠.

먹이를 달라고 애원해도 암컷들은 '내가 먹고 있는 거 안 보여? 귀찮게 굴지 마!' 라는 표정으로 무시해버립니다. 거꾸로 수컷들은 자기들이 먹이를 갖고 있어도 암컷이 다가오면 완전히 자신감을 잃어버리고 맙니다.

교토 대학교에서 가르치는 다카요시 가노. 지금까지 가장 오랫동안 야생 상태의 보노보를 관찰해온 연구 계획의 책임자이다. 그는 1973년에 자전거를 타고 왐바에 들어가 혹독한 기후 조건과 불안한 정정 아래서도 20년이 넘는 세월 동안 연구 기지를 운영해오고 있다. 그의 이러한 선구적인 작업이 없었다면 보노보의 사회 생활은 아직도 베일에 가려져 있을 것이다.

드 왈: 보노보와 침팬지 중 어느 쪽이 더 영리하다고 생각하십니까?

구로다: 당연히 보노보죠!(노골적인 보노보 편애에 다 함께 웃음) 지능을 측정하는 기준은 다양합니다. 도구를 사용한다거나 상대방을 전략적 목적에 이용한다거나 하는 점에서 보자면 보노보는 특별히 영리하지는 않습니다. 하지만 친밀한 사회관계라는 측면에서 보면, 어릴 때 오랫동안 의존적인 생활을 해서 그런지 이들의 지각력은 상당히 발달해 있습니다. 서로 애정을 나타내고 아껴주며 충돌을 피하는 모습을 보면 보노보가 얼마나 영리한 동물인지 알 수 있죠. 예를 들어 침팬지들은 다른 무리들과 평화롭게 공존하는 데에 아주 서툽니다. 이들의 사회 조직은 어떻게 하면 이익을 얻을까, 어떻게 다른 무리를 물리칠까 하는 문제에 초점이 맞추어져 있죠. 보노보가 평화를 유지할 수 있는 것은 이들이 사회관계가 갖는 가치를 깨닫고 있기 때문입니다.

드 왈: 야생의 보노보가 도구를 사용하지 않는 이유는 무엇인가요?

가노: 사용할 필요가 없기 때문이죠. 보노보 서식지에는 흰개미가 풍부합니다. 그러나 보노보는 흰개미를 먹지 않습니다.

구로다: 보노보 서식지에는 다른 단백질원이 있습니다. 예를 들어 숲 속에는 다양한 애벌레가 있죠. 필요하면 보노보도 분명히 도구를 사용할 것입니다.

드 왈: 자이르에 살고 있는 보노보들의 미래는 어떻게 될 것 같습니까?

구로다: 식용으로 보노보를 사냥하는 경우가 많아지면서 보노보 숫자가 급격하게 감소하고 있습니다. 1991년 내란 이후 정정 불안 때문에 전국의 식량 공급이 끊기면서 사냥에 대한 압력이 급격하게 늘어났죠. 굶주린 사람들은 보노보를 죽이는 것을 금기시하던 옛 전통도 잊어버렸고 법도 무시하게 되었습니다. 그래서 보노보의 미래는 매우 걱정스럽습니다. 5년 전만 해도 1만 마리 정도의 보노보가 있으리라고 추산했지만 지금은 그보다 적은 수가 살고 있을 겁니다.

얄로시디 숲이 좋은 예라고 할 수 있습니다. 1970년대에 가노는 많은 수의 보노보를 얄로시디 숲에서 발견할 수 있었죠. 하지만 우리 동료인 겐이치 이다니가 10년 후 다시 찾아갔을 때는 거의 멸종된 후였습니다.

드 왈: 아직 발견되지 않은 보노보가 있을 것으로 보십니까? 보노보는 겁이 많아 사람들 앞에 잘 나타나지 않기 때문에 발견하지 못하는 것은 아닐까요?

가노: 보노보가 겁이 많은 것은 사실입니다. 그러나 보노보는 밤마다 보금자리를 새로 만들기 때문에 보노보를 발견하지 못해도 보금자리는 발견할 수 있겠죠. 보금자리가 있다면 그곳에는 틀림없이 보노보가 살고 있을 겁니다. 그러나 오늘날 보노보는 멸종 위기에 처해 있는 것 같습니다. 20년 전만 해도 보노보를 사냥하는 사람은 거의 없었는데 지금은 식량으로 이용하기 위해 보노보를 사냥하는 사람들이 늘고 있습니다. 심지어 왐바까지 들어오기도 하죠.

구로다: 자이르는 큰 나라이기 때문에 사람의 손길이 거의 미치지 않은 곳도 여전히 남아 있습니다. 따라서 어딘가 사람의 손길이 미치지 않은 곳에 보노보가 커다란 집단을 이루고 살아가리라는 희망을 버릴 수 없죠. 그러한 곳을 찾는 일이 시급합니다. 만약…… 그런 곳이 있다면 말입니다.

왐바식 연구 방법

다카요시 가노가 근무하고 있는 교토 대학교는 영장류 연구에서 세계적인 권위를 자랑하고 있다. 이 대학교는 제2차세계대전 후에 방목한 말과 설원원숭이라고도 부르는 짧은꼬리원숭이(일본원숭이)의 행동에 관한 연구를 통해 하나의 학파를 형성해왔다. 교토 학파의 관점은 서구의 전통적인 과학의 견해와는 조금 다르다. 일본의 영장류학은 경쟁과 다윈의 적자생존에 초점을 맞추는 대신 사회구조를 강조해왔다. 우리는 종종 일본 경제는 서구에서 흔히 찾아볼 수 있는 4분기 방식보다는 장기적인 관점을 채택한다는 말을 듣곤 한다. 이와 비슷하게 일본의 영장류학자들도 결실을 맺으려면 몇 년이 걸릴지도 모르는 연구를 위해 자료를 모으는 일을 마다하지 않는다. 장기간에 걸친 기록과 수백 마리나 되는 개체를 일일이 식별하는 일은 이 유인원들의 흥미를 끌기 위해 제한적인 먹이 공급을 실시하는 것과 더불어 이 학파의 연구의 중심축이라고 할 수 있다. 여러 세대에 걸쳐 오랫동안 끈기 있게 원숭이를 관찰해온 일본의 과학자들은 세계 최초로 원숭이들이 평생 친족관계를 유지한다는 것을 증명해낼 수 있었다. 이 교토 학파의 창시자인 긴지 이마니시는 더 나아가 하나의 주체로 보아야 하는 동물에게도 이름을 붙여주어야 한다고 주장했다. 행동의 의미를 완전히 이해하려면 동물 하나하나를 어느 정도 독립된 개체로 인식할 필요가 있다는 것이다.

일본 영장류학파의 영향은 너무나 커 이들의 접근 방식은 오늘날 하나의 상식처럼 들릴 정도가 되었다. 예를 들어 동물에게 이름이나 번호를 붙여 각 개체를 구분하는 것은 동물을 너무 인간화한다는 이유로 서구에서는 오랫동안 거부되었으나 지금은 일상적으로 사용하는 방법이 되었다. 이제 영장류학자들은 영장류를 평생을 주기로 추적하고 있으며, 인간 관찰자의 감정 이입은 필연적일 뿐만 아니라 바람직한 것이기도 하다는 점에 동의하고 있다. 동물들에게도 문화가 있을 가능성은 일본원숭이를 관찰하는 과정에서 처음으로 제기되었으며, 점점 더 많은 사람들이 지지를 보내게 되었다. 반면 새로운 세대의 일본 영장류학자들은 서구 생물학의 전통적인 연구 방식인 통계적 방법론과 진화론적 관점을 배우면서 자랐다. 이처럼 서양의 접근 방법과 동양의 접근 방법은 하나로 융합되어온 셈이다.

가노와 그의 동료들은 오랜 동안의 관찰을 통해 보노보와 침팬지 사이에 존재하는 한 가지 근본적인 유사성과 함께 많은 차이점을 알아냈다. 두 종 모두 소위 '헤어짐과 만남을 반복하는 사회'를 이루고 산다. 즉 소수의 개체가 작은 "무리를 이루어" 먹이를 찾아다니며 사는데, 이 무리들의 구성이 시시각각 또 날마다 변하는 것이다. 어미와 어미에게 의존하는 새끼의 관계를 제외한 모든 결합은 일시적인 성격을 갖고 있다. 처음에 이러한 유동성에 크게 당황한 연구자들은 과연 이 두 유인원들이 안정된 사회 집단을 구성할 수 있는지를 의문시하게 되었다. 이 수수께끼를 처음으로 풀어낸 사람은 가노의 가까운 동료인 도시사다 니시다였다. 그는 여러 해 동안 탄자니아의 침팬지 무리들의 구성 방식을 일일이 기록한 다음 아래와 결론을 내렸다. 침팬지들은 대규모의 단위-집단 또는 공동체를 이루고 있다. 특정한 공동체의 모든 구성원들은 끊임없이 변하는 무리들 속에서 자유롭게 섞여 살 수 있지만 서로 다른 공동체의 구성원들끼리는 결코 함께 살지 않는다는 것이다.

보노보와 침팬지는 두 종 모두 수컷-유소성(male-philopatric)*을 보인다. 즉 수컷은 항상 자기가 태어난 무리 속에 머물지만 암컷은 이웃 무리로 옮겨간다. 그리하여 보노보와 침팬지 무리에서는 어른 수컷이 모든 어린 수컷들을 출생 때부터 알게 된다. 또한 어린 수컷들은 함께 자란다. 또 수컷들은 혈연관계로 연결되어 있는 경우가 많아서 남자 형제들끼리의 끈끈한 유대감을 보여주기도

* 'philopatry'란 그리스어로 고향을(patry) 사랑한다(philo)는 뜻이며, 자기가 태어난 지역에 계속 머물려고 하거나 그곳으로 돌아가려고 하는 개체의 속성 내지 본능을 가리킨다. 한편 원래 유소성이란 생물학에서 (비둘기나 제비 따위가) 새끼 때 발육이 더디어 보금자리에서 어미 새의 보호를 오래 받아야 하는 성질을 뜻하는데, 이 책에서 수컷 유소성이란 근친 교배를 막기 위해 수컷은 태어난 무리에 남고 암컷은 다른 무리로 옮겨가는 사회 제도를 말한다.

한다. 그러나 암컷은 전혀 낯설고, 종종 적대적이기도 한 무리 틈으로 옮겨가야 한다. 이 무리에서 암컷은 친근한 얼굴을 하나도 모르거나 또는 같은 무리에게 전에 옮겨온 암컷 몇 마리를 겨우 찾아내기도 한다.

숲 속에 사는 유인원들에 대해 이 모든 사실을 밝혀내는 것은 생각처럼 간단한 문제가 아니다. 현장 연구자들이 특정한 암컷이 어느 순간 사라져버렸다는 것을 알아차린다 하더라도 사라진 원인은 여러 가지일 수 있기 때문이다. 광대한 숲에서 계속 이동하는 무리의 구성원들은 끊임없이 변하기 때문에 한 개체가 사라져도 오랫동안 전혀 눈치채지 못하는 경우가 많다. 사라진 암컷이 다른 이웃 무리에서 발견된 후에야 비로소 무슨 일이 벌어졌는지 알게 되는 것이다. 이것은 연구자들이 이 암컷이 원래 속해 있던 무리와 함께 거주지를 옮겨다니며 연구를 해야 한다는 것을 의미한다. 또는 친족관계를 보기로 하자. 수컷 형제들이 긴밀한 유대관계를 형성한다는 것도 말은 간단하게 들릴지 몰라도 연구자들은 수컷들이 아기 때부터 한 암컷에 이끌려 함께 자라나는 과정 전체를 보지 못했다면 어떤 어른 수컷들이 형제인지를 확실하게 알 수가 없다. 형제라면 닮는 경우가 많다지만 자기 연구에 자부심을 갖고 있는 현장 연구가라면 누구라도 그처럼 주관적인 기준을 신뢰하기 힘들 것이다. 유인원들은 성장 속도가 느리기 때문에 어떤 공동체를 구성하고 있는 구성원간의 친족관계에 대해 신뢰할 만한 발언을 할 수 있기 위해서는 적어도 십 년 이상은 헌신적으로 관찰해야 한다.

다른 연구자들이 보노보들이 주변 자원을 이용하는 방법, 이동하는 무리의 규모, 나무들 사이를 이동하는 방법 등에 초점을 맞추어오고 있는 동안 일본 연구자들은 이와 같은 종류의 정보를 주로 이보다 한층 더 야심적인 과제, 즉 사회관계를 밝히기 위한 배경으로 수집해왔다. 즉 보노보의 생태(ecology)가 아니라 사회적 행동에 관심을 갖고 있었던 것이다. 물론 이 두 가지 주제가 대립적인 것은 아니다. 사회 생활은 생태 조건에 맞게 형성된다는 것이 일반적인 생각이다. 따라서 이상적으로는 두 가지가 모두 연구되어야 한다. 그러나 논리적으로 볼 때 방법론은 이론적 강조점에 따라 달라지게 마련이다. 동물 생태학자들은 가노가 보노보에게 사탕수수를 나눠주는 것을 보고 눈살을 찌푸렸다. 이들이 보기에 왐바의 보노보들은 완전히 통제되지도, 그렇다고 완전한 자연 상태에 있지도 않은 어중간한 연구 대상이었다. 먹이를 제공해주게 되면 먹이의 선택과 서식 형태에 영향을 미치게 되기 때문이다. 그러나 교토 대학교 연구팀이 보노보들로 하여금 이들의 존재에 익숙해지도록 만들지 못했다면 지금까지 이들이 쌓아올린 연구 업적은 애초에 불가능했을 것이다. 교토 팀은 제대로 길들여지지 않은 보노보를 대상으로 짧은 시간에 이루어진 연구의 유용성에 의문을 제시하고 있다. 과연 그러한 연구에서 연구자가 자신이 관찰한 바의 사회적 맥락을 짚어낼 수 있을까? 어떤 개체가 어떤 무리에 속하는지를 파악할 수나 있을까?[1]

이처럼 지금까지는 오직 왐바의 과학자들만이 각기 독립된 개체들로서의 유인원의 생활사(life history)를 파악하기 위해 필요한 노력을 계속해볼 수 있었기 때문에 이 연구 기지에서 나온 정보 — 이것은 가노의 『최후의 유인원*The Last Ape*』과 함께 그와 그의 동료들이 내놓은 방대한 양의 논문들 속에 제시되어 있다 — 의 가치는 절대적이라고 할 수 있다.

숲 속의 작은 무리들

왐바의 연구자들은 먹이를 나눠주는 장소에서 이들을 관찰하는 한편 숲 속으로 이들을 따라 들어가기도 하는데, 왐바의 숲에는 세 종류가 있다. 강을 따라 분포한 습지의 숲에는 비교적 키가 작은 나무들이 많다. 이 나무들은 무른 진흙 위에서 자라고 있기 때문에 지지 뿌리로 몸을 지탱하거나 나무끼리 엉킨 채 서로를 지탱하며 자라고 있다. 이와 달리 일차림은 단단한 토양 위에 형성되어 있는데, 조밀한 나무의 꼭대기들이 서로 엉켜 있고 또 50미터 이상까지 가는 초대형 나무들을 비롯해 대부분의 나무들이 아주 키가 크기 때문에 이 숲은 아주 어둡다. 거의 빛이 들어오지 않기 때문에 바닥에는 별다른 식물이 자라지 않는다. 마지막으로 벌목으로 형성된 이차림이 있다. 사람들이 떠나면 곧 초목이 사람들의 흔적을 덮어버리지만 다시 나무들이 다 자라더라도 여전히 이곳의 나무 밀도는 일차림의 밀도보다는 낮다. 따라서 듬성듬성 햇빛이 비치는 숲 바닥에는 짙은 초록색 풀들이 자라는 모습을 볼 수 있다. 보노보들은 이 세 지역을 모두 돌아다니면서 생활하지만 역시 제일 좋아하는 곳은 다양한 식물이 가장 풍부하게 자라고 있는 일차림이다.

왐바를 비롯한 여러 곳에서 서식하는 보노보들은 참으로 다양한 종류의 식물에서 나는 먹이를 먹지만, 특히 잘 익은 과일을 좋아한다. 대부분은 무화과 정도의 크기이나 어떤 것은 어마어마하게 크다. 올리브와 비슷한 아노니디움 과(科)의 열매는 종종 10킬로그램까지 자라며, 아스파라거스와 비슷한 트레쿨리아 과(科)의 열매는 무려 30킬로그램까지 자라기도 하는데, 이것은 거의 어른 보노보와 맞먹는 무게이다. 보노보들은 통상 이 거대한 열매를 나무 밑으로 떨어뜨린 다음 먹어 치운다. 그리고 낮은 초목들도 다른 많은 식용 열매를 제공해준다. 따라서 보노보는 나무와 숲의 바닥을 가리지 않고 먹이를 찾아 돌아다닌다. 보노보가 열매 다음으로 가장 많이 먹는 먹이는 전문가들 사이에서 지상 초본 식물(THV)로 알려진 식물의 속*이다. 보노보들은 여기저기 옮겨 다니면서 생활하기 때문에 잠시 멈춰 서서 이 식물의 잎자루**를 먹거나 어린줄기를 씹는 것으로 가벼운 식사를 대신한다. 가노는 바삭바삭 씹는 소리가 나는 이러한 식물을 일부 기록해놓았는데, 지역 주민들도 채집해 먹는 이 식물들은 "말로 다 표현할 수 없을 정도로 맛이 기막히다"고 한다. 이 식물에는 풍부한 단백질이 들어 있는데, 바로 이것이 침팬지의 먹이 섭취와의 주요한 차이를 설명해줄 수 있을 것이다. 즉 보노보들은 동물성 단백질에 〔침팬지들보다〕 덜 의존하는 것 같다.

* 열매의 내과피와 외과피 사이에 있는 속껍질. 복숭아 따위의 겉껍질을 벗긴 다음의 먹을 수 있는 육질(肉質).

** 잎몸을 줄기나 가지에 붙어 있게 하는 자루 모양의 꼭지. 잎몸을 햇빛 방향으로 돌리는 작용을 하는데 식물에 따라서는 없는 것도 있다. 엽병(葉柄), 잎꼭지라고도 한다.

침팬지는 원숭이를 포함해 상당한 양의 동물성 먹이를 먹기 때문에 다른 동물들을 사냥해서 죽인다. 고기를 먹는 것은 보노보에게서는 드문드문 발견될 뿐이며, 이들이 원숭이와 맺고 있는 관계는 약탈자와 희생자의 관계와는 한참 거리가 있다. 왐바에서는 실제로 원숭이들이 보노보들과 털 고르기를 하거나 함께 노는 모습이 목격되어왔다. 그러나 새로운 연구 기지인 릴룽구 지역에서 연구하고 있는 스페인의 영장류학자들은 이 영장류와 원숭이들의 상호 작용이 강제적인 성격을 갖고 있음을 발견했다. 즉 보노보들은 원숭이를 장난감으로 간주하는 것 같다는 것이다. 호르헤 사바테-피는 보노보가 원숭이를 잡는 것을 세 번 보았다. 보노보는 잡은 원숭이를 이리저리 살펴본 다음 끌어안아 보기도 하고 털도 골라주고 또 올라타기도 했다. 또한 공중으로 높이 던져보기도 하고 이 가엾은 동물의 꼬리를 잡고 추처럼 흔들어보는가 하면 때로는 머리를 세게 때리기도 했다. 현장 연구자들에 따르면 보노보는 원숭이와 장난치고 싶어하는 것 같았다고 한다. 하지만 열심히 털 고르기를 해줘도 원숭이가 호응하지 않자 아주 거칠게 변했다. 이 과정에서 한 마리는 도망갔지만 다른 두 마리 새끼 원숭이는 죽었다. 하지만 보노보가 이 두 마리 새끼 원숭이를 먹었다는 증거는 아무것도 없다. 오히려 어떤 보노보는 이틀 동안 사체를 이리저리 끌고 다니더니 어디론가 사라져버렸다.

보노보의 이런 행동은 원숭이를 잡아 가차없이 갈기갈기 찢은 다음 허겁지겁 먹어치우는 침팬지와 날카롭게 대비된다. 보노보는 생존에 필요한 단백질을 대부분 지상 초본 식물을 우걱우걱 씹어먹어 섭취하는 것 같다. 물론 보노보도 종종 동물을 먹지만 대부분 곤충을 비롯해 작은 동물을 주로 먹는다. 숲으로 들어가면 수천 마리가 넘는 애벌레들이 커다란 보투나 나무(botuna)에서 떨어지는 소리는 마치 폭우가 쏟아지는 것처럼 들린다. 이 애벌레들은 해마다 떼를 지어 나타나는데, 보노보뿐만 아니라 인간에게도 훌륭한 먹을거리가 된다. 보노보들은 또 진흙을 파서 지렁이를 찾아내어 먹기도 한다. 왐바의 급식 장소에서 달걀을 주자 보노보들은 그것을 먹거나 보금자리로 갖고 갔다. 보노보는 낯선 먹이를 먹는 것을 주저하는 경향이 있는 점으로 미루어볼 때 이것은 이들이 새의 둥지로부터 새알을 꺼내 먹는다는 것을 의미할 수도 있다. 여러 기지에서 수집한 정보를 보면 보노보가 먹는 척추 동물은 파충류나 뾰족뒤쥐, 날다람쥐, 다이커〔작은 영양의 일종〕[2] 등이며 작은 물고기나 새우도 먹는 것으로 나타났다. 그러나 1천 개의 배설물 표본을 일일이 조사해본 왐바의 연구자들이 보노보의 먹이 중 동물성 먹이가 차지하는 비율을 약 1% 정도로 추정했다는 점을 강조할 필요가 있을 것이다.

보노보들은 작은 무리나 집단을 이루어 먹이를 찾아다니는데, 구성원은 끊임없이 바뀐다. 보노보의 무리 조직이 이와 비슷하게 헤어짐과 만남을 반복하는 유형을 따르고 있는 침팬지와 어떻게 다른가 하는 문제는 격렬한 논쟁을 불러일으키고 있다. 무리의 규모는 먹이의 분포에 따라 달라지므로 — 커다란 과일 나무들이 많아 구성원들이 배불리 먹을 수 있는 곳에서는 당연히 무리의 규모도 커진다 — 연구자들이 먹이를 제공하는 것은 당연히 무리의 규모에 영향을 미칠 것이다. 따라서 먹이를 제공해준 침팬지 무리와 그렇지 않은 보노보 무리를 비교하는 것은 무리가 있으며 반대의 경우도 마찬가지이다. 그러나 최근 이 문제를 해결해줄 수 있는 두 가지 연구가 진행되었다. 첫번째는 다케시 후루이치와 히로시 이호베의 연구로 두 사람은 왐바의 보노보와 탄자니아의 마할레 산의 침팬지에게 먹이를 주고 두 무리를 비교해보았다. 두번째는 프랜시스 화이트와 콜린 챕맨의 연구로 두 사람도 이와 비슷하게 로마코의 보노보 무리와 우간다의 키베일 국립공원의 침팬지 무리를 자연 상태 그대로 비교해보았다. 이리하여 먹이를 받아먹은 경우와 먹이를 받아먹지 않은 경우로 나누어 보노보와 침팬지를 상세하게 비교할 수 있게 되었다.

화이트와 챕맨은 침팬지 암컷들이 서로 너무 가까이 붙어 있는 것을 피하려고 하는 것을 발견했다. 반면 보노보의 경우에 수컷들이 서로 떨어져 있으려고 한다. 이외의 다른 모든 성적 조합들은 관용과 친밀함을 보여준다. 그러니까 가까이 붙어 있어도 그대로 있는다. 이 연구가 보여주는 두 종 사이의 큰 차이점은 침팬지들은 수컷들끼리 친밀하고 암컷들 사이가 좋지 않은 반면 보노보들에서는 암컷들이 서로 호의를 보이고 수컷들이 반목한다는 사실이다.

하지만 후루이치와 이호베가 왐바에서 수집한 자료는 약간 다른 결과를 보여준다. 두 사람도 왐바의 암컷 보노보들 사이에 긴밀한 유대감이 존재한다는 것을 발견했다. 하지만 이들은 이어 보노보 수컷들도 함께 여행하며, 마할레 산의 수컷 침팬지들처럼 서로 털 고르기를 해준다고 보고하고 있다. 과연 이것이 보노보의 전형적인 특징인지는 모르겠으나 아무튼 이것은 보노보 수컷들도 긴밀한 유대관계를 형성하고 서로를 배려할 수 있는 잠재력을 갖고 있다는 것을 암시한다. 이런 모습은 암컷 침팬지 사이에서도 찾아볼 수 있다. 암컷 침팬지들 간의 긴밀한 유대감은 대개 어미 혼자서 젖먹이 새끼만을 데리고 이동하는 동부 아프리카에서는 아직 발견되지 않았지만 서부 아프리카의 일부 지역과 포획된 침팬지 무리에서는 종종 보고되고 있다. 이때 암컷들은 통상 서로 털을 골라주거나 먹이를 나눠 먹고 수컷의 공격으로부터 다른 암컷을 보호해준다.[3]

요약하자면 이 두 종은 서로 다른 암수관계를 강조하고 있는 것이다. 즉 보노보에게서는 암컷들끼리의 접촉이 더 중요한 반면 침팬지에게서는 수컷들끼리의 접촉이 더 중요하다. 하지만 이러한 차이는 정도의 문제일 뿐이다. 각 종 안에서는 커다란 유연성이 존재하는 것이다. 이 두 종 사이에 항상 유지되는 차이〔種差〕로는 보노보가 암수간에 더 밀접한 관계를 맺는다는 점을 꼽을 수 있다. 왐바에서는 먹이를 찾아 돌아다니는 동안 보노보 무리의 구성원이 3/4가량 바뀌는 것을 볼 수 있었다. 그러한 대상은 암수 어른도 될 수 있었고 젖먹이가 딸린 어미도 될 수 있었다. 비율만 조금 낮았을 뿐 로마코에서도 상황은 거의 비슷했다. 이 두 연구 기지에서 모두 — 사회적 결속을 보여주는 지표라고 가장 널리 받아들여지고 있는 — 털 고르기를 하는 모습이 자주 목격됐는데, 암수가 서로 털을 골라주는 경우가 가장 흔했고 다음이 암컷들끼리 털을 골라주는 경우였으며 수컷들끼리 털을 골라주는 경우가 가장 드물었다.[4]

침팬지의 경우 수컷이 성적인 배우자라고 할 만한 암컷을 데리고 돌아다니기는 하지만 암컷은 그저 아주 이따금씩만 성적으로 매력적인 상태에 있을 뿐이기 때문에 성적으로 서로 이끌리는 경우가 드물다. 그러나 보노보 암컷은 아주 오랜 시간동안, 성행위를 할 준비가 되었다는 것을 상징하는 분홍색으로 부푼 돌기를 과시하고 다닌다. 보노보 무리 안에는 거의 언제나 이처럼 특정 부분이 부푼 암컷이 적어도 한 마리씩은 있다. 아마 그래서인지 무리 안에서는 흔히 암컷과 수컷이 섞여 있게 마련이다. 더구나 어른 수컷 보노보를 포함해 무리 내의 모든 수컷은 숲을 돌아다니며 먹이를 찾는 동안 제 어미 곁을 떠나지 않는다. 이것은 암수간의 경합을 더욱 공고하게 하는 역할을 한다.

▶ 숲 바닥의 어둠 속에 있는 보노보 수컷

보노보와 침팬지 암컷은 모두 자기 무리를 떠나 다른 무리로 이주해 가야 하기 때문에 긴밀한 혈연관계를 형성할 수 있는 것은 모자관계와 형제관계뿐이다(부자관계는 연구자들에게 알려져 있지 않은데, 아마 거의 틀림없이 이 유인원들에게도 마찬가지일 것이다). 침팬지는 싸울 때는 형제들끼리 연합해 서로 돕는 경향이 있다. 곰베의 침팬지 무리에서도 파벤과 피간 두 형제가 힘을 합쳐 피간이 무리의 우두머리로 올라선 적이 있었다. 이와 대조적으로 침팬지 사회의 모자관계는 확실한 혈연관계에도 불구하고 거의 최소한으로 발전하고 만 듯하다. 그러나 보노보는 정반대의 유형을 보여준다. 즉 수컷들의 혈연관계의 중심이 형제들끼리의 관계에서 어미와의 관계로 바뀐 것이다. 또한 어미와 아들의 관계는 수컷의 무리 내 서열과도 일정한 연관성을 갖고 있기 때문에 이 점은 침팬지와의 유사성과 차이성 문제를 한층 더 흥미로운 것으로 만들어주고 있다. 어미 역할은 모든 면에서 너무나 중요하기 때문에 가노는 어미들을 보노보 사회의 "핵심"이라고 부른 바 있다.

보노보는 침팬지보다 더 여럿이 어울리는 것을 좋아하는 것 같다. 보노보가 혼자 다니는 경우는 매우 드물며, 왐바에서 발견된 보노보 무리는 평균 20마리 정도가 함께 다녔다. 이것은 침팬지의 전형적인 무리 규모보다 몇 배 정도 큰 규모이다. 이렇게 큰 규모가 함께 다닐 수 있는 것은 왐바 기지에서 먹이를 제공하기 때문일 것으로 추정되어왔다. 왐바 기지의 무리의 크기는 평균 7마리 정도로 이루어진 로마코 기지의 무리보다도 크기 때문이다. 그러나 이를 단언할 수 없는 것이, 왐바 기지에서 먹이를 공급하기 전에 기록한 초기 자료에서도 20마리가 넘는 무리에 관한 기록이 보인다. 왐바의 중앙 연구 기지에서 멀리 떨어진 숲속에서 보노보 무리를 관찰하던 스에히사 구로다는 그 지역의 보노보들이 큰 무리를 이루어 생활하는 것을 관찰할 수 있었다. 이렇게 볼 때 왐바의 보노보가 큰 무리를 이루는 것은 연구 방법 때문이 아니라 생태적인 환경 때문인 것 같다. 왐바에는 로마코보다 지상 초본 식물이 풍부하며, 왐바에서는 흔히 찾아볼 수 있는 과일 나무를 로마코에서는 찾아볼 수 없다.

하지만 소규모 무리가 아니라 전체 공동체의 규모라는 관점에서 볼 때 두 기지의 보노보들은 비슷한 수를 이루어 생활하고 있다는 것을 알 수 있다.[5] 보노보 — 소규모 무리는 나타났다 사라지기를 반복하는 다소 일시적인 것이다 — 전체 공동체의 규모는 대략 25마리에서 75마리 정도이다. 그러나 120마리가 넘는 개체가 모여 사는 공동체도 있을 것으로 추정되고 있다. 침팬지 공동체의 규모도

이와 비슷하다.

보노보가 사교를 좋아하는 동물이라는 또다른 증거로는 공동체의 구성원들이 밤이 되면 한데 모인다는 것을 들 수 있다. 매일 저녁 보노보는 몇 분간 시간을 내어 나무 위의 가지들을 한데 엮어서 편안하게 잠을 잘 수 있는 평평한 보금자리를 만들어 그곳에서 밤을 보낸다. 바바라 프루트와 고트프리드 호만은 로마코에서는 보금자리에 깃들어 사는 보노보들이 언제나 이동하면서 사는 보노보들의 무리보다 규모가 훨씬 더 크다는 것을 발견했다. 다시 말해 여기저기 흩어져 있는 보금자리에는 낮에 함께 있는 것이 관찰되는 일반적인 개체 수보다 더 많은 개체들이 들어가 있는 것이다. 우리는 보노보가 어떤 위험에 노출되어 있는지에 대해서는 거의 모르고 있다. 어쩌면 표범과 같은 거대한 포식자의 존재가 이들 보노보들이 어두워지면 서로를 불러 야영지에 함께 모이는 이유를 설명해줄 수 있을지도 모르겠다.[6] 연구자들은 여기서 한 걸음 더 나아가 이들이 야영지에 모여 먹이가 풍부한 곳에 관한 정보를 교환하고 있는지도 모르겠다고 추정하고 있다.

이유야 어쨌든 보노보들은 낮에는 뿔뿔이 흩어지지만 밤에는 한곳에 모이는 습성을 지녔다.

프란스 랜팅과의 인터뷰

나는 1996년 7월에 1992년에 자이르의 왐바 연구 기지의 보노보들을 사진으로 촬영한 프란스 랜팅과 인터뷰를 가졌다. 풍부한 현장 경험은 그로 하여금 왐바 연구 기지와 보노보를 보기 드문 관점에서 바라볼 수 있도록 해주었다.

드 왈: 보노보를 촬영하는 데 어려움은 없었습니까?

랜팅: 운 좋게도 지난 20년 동안 저는 전세계의 이색적인 장소를 돌아다니면서 많은 종류의 동물들을 사진에 담는 행운을 누릴 수 있었습니다. 하지만 보노보를 촬영하는 것만큼 신나는 일은 없었죠. 숲에 들어가서 보노보를 가까이 보았을 때 얼마나 놀랐는지 모릅니다 바로 우리 인간과 얼마나 똑 닮았는지요. 저는 직접적이고 감성에 호소하는 방법으로 그들에게 말을 걸었으나 그것을 사진으로 전달하는 것은 그와는 전혀 다른 문제였죠. 그들의 몸짓과 얼굴 표정은 쉽게 알아볼 수 있었지만 이러한 신호들은 오직 좀더 포괄적인 사회적 맥락 속에서만 이해될 수 있는 것이기 때문에 사실 그것을 사진에

전부 담는다는 것은 불가능한 일 같았습니다. 결국 제가 사진에 담아 세상에 내놓은 모습은 정말 빙산의 일각에 불과하죠.

또한 열대 우림은 빛이 거의 들지 않는데다 아주 밝은 곳과 어두컴컴한 곳이 뒤섞여 있죠. 이런 상황에서 좋은 사진을 찍기는 정말 어렵습니다. 설상가상으로 보노보의 얼굴은 시꺼먼데다 눈도 칠흑처럼 어둡죠. 그래서 그런 곳에서 사진을 찍는다는 것 자체가 넘기 어려운 도전이었다는 생각이 듭니다. 그리고 보노보들이 어찌나 빠르던지 따라잡기가 힘들더군요. 후끈거리는 열대의 울창한 수풀을 헤치면서 20킬로그램이 넘는 사진 장비를 들고 날쌘 동물을 쫓아가는 것은 결코 쉬운 일이 아닙니다. 더구나 그렇게 습도가 높은 정글에서는 카메라 렌즈도 자주 말썽을 일으키곤 하죠. 아침에는 종종 사진을 찍기 전에 한 시간씩 렌즈부터 닦아야 했습니다.

어떤 피사체들은 그 자체로 영감을 주기도 합니다. 보노보의 경우 대부분의 시간을 빼앗긴 것은 기술적 문제를 해결하는 부분에서였습니다 — 자이르 중부의 외딴 야영지에서 살아남아야 하는 물리적인 어려움은 말할 필요도 없고요. 그래서 결국 많은 분들이 인정해주시는 저 나름의 실험적인 작업 방식을 따를 여유가 별로 없었습니다. 제 작업의 주요 목적은 우리가 보노보와 그리고 보노보가 우리와 얼마나 가까운가를 보여주는 데 있었습니다. 보노보들은 가끔 매우 독특한, 그야말로 보노보에 전형적인 행동 방식을 보일 때가 있지요. 제가 그런 장면들을 단 몇 개라도 포착했기를 바랍니다 — 가령 모든 보노보가 숲 속의 공터에서 두 다리로 우뚝 서거나 열심히 떠들어대거나 하는 모습 말이죠. 정글에서 돌아온 뒤에는 동물원의 보노보를 촬영하면서 정글에서는 거의 찍을 수 없었던 다양하고 미묘한 표정들도 근거리에서 찍을 수 있었습니다.

드 왈: 왐바까지는 쉽게 도착할 수 있었습니까?

랜팅: 자이르는 전세계를 통틀어 지난 50년 동안 실제로 여행하기가 점점 더 어려워진 지역 중의 하나였습니다. 미슐린 출판사에서 나온 아프리카 — 자이르는 아프리카의 중앙에 위치해 있죠 — 지도를 펴보면 이 두 기지는 엄지손톱으로 가릴 수 있을 정도로밖에는 떨어져 있지 않습니다. 하지만 막상 한 기지에서 다른 기지로 이동하려면 며칠이 걸릴 정도로 두 기지의 거리는 그리 만만하지가 않습니다. 몇 해 전 영국의 한 촬영팀이 케냐에서 출발해 자

이르 동쪽을 가로질러 자이르 중부까지 횡단한 적이 있었습니다. 거의 꼬박 두 달이 걸렸죠!

다행히 저는 내셔널 지오그래픽 사에서 지원해준 덕분에 전세기를 타고 여행할 수 있었습니다. 하지만 심지어 그런 경우에도 절묘한 병참술을 발휘해야 했죠. 미리 무선으로 연락을 취해서 그곳의 선교사들이 원주민들을 고용해 우리가 도착하기 전에 풀을 제거하고 비행기 활주로를 만들어놓도록 해야 했습니다. 이게 바로 드요루 지역에 비행기가 드문 이유입니다.

드 왈: 생활 수준은 어떻습니까?

랜팅: 독립한 이후로 자이르의 경제는 악화 일로를 걷고 있습니다. 최저 생계비도 보장받지 못하고 사는 사람들이 대부분이지요. 예전에 왐바에는 커피 농장이 많았습니다. 그래서 종종 커피 상인들이 트럭을 몰고 와 커피를 나르는 모습을 볼 수 있었죠. 하지만 지금은 도로가 너무 나빠져 트럭이 다닌다는 것은 생각할 수도 없습니다. 그나마 주민들이 돈을 만질 수 있던 기회가 사라져버린 것이죠. 일부 사람들은 다시 전통 의상을 만들어 입기 시작했습니다. 섬유 대신에 풀을 엮어서 만드는 원주민 의상을 다시 입게 된 거죠. 성냥이 없을 때 일부 사람들은 다시 나무를 비벼 불을 피운다는 소리도 들었습니다.

경제 상황의 심각성을 알려주는 가장 좋은 예로, 원주민들이 소식을 전하기 위해 옛날처럼 북을 사용하기 시작했다는 사실을 말씀드리죠. 중요한 일이 있으면 북을 울려 수 킬로미터 떨어진 곳으로 신호를 보내고, 신호를 받은 곳에서는 다시 북을 울려 신호를 보내는 방식으로 소식을 전하고 있습니다. 왐바의 연구자들도 각각 북으로 나타낼 수 있는 고유한 이름을 갖고 있습니다. 가령 북으로 '강력한 의지를 가진 남자' 라는 신호를 보내면 다카요시 가노를 가리키는 겁니다.

드 왈: 야영지에서의 생활에 대해 말씀해주시겠습니까?

랜팅: 일본인 연구자들이 겪는 고생은 이만저만한 게 아니었습니다. 그들은 왐바의 한 촌락 옆에 숙소를 마련해놓고 아주 기본적인 생활만을 하고 있었죠. 진흙으로 만든 숙소는 지방 원주민들의 집과 비슷한 형태였습니다. 그들이 누리는 유일한 사치는 — 일본 문화에서 목욕이 얼마나 중요한지를 안

다면 이해할 수 있는 일입니다만 — 이 지역에서 단 하나뿐인 작은 목욕탕입니다. 사실 하루 종일 후텁지근한 숲 속을 헤매다 숙소로 돌아오면 아무리 한 사람 앞에 한 양동이씩밖에 돌아가지 않는다 해도 심신의 피로를 푸는 방법으로 뜨거운 물에 몸을 담그는 것만큼 좋은 것이 없긴 합니다.

식사로는 밥과 거기서 나는 야채, 그리고 가끔씩 고기를 먹었습니다. 캠프에서는 하루 세 끼를 먹었는데, 원주민들이 먹을 수 있는 것보다는 많은 양이었죠. 하지만 원주민들이 굶주리거나 하는 것은 결코 아닙니다. 그들이 살고 있는 지역은 습기가 많은 열대 우림이기 때문에 식물이 굉장히 빨리 자라니까요.

저는 연구자들과 원주민들 사이의 긴밀한 관계에 깊은 인상을 받았습니다. 환경 단체들 사이에서는 자연 서식지를 보존하기 위한 최선의 정책은 무엇인가를 놓고 많은 논쟁이 진행중인 것으로 알고 있습니다. 하지만 국립공원을 조성하는 일은 아프리카가 처한 문제를 해결하는 방법은 아닌 것 같습니다. 적어도 유일한 해답은 아닌 것 같습니다. 저는 가노가 오랫동안 자이르에서 하고 있는 일이 가장 효과적인 방법 중의 하나가 아닐까 하고 생각합니다. 그는 왐바에 들어오고자 하는 영장류학자라면 누구나 먼저 지역 언어인 린갈라 어를 배우라고 했습니다. 또 연구자들은 지방의 많은 원주민들을 고용하기 때문에 왐바의 주민들은 보노보가 지역 경제에 어떠한 가치를 갖고 있는지를 모두 예리하게 깨닫고 있죠. 또한 다양한 부족과 마을 사람들을 고용함으로써 가노는 영장류들이라면 누구나 다 알고 있는 방식으로 그의 정치적 동맹관계를 넓혀왔습니다.

드 왈: 특히 기억에 남는 사진은 있습니까?

랜팅: 저는 사람들과 보노보 사이의 긴장이나 친밀함 같은 것에 매료되었습니다 — 인간의 인구 증가에 따른 위협이나 이처럼 너무나 밀접하게 관련되어 있는 두 종의 외모상의 유사성 등등 말이죠. 언젠가 숲 속에서 보노보를 뒤쫓다가 그런 생각을 하게 해주는 장면을 보게 되었습니다. 도로에 다다랐을 때 아이들이 학교를 마치고 집으로 돌아가는 소리가 들렸습니다. 그 순간 저는 촬영 준비를 서두르며 보노보들이 도로를 가로지르기만을 기다렸죠. 결국 저는 아이들이 멀리서 도로를 뛰어 건너가고 있는 보노보 가족을 바라보는 사진을 찍을 수 있었습니다. 유인원과 인간 — 제 작업은 바로 이것에 관

한 이야기를 하고 있습니다.

누가 대장이지?

동물행동학자들은 지배의 정도를 기준으로 각 개체의 무리 내 서열을 정하는 일에 익숙하다. 수컷 침팬지와 수컷 비비〔개코원숭이〕, 그리고 일본원숭이나 베르베트원숭이〔아프리카 동남부 산의 긴꼬리원숭이의 일종〕 등과 구세계의 많은 원숭이들을 대상으로 이러한 일은 하는 것은 쉽다. 무리 내 서열이라는 개념은 1920년대에 가금류 암컷들 사이의 공격 방향을 관찰하던 중에 발견되었다(여기서 '모이를 쪼아먹는 순서pecking order' 라는 말이 나왔다). 이처럼 싸움의 결과에 따라 서열을 정하는 경우도 있지만 많은 동물들은 과시 행동으로 무리 내 위치를 표시하기도 한다. 이러한 과시 행동은 군복에 새겨진 계급장과 비슷한 기능을 하여, 한 개체의 서열을 알려준다. 예를 들어 침팬지 사회에서 서열이 높은 개체는 털을 세우고 두 다리로 꼿꼿하게 서서 자기 몸을 좀더 커 보이게 하는 반면 종속적인 위치에 있는 개체는 말 그대로 땅에 바싹 엎드려 헐떡거리면서 낑낑대는 모습을 취한다.

그러나 보노보 사회에서는 이처럼 형식화된 지배와 복종의 의식(儀式)을 찾아볼 수 없다. 이것은 이미 보노보 사회에서는 서열이 상대적으로 그리 중요하지 않다는 것을 보여준다. 어른 암컷들간의 관계에서는 특히 더 그러하다. 물론 서열이 아주 없는 것은 아니지만 너무 막연해서 가노는 "서열이 높다"는 말은 보노보들에게는 적합하지 않다고 말한다. 그는 대신 "영향력 있다"는 말을 사용한다. 가노는 "무리에서 어떤 암컷이 존경받는다면 그것은 그의 서열이 높기 때문이 아니라 성품 때문"[7]이라고 주장한다. 보노보 암컷들끼리는 서로 공격하는 법이 없다. 갑자기 다른 암컷 위로 뛰어올라 물거나 사탕수수를 훔쳐 달아나는 일 정도나 찾아볼 수 있을 뿐이다. 암컷들끼리 서로 싸우는 경우는 보노보 사회에서 상상할 수 있는 최악의 싸움이 되겠지만 그러한 싸움은 공격적 다툼 중의 극히 일부분에 지나지 않기 때문에 어느 점으로 보아도 암컷들은 정말 관용적이라 할 수 있다.[8] 암컷들 사이에도 서열이 존재한다면 그것은 대개는 물리적 힘이 아니라 연륜에 의한 것이다. 일반적으로 나이가 많은 암컷이 어린 암컷보다 서열이 높다.

거꾸로 서열이 가장 낮은 암컷들은 다른 공동체에서 이제 막 무리에 합류한 어린 암컷들이다. 이 어린 암컷들은 스스로 몸을 낮추고 싸움에 연루되는 것을 피하며 다른 보노보들의 눈에 띄는 일도 거의 없다. 일단 새로운 무리에 합류하면 암컷은 해당 무리에서 살아온 특정한 암컷 한 마리를 골라 털을 골라주고 성적인 접촉을 시도하는 등 정성을 다해 떠받든다. 이 과정을 연구해온 겐이치 이다니에 따르면 상대방 암컷이 이에 화답하면 둘 사이에 특별한 유대감이 형성된다고 한다. 이러한 접촉은 이주해 온 보노보가 대단한 결속력을 자랑하는 공동체에 수용되는 것을 도와준다. 이 어린 암컷이 첫 새끼를 낳으면 무리 내 지위는 더욱 견고해지고 서열도 올라간다. 이 어린 암컷이 나이를 먹고 지위도 오를 때

왐바에서 가노는 고국인 일본의 설원원숭이 연구자들이 발전시킨 먹이 나눠주기 기술을 사용했다. 가노는 사탕수수를 경작해서 보노보들은 숲에서 꾀어냈으며, 이들의 신뢰를 얻었다. 여러 마리의 보노보들이 급식 장소에서 기다리고 있다.

쯤이면 이제 무리에 새로 들어온 또다른 젊은 암컷이 이 암컷과 좋은 관계를 유지하기 위해 애쓰는 식으로 똑같은 과정이 처음부터 다시 반복된다.

그러나 수컷들 사이에서 상황은 이와 전혀 다르다. 우리가 아는 한 수컷들은 무리들 사이를 옮겨다니지 않으며, 이들에게 무리 내 서열은 아주 중요하다. 따라서 암컷에 비해 수컷들끼리의 싸움은 훨씬 더 잦은 편이다. 그러나 상위 서열 — 특히 대장 수컷 자리 — 은 아주 뚜렷하게 구별되는 반면 중 · 하위 서열은 확실하게 구별되지 않는 것 같다. 보노보들은 정교한 서열 의식을 보여주지 않기 때문에 서열은 대부분 맹렬한 추격의 방향을 통해 표현된다. 그러나 그처럼 맹렬한 추격도 더 격렬하게 이어지는 일은 드문 편이며 흔히 얼마 안 가 대부분 평화적 접촉으로 끝나고 만다. 쫓고 쫓기던 수컷들이 서로를 올라타거나 등을 맞대고 음낭을 비비는 것으로 화해하는 것이다. 두 수컷은 몇 차례고 위치를 바꾸어가며 번갈아 올라타고 궁둥이를 맞대는데, 이것은 관례상 상호적인 것이다. 따라서 이러한 접촉은 불평등이 아니라 균등의 메시지를 담고 있다. 긴장의 수준은 수컷 침팬지들에 비해 아주 낮다. 물론 수컷 침팬지들도 격렬하게 싸우고 나서 화해를 하지만 항상 약간 시간을 둔 후에, 그것도 서열을 강조하는 몸짓과 신호를 통해 이루어진다.

하지만 두 종의 가장 큰 차이점은 수컷의 서열을 결정하는 요인에 있다. 침팬지의 경우 가장 중요한 요인은 수컷들 사이의 동맹이다. 한 수컷이 기왕의 무리의 지도자를 쫓아내고 새로운 우두머리가 되기 위해서는 다른 수컷들을 모아야 한다. 그렇게 해서 성공하면 새로 서열 1위가 된 이 수컷은 동맹자들에게 그에 합당한 보답을 해야 할 "의무"를 갖게 된다(예를 들어 발정기에 도달한 암컷과 짝을 맺을 수 있는 권리를 동맹자에게 주는 식으로 말이다. 하지만 경쟁자들에게는 그러한 기회를 허락하지 않는다). 이러한 거래관계는 야생의 침팬지들 사이에서 발견되는 것으로 알려져 있다. 나는 네덜란드의 아른헴 동물원에 있는 거대한 침팬지 관에서 이것을 상세하게 기록했던 적이 있다. 아른헴 동물원의 수컷들이 보여준 사회적 책략들은 너무 복잡하고 전략적이어서 나는 그것에 '침팬지 정치학(chimpanzee politics)' 이라는 이름을 붙였다.

혹시 보노보 정치학이라고 부를 수 있는 것이 있다면 아마 그것은 수컷들 사이에서만큼이나 암컷들 사이에서 전개된다고 볼 수 있을 것이다. 가노에 따르면 수컷들간의 싸움은 통상 일방적이며 짧게 끝나버리는 반면 드물기는 해도 암컷들간의 싸움은 다른 암컷이 가세하기 때문에 훨씬 더 복잡해진다. 하지만 이것도 인간의 눈으로 보니까 복잡한 것이지 정작 싸우는 동물들 당사자들에게는 그렇지 않은 것 같다. 실제로(예를 들어 비디오를 보면서) 그러한 순간들에 벌어지는 일을 자세히 분석해보면 얽히고 설킨 복잡한 동맹관계가 있음을 알 수 있다. 아마도 암컷들은 평상시에 미리 서열을 정해놓고 있지만 평상시에는 전혀 이것을 강화시킬 필요가 없으며 위기의 순간에만 가시적으로 드러나는 것이 아닐까 싶다.

다 자란 수컷들이 서열을 다시 정할 때도 그러한 위기의 순간이 나타난다. 우리는 왐바에서 수컷 보노보들이 서열을 놓고 싸운 것을 기록한 보고서를 두 개 갖고 있다. 두 경우 모두 싸움의 결과를 결정하는 것은 암컷이었다.[9]

코구마, 우데 위로 올라서다.

무리에서 강력한 영향력을 행사하는 암컷인 아키의 아들이 이제 막 성년의 나이에 도달했다. 코구마라고 불리는 이 수컷이 어느 날 서열 2위인 우데에게 도전하는 일이 벌어졌다. 코구마는 나뭇가지를 질질 끌고 소리를 지르면서 우데를 향해 돌진했다. 코구마가 우데에게 거의 도달했을 때 우데는 껑충 뛰어올라 코구마를 철썩 때렸다. 그러자 서열 1위인 수컷이 끼어들어 우데 위에 올라탄 후 엉덩이 접촉을 시도하면서 그를 진정시켰다.

얼마 안 있어 코구마는 다시 공격을 감행했다. 우데가 반격해 왔기 때문에 두 수컷은 덤불과 수풀 사이를 돌아다니면서 숨을 헐떡이며 주먹질을 주고받게 되었다. 이윽고 코구마가 다시 공격을 시작하자 젖먹이 새끼를 돌보고 있던 코구마의 어미, 아키가 그를 돕기 위해 나섰다. 아키가 우데를 향해 소리지르며 다가오자 — 그리고 뒤에는 다른 암컷들의 시끄러운 소리가 따라왔다 — 우데는 도망치기 시작했다. 코구마는 이 순간을 놓치지 않았다. 코구마는 9분이라는 짧은 시간 동안 12번이나 우데를 공격했다. 우데가 반격하려 할 때마다 아키가 그를 쫓아버렸다. 싸움이 거의 끝나가면서 우데는 조용해졌고 코구마를 피하게 되었다. 결국 우데는 코구마가 나뭇가지를 끌고 자기 쪽으로 오기만 해도 가까운 나무 위로 도망쳤다.

그 뒤로 우데는 완전히 전의를 상실한 것처럼 보였다. 우데는 코구마가 공격해 올 때마다 도망가거나 등을 보임으로써 이 어린 수컷을 진정시키려고 했다.

텐, 이보 위로 올라서다.

가장 나이가 많고 서열이 높은 케임이라는 암컷에게는 세 아들이 있었다. 이보라는 케임의 첫째 아들이 수컷 중 서열 1위였다. 텐은 서열 2위인 암컷의 아들로 케임의 아들들을 공격하기 시작했다. 하지만 텐은 통상 이보에게 패했다. 그런데 이 시기 동안 케임은 너무 나이가 들어 허약해져 더이상 아들들의 일에 끼어들 수 없게 되었다. 그러나 텐의 어미는 달랐다. 아직 한창 원기 왕성한 나이인 텐의 어미는 케임의 아들들을 공격하기 시작했다. 심지어 심각한 신체적 싸움에서는 이보 본인에게 덤비는 경우도 있었다.

가장 심각한 충돌은 수컷들 사이가 아니라 이들의 어미들 사이에 벌어졌다. 두 암컷은 땅바닥을 구르며 치고받고 싸우다가 끝내 케임이 나가떨어졌다. 그 뒤로도 몇 번의 싸움이 더 있었지만 케임은 결코 이전의 우위를 되찾을 수 없었다.

결국 서열 2위의 암컷이 서열 1위로 올라섰고, 그의 아들도 마찬가지였다. 어미가 싸움에서 지자 이보도 결과를 받아들였던 것이다. 이후 몇 년 동안 케임의 아들들은 중간 서열을 유지했지만 어미가 죽자 하위 서열로 밀려나버렸다.

만약 케임의 아들들이 침팬지였다면 세 아들은 분명히 함께 단결하여 지위를 지키기 위해 집단적으로 싸웠을 것이다. 그러나 보노보 사회에서는 수컷들 사이의 동맹이 그리 발달되지 않았다. 암컷들이 그토록 커다란 영향력을 행사할 수 있는 것도 바로 이 때문이다. 그 결과 상대적으로 어린 성인 수컷이라도 어미가 서열이 높으면 높은 서열에 오를 수 있다. 다른 한편 어미가 세력을 잃거나 죽으면 수컷의 지위는 내려간다.

바로 이것이 보노보 사회의 가장 당혹스런 측면이다. 암컷들이 흔히 수컷들을 지배하는 것이다. 점박이하이에나나 마다가스카르여우원숭이처럼 몇몇 별난 예외를 제외하면 포유류 사회에서는 수컷 우위가 일반적이다. 이유는 간단하다. 통상 수컷이 암컷보다 몸집이 크며, 뿔이나 날카로운 어금니 같은 무기도 갖고 있다. 암컷에게는 이러한 무기가 없거나 있다고 해도 아주 보잘것없다. 다른 많은 영장류들에게서보다는 다소 덜 분명하게 나타나기는 하지만 보노보들도 이와 똑같은 종류의 동종이형(同種異形) 현상을 보여주기 때문에 '더 약한 성'의 우위는 모든 생물학자들의 예상을 여지없이 뒤엎는 것이었다. 암컷 우위를 처음 접했을 때 나도 참으로 기이하다는 생각을 했었다. 하지만 포획된 보노보들을 좀더 자세히 연구하고, 관찰하고, 정보를 수집하면 할수록 암컷 우위가 예외가

보노보는 대부분의 시간을 울창한 나무 꼭대기 위에서 보내기 때문에 보노보를 발견하고 쫓아가기는 무척 어렵다.

아니라 일반적인 상태라는 것을 알 수 있게 되었다.[10]

우리 인간 사회의 남녀관계를 둘러싼 문화적 감수성들 때문에 지난 시대 우리는 우리와 가장 가까운 사촌 중의 하나에서 발견되는 이처럼 독특한 〔남녀관계의〕 배치를 부정했던 것은 아닐까? 이러한 상황은 1992년까지 불분명한 채로 남아 있었다. 그러다 이 해 프랑스의 스트라스부르에서 열린 세계영장류학회에서 침묵이 큰 소리로 깨지게 된다. 포획된 보노보를 연구해온 몇몇 학자들이 관찰 결과와 실험 내용을 보고했는데, 그것은 이러한 쟁점을 명쾌하게 해명해주었다. 에이미 패리쉬는 슈투트가르트 동물원의 침팬지와 보노보로 각각 구성된 동일한 크기의 집단(어른 수컷 1마리와 어른 암컷 2마리) 내에서 먹이 경쟁을 유도해보았다. 이들에게 작은 구멍에 막대를 넣었다가 꺼내야만 먹을 수 있는 꿀을 갖다 놓았다. 수컷 침팬지는 우리 안을 휘젓고다니며 위협적인 행동을 하면서 꿀은 전부 자기 것이라고 주장했다. 이 수컷은 기분이 좋을 때만 암컷들이 꿀을 먹는 것을 허락했다. 그러나 보노보 무리에서는 암컷들이 함께 꿀단지 가까이 다가가더니 서로 성적인 접촉에 몰두했다. 그러한 행동이 끝나자 두 마리는 나란히 앉아서 번갈아가며 꿀을 먹기 시작했다. 실제로는 거의 아무런 경쟁도 없었다. 수컷이 마음만 먹었다면 얼마든지 수많은 위협 행동을 할 수도 있었을 것이다. 하지만 암컷들은 수컷을 신경도 쓰지 않았다.

이와 비슷하게 벨기에의 플랑큰달 동물원의 관찰자들도 수컷 보노보 한 마리가 암컷 보노보를 괴롭히려 하자 무리의 모든 암컷들이 한데 뭉쳐 수컷을 쫓아버렸다고 보고하고 있다. 이러한 행동이 포획된 보노보에게서만 나타나는 것이 아니라는 것은 왐바에서의 관찰 결과만 보아도 분명하다. 가노에 의하면 암컷들이 무리를 지어 수컷에게 반격을 가하는 일이 종종 일어난다고 한다. 그는 "수컷들이 무리를 지어 암컷 한 마리를 공격하는 일은 없다. 하지만 암컷들은 떼로 몰려가 수컷을 공격한다"[11]라고 말했다. 이동하는 무리의 중심에는 언제나 서열이 높은 암컷들이 함께 가까이 모여 있다. 이 암컷들의 아들들은 이러한 무리에 끼는 것이 허락된다. 그러나 어미가 없는 어른 수컷들은 항상 무리의 주변에 머무는 경향이 있다. 이처럼 왐바가 보여주는 풍경은 암컷 중심 사회로서, 여기서는 심지어 수컷의 서열조차 대개는 어미들에 의해 정해진다.

스트라스부르 학회에서 다케시 후루이치는 먹이를 두고 암컷 우위가 어떻게 나타나는지를 이렇게 설명했다. "급식 장소에 먼저 나타나는 것은 통상 수컷들이다. 그러나 암컷들이 나타나면 우선적인 위치를 포기한다. 수컷들이 먼저 나타나는 이유는 이들이 먹이에 대한 우선권을 갖고 있기 때문이 아니라 암컷이 나타나기 전에 조금이라도 많이 먹어두기 위해서인 것 같다. 심지어 중하위 서열의 암컷들도 수컷을 쫓아낼 수 있다."[12]

암컷들은 공격에 의존하는 일이 거의 없기 때문에 이들의 높은 지위를 확인할 수 있는 최고의 방법으로는 다들 좋아하는 먹이를 어떻게 나누는가를 살펴보는 것을 들 수 있을 것이다. 호만과 프루트는 로마코의 보노보들이 먹이를 분배하는 모습을 일일이 기록했다. 분배되는 먹이 중에는 종종 고기도 있었지만 대부분은 커다란 아노니디움 과와 트레쿨리아 과 열매였다. 먹이는 거의 언제나 어른 암컷이 차지했다. 이 암컷 주위를 여러 마리의 암컷들이 둘러싸는데, 개중 몇몇은 손을 뻗치거나 암컷의 입을 만지면서 먹이를 달라고 보챈다. 수컷들은 근처에서 나뭇가지를 꺾어들고 위협 행동을 해보거나 암컷들이 먹이를 먹고 있는 주변을 서성거린다. 어린것들에게는 친절하기 때문에 모든 어린 보노보들은 자유롭게 먹이에 접근할 수 있다. 먹이를 먹는 무리 속에 들어갈 수 없기 때문에 수컷들은 새끼들이 먹고 있는 먹이를 빼앗아 먹을 수밖에 없다. 어쩌다가 수컷이 먼저 먹이를 차지하는 경우도 있지만 대부분 더 나이 든 암컷에게 다시 뺏기고 만다. 아마도 이런 사정 때문에 수컷들은 서로 먹이를 나눠 먹을 만한 마음의 여유를 갖지 못하고 한번 들어온 먹이는 두 손에 꼭 쥔 채 결코 뺏기지 않으려 하는 것 같다.

바바라 프루트와 고트프리드 호만과의 인터뷰

1995년 9월에 나는 동물행동학자인 바바라 프루트와 고트프리드 호만과 인터뷰를 가졌다. 두 사람은 1990년부터 로마코 숲에서 보노보를 연구하고 있다. 이 독일인 부부는 현재 독일의 제비젠에 있는 막스-플랑크 행동심리학 연구소와 미국 오하이오 주 옥스퍼드에 있는 마이애미 대학교에 적을 두고 있다.

드 왈: 현재 로마코에서는 어떤 연구가 진행되고 있습니까?

호만: 보금자리 만들기에 관한 바바라의 연구가 이제 막 마무리됐습니다. 앞으로는 야생 생태(ecology)를, 예를 들어 보노보와 다른 영장류들 간의 먹이 경쟁을 연구하려고 합니다. 로마코에서는 먹이를 나눠주지 않기 때문에 이와 관련된 문제의 특수한 공백을 메워줄 수 있으리라 생각합니다. 왐바에서는 이런 연구를 할 수 없지요. 또한 유전학 연구 계획도 있습니다. 배설물에서 추출한 DNA를 비교하는 것이죠. 이를 통해 부계 유전과 유전적 연관관

계 등을 측정하여 〔한 무리 안에서〕 암컷들보다 수컷들이 혈연적으로 더 가까운지를 확인해볼 수 있으리라 생각합니다. 보노보 수컷들이 정말 유소성을 가진다면 그런 결과가 나오지 않겠습니까?

드 왈: 먹이를 주지 않고 보노보를 관찰하는 것은 어렵지 않습니까?

프루트: 먹이를 주지 않고도 침팬지를 관찰한 크리스토페 뵈쉬와 이야기를 나누고 나서 받은 인상은 우리 보노보들을 대상으로는 아주 쉽게 그렇게 할 수 있겠다는 것이었습니다. 그럼에도 불구하고 처음에는 무척 애를 먹었습니다. 첫 해에는 과일이 열려 있는 나무에 큰 무리를 지어 몰려 있어야만 보노보를 찾아낼 수 있었죠. 보노보가 일단 평지로 내려오면 그때부터는 도저히 쫓아갈 수가 없었습니다. 하지만 판코비아〔*Pancovia*: 남아프리카에 자생하는 나무로 무환자 나무과에 속하는 식물〕의 계절이 되자 돌파구를 열 수 있었습니다. 보노보들은 키 작은 과일 나무 주위에 모이기 시작했고 가까이서 그들을 관찰할 수 있었습니다. 일반적으로 수컷들이 암컷들보다 훨씬 더 대담했습니다. 하지만 지금은 모든 보노보를 관찰할 수 있으며, 심지어 일부 암컷은 집중 관찰도 개의치 않고 있습니다〔집중 관찰이란 현장 연구자가 한 마리를 일정 기간 따라다니면서 관찰하는 것을 말한다〕. 하지만 이렇게 되기까지 최소 3년이란 시간이 필요했습니다.

호만: 우리는 결코 보노보를 압박한 적이 없습니다. 언제나 그저 바라볼 수 있을 정도로 가까이 다가가서 그들이 다가오기만을 기다렸죠. 그리하여 이제 우리는 10미터 안팎까지 다가갈 수 있게 되었습니다. 가만히 기다리면 어떨 때는 3미터 안까지 접근하는 보노보도 있고요. 호기심 많은 젊은 보노보들은 우리를 약올리기도 합니다. 나뭇가지를 타고 바로 우리 머리 위까지 다가온 놈들은 우리에게 나뭇가지를 던지거나 오줌을 싼 후 우리의 반응을 살피기도 하죠. 하지만 대체로 보노보들은 우리에게 그다지 관심을 기울이지 않습니다. 적어도 우리가 그들에게 기울이는 만큼은 아니에요.

드 왈: 가노와 구로다 박사에게도 같은 질문을 했었는데, 보노보 사회에서 무리를 지배하는 것은 누굽니까? 암컷입니까, 수컷입니까, 아니면 둘이 동등한 관계입니까?

프루트: 지배자는 어른 암컷 보노보라고 보면 될 겁니다. 때로는 어린 암

컷이 어른 수컷을 지배하기도 하죠. 한번은 어른 수컷이 어린 암컷이 갖고 있는 아우트라넬라 과일을 뺏으려고 하는 것을 본 적이 있는데 암컷은 무서운 기세로 수컷을 쫓아버리더군요.

호만: 그것은 암컷들 사이에 협력이 잘 이루어지기 때문인 듯합니다. 바바라가 말한 경우만 보더라도 암컷이 수컷을 내쫓을 때 암컷 여러 마리가 주위를 둘러싸고 있었습니다. 동시에 소리치고 위협하면서 말이죠. 만약 어린 암컷이 혼자 있었다면 수컷을 상대할 수 없었을 겁니다.

드 왈: 로마코의 보노보들은 사냥을 하거나 물고기를 잡아먹습니까?

호만: 달아나는 다이커를 쫓아 달려가는 모습을 본 적은 있지만 사냥하거나 동물을 죽이는 장면을 실제로 본 적은 없습니다. 하지만 언젠가 우리는 다이커가 울부짖는 소리를 듣고 곧장 그곳으로 달려갔습니다. 보노보들이 모여 다이커 몇 마리를 먹기 위해 나누고 있었는데 무게가 어림잡아도 10킬로그램은 되어 보였기 때문에 어른 다이커를 사냥했다는 것을 알 수 있었습니다.

프루트: 물고기를 잡아먹는 것 같지는 않았지만 새우의 일종은 먹는 것 같았습니다. 저는 보노보가 물 속으로 걸어 들어가 손가락 사이로 물이 흘러가게 하면서 한참 물 속을 응시하고 있는 모습을 본 적이 있습니다. 그런 다음 보노보는 뭔가를 먹는 것 같았습니다. 그곳에는 작고 투명한 갑각류들이 많죠. 원주민들도 먹는데, 맛이 기가 막히다고 합니다. 보노보들은 그렇게 가끔 몇 시간이고 강에서 나오지 않고 돌아다닐 때가 있습니다.

드 왈: 두 발로 말입니까?

프루트: 〔내가 무슨 생각을 하는지 알아차리고 웃으며〕 아니, 보노보들은 네 발로 물 속을 헤젓고 건너다닙니다. 이 지역의 작은 강들은 수심이 아주 얕아요.*

* 나는 예전에 보노보가 어떻게 "수상 유인원(Aquatic Ape)"으로 적응해갔을지에 대한 이론을 다소 불성실하게 추론해본 적이 있다. 그 이론은 우리의 조상이 얕은 물을 건너다니면서 직립 보행을 하기 시작했다는 것이었다(드 왈 1989, pp.182~186). 여러 보고서들은 보노보들이 두 발로 서서 물 속에 들어간다고 하고 있었다. 그러나 프루트와 호만은 그런 모습을 본 적이 없다고 한다.

드 왈: 바바라, 보노보만이 보금자리를 만드는 것은 아닙니다. 그렇다면 보노보만의 뭔가 특별한 점이라도 있습니까? (몇 주 전 프루트는 보노보의 보금자리 만들기에 관한 박사 학위 논문 심사를 성공적으로 통과했다)

프루트: 보노보는 종종 작은 나무들을 당겨 가지를 서로 엮어서 보금자리를 만드는데, 따라서 신축성이 매우 좋은 평평한 보금자리를 만들 수 있죠. 이런 식으로 그들은 각자가 원하는 삼차원적 공간을 정확하게 선택할 수 있습니다. 이것은 중요한데, 왜냐하면 사회 조직이 보금자리의 배치에도 반영되기 때문이죠. 암컷들이 먼저, 통상 나무 위 높은 곳에 보금자리를 만듭니다. 그런 후에 다른 보노보들이 보금자리를 만드는데, 어른 수컷이 제일 나중에 만들죠. 낮은 곳에 위치한 수컷들은 최대한 자신들끼리는 멀리 떨어지려 하고 암컷과는 최대한 가까이 있기 위해 애쓰죠. 보금자리 만들기에서 찾아볼 수 있는 이러한 몇 가지 양상들은 보노보에 고유한 특징으로 다른 유인원들에게서는 관찰된 적이 없습니다. 하지만 정말 현격한 차이는 보금자리가 있는 자리에 다 함께 모이는 것이라고 할 수 있습니다.

침팬지들이 마지막으로 함께 이동한 무리만 모여서 집단으로 보금자리를 만드는 반면 보노보들은 늦은 오후만 되면 동료들을 불러모아 결국 많은 보노보들이 함께 모여 잠들게 되지요. 공동체에 속한 모든 구성원이 한곳에서, 26개나 되는 보금자리를 만들어 자는 모습을 본 적이 있습니다. 보노보들이 모여서 제각기 먹이가 있는 장소에 대해서 정보를 교환하는 것이 아닐까 하는 생각도 하는데요. 어떤 작은 무리가 과일이 많이 열린 나무를 알고 있다면 다음 날 무리 전체가 그곳으로 가서 망가베이원숭이가 도착하기 전에 나무 열매를 몽땅 먹어치우곤 하죠. 사실 이것도 풀리지 않는 많은 수수께끼 중의 하나입니다.

드 왈: 왐바의 연구자들은 보노보들이 동종의 공동체들 간에 놀라울 정도로 평화로운 관계를 유지한다고 보고하고 있습니다. 이와 비슷한 경우를 목격한 적이 있나요?

프루트: 보노보를 처음 봤을 때 제가 제일 먼저 느낀 것은 그들이 매우 사납다는 것이었습니다. 한번은 암컷들이 매달려 있는 나무 밑에서 다른 무리의 수컷들이 소리를 지르고 으르렁거리면서 서로를 쫓아 덤불 사이를 뛰어다니는 모습을 보았습니다. 어찌나 공격적이던지 생명의 위협마저 느낄 정도였

습니다. 온몸에 소름이 오싹 돋았죠! 하지만 나중에 살펴보니 실제로 다친 보노보는 한 마리도 없더군요. 좀더 최근에 고트프리드가 왐바의 연구자들이 묘사하고 있는 것과 흡사한 경험을 한 적이 있습니다.

호만: 처음에는 서로 죽일 듯이 소리지르고 쫓아다니는 등 크게 긴장된 상태가 나타나지만 곧 평정을 되찾고 서로 섞여 두 공동체의 구성원들이 암컷끼리 혹은 암컷과 수컷이 어울려 섹스를 하기 시작합니다. 털 고르기를 할 수도 있지만 팽팽한 긴장감은 여전히 남아 있습니다. 저는 어른 수컷들끼리 우호적으로 접촉하는 모습은 본 적이 없습니다.

물론 상황이 바뀌면 같은 집단들도 태도가 바뀔 수 있습니다. 하루는 제가 연구하던 보노보 무리를 따라가다가 갑자기 바로 뒤에서 쿵쿵거리는 소리가 들려서 얼마나 놀랐는지 몰라요. 보노보들이 땅 위로 내려와 다른 보노보들을 향해 돌진해가고 있었습니다. 그러면서 온갖 시끄러운 소리를 지르면서 북 치는 소리를 내고 있었습니다. 자신들의 영역의 경계선까지 간 그들은 나무 위에 앉아 아주 공격적인 과시 행동을 하면서 소리를 질렀습니다. 그날, 그들은 다른 집단을 결코 용납하지 않았습니다.

드 왈: 북 치는 소리를 내는 보노보라니, 그런 이야기는 한번도 들어본 적이 없습니다. 대체 어떤 모습을 말하는 겁니까?

프루트: [벌떡 일어나 탁자 위로 올라가 탁자를 두드리며] 이렇게 짧고 빠르고 시끄러웠습니다. 하지만 정교하게 짜여진 소리를 내는 침팬지 수컷들과는 다릅니다. 가끔 보노보는 나무를 지지대 삼아 팔과 다리를 모두 이용하여 펄쩍 뛰어오르기도 하죠.

드 왈: 로마코 보노보들의 미래가 염려되지는 않으십니까?

프루트: 예, 염려됩니다. 현재 로마코 지역의 야생 동물에 가해지고 있는 압력은 낮아 보입니다. 저희 연구 기지는 보노보가 사는 숲에서 그리 멀지 않은 곳에 있는데, 5년 전만 해도 그곳에는 보노보를 연구하는 사람만 몇 명 있었을 뿐입니다. 하지만 지금은 다이아몬드를 찾아 그곳에 발을 들이는 사람들이 꾸준히 늘고 있습니다. 이와 비슷한 일이 언제든지, 어느 곳에서든지 일어날 수 있습니다. 로마코가 다음 차례가 될 수도 있습니다. 사람들의 숫자가 계속 늘어나고 있습니다. 그 결과 식용 사냥감을 비롯해 다른 삼림 자원에 대

한 수요가 아주 높습니다. 비록 보노보들이 사냥꾼들의 직접적인 사냥 대상이 아니더라도 서식지 자체가 파괴되기 때문에 결국 같은 결과를 낳게 되겠죠.

벌목 사업에 대해서는 그다지 걱정하지 않습니다. 99년간 이 숲에 대한 차지권을 가진 독일의 거대 베니어 합판 제조 회사가 수익성이 부족하다는 이유로 권리를 포기했기 때문입니다. 그들이 원하는 나무는 얻기가 너무 힘든데, 그래서 그들은 좀더 적당한 곳을 찾아 떠나버렸습니다.

먹이 분배를 암컷이 통제하고 수컷은 주변에서 먹이를 기다리면서 "기생하는" 모습은 침팬지 무리가 먹이를 먹는 전형적인 방식과는 극적으로 다르다. 침팬지의 경우 어른 수컷이 사냥감을 모두 차지하고 나머지는 한 조각이라도 얻어먹기 위해 애원해야 한다. 그러면 사냥감을 차지한 수컷은 함께 사냥에 참가한 동료들 — 보통 다른 수컷들 — 과 암컷들에게 먹이를 나눠준다. 이들 수컷이 보이는 관용은 놀라운 것인 동시에 거기에는 두 가지 합당한 이유가 있다. 먼저 수컷들에게 먹이를 나눠주는 것은 수컷들의 정치적 결속을 강화하고 앞으로의 사냥에서 협력을 보장받기 위해서이다. 결국 고기도 한 점 못 얻어먹는다면 무엇 때문에 그토록 힘든 원숭이 사냥을 도와주겠는가? 이처럼 다른 수컷들에게 먹이를 나눠주는 것이 상호 이익을 보장해주는 것이라면 암컷들에게 먹이를 나눠주는 것은 아버지로서의 투자가 될 수 있다. 즉 암컷들은 새끼와 함께 먹이를 먹는데, 이 새끼 중의 일부는 사냥한 먹이를 나눠주는 수컷의 자손일 경우가 많다. 따라서 암컷에게 먹이를 나눠주는 수컷 사냥꾼은 간접적으로 자기 새끼에게 먹이를 주는 것이다. 마지막으로, 먹이를 나눠 먹는 암컷 중 몇몇은 짝짓기로 보답하는 경우가 많은데, 수컷 침팬지는 특히 발정기의 암컷에게 관대하다.

이와 비교해볼 때 그러면 보노보는 왜 먹이를 나눠 먹는 것일까? 지금까지 우리가 아는 한 보노보들은 무리를 지어 사냥하는 경우가 없으니 협조를 얻기 위한 유인물이 필요 없다. 또한 먹이를 통제하는 것은 보통 암컷이므로 암수간에 먹이를 나눠 먹어야 할 이유도 별로 없다. 암컷이 수컷에게 음식을 나눠주는 경우에도 이 수컷이 그의 아들이 아닌 한 이러한 행위는 어버이로서의 투자로 볼 수도 없다. 그렇다면 오직 한 가지 이유만이 남는데, 바로 정치적 결속을 강화하는 것이 그것이다. 보노보의 경우 이것은 수컷들보다는 나이가 많은 암컷들 사이에서 훨씬 더 강하게 나타난다. 구로다는 음식을 나눠 먹는 것이 가장 드문

태어날 때도 아주 작은 보노보 새끼는 자라는 속도도 다른 유인원에 비해 느리다. 사진의 새끼 보노보는 이미 두 살이 넘었다.

숲 속에서 힘든 하루를 마치고 돌아오는 길에 마을 사람들과 담소를 나누고 있는 가노(오른쪽)와 다케시 후루이치(가노 옆), 지에 하시모토.

범주는 수컷들간의 관계라는 것을 밝혀냈다.

그렇다면 음식을 나눠 먹음으로써 얻을 수 있는 반사 이익은 보노보들 사이에서가 침팬지들 사이에서보다 훨씬 더 제한된 것으로 추정해볼 수 있다. 지배-피지배 관계에 기반해 있고 폭력에 의존하는 경향이 더 강한 종이 실제로는 먹이를 나눠 먹어야 할 더 많은 이유를 갖고 있다는 말은 모순적인 것처럼 들릴 수도 있겠지만 침팬지들이 이런 행동을 할 수밖에 없는 자연 환경을 고려해보면 충분히 이해할 만하다. 이러한 가설을 입증하려면 야생 상태의 보노보와 침팬지의 먹이 분배에 관한 상세한 자료가 필요하지만 현재로서는 포획된 유인원들을 대상으로 비교한 자료가 전부다. 어쨌든 내가 갖고 있는 자료는 위의 견해를 지지해준다. 즉 먹이와 관련해서는 침팬지가 보노보보다 더 관대하다.[13]

여기서 우리는 근본적이고 핵심적인 논점으로 돌아가게 된다. 즉 보노보에 대해서 너무 낭만적으로 생각하는 경향 말이다. 놀라울 정도로 평화롭지만 보노보는 오랜 전설 속의 고상한 야만인이 아니다. 모든 동물은 본성상 경쟁하도록 태어났으며 특별한 상황에서 특별한 이유가 있어야 협력할 뿐 서로에게 잘해주기 위한 욕망에서 그렇게 하는 것은 아니다. 따라서 왜 보노보가 평등주의적이고 관용적인 성격을 갖고 있는가 하는 문제에 대한 연구는 어떤 영역에서 그들이 가장 경쟁적인가 하는 문제에 대한 연구에 의해 균형을 맞추어야 한다. 분명 그러한 영역이 존재할 것이다. 생물학과 인류학의 역사는 특정한 생물종이나 인간의 문화를 이상화하는 것에 대해 강력하게 경고하고 있다. 과학은 고릴라부터 돌고래에 이르기까지 온갖 동물이 소위 평화로운 종족이라고 주장하거나 수렵-

채집인 사회는 공격을 모른다는 등의 주장을 통해 많은 오류를 범해왔다. 일반적으로 말해 이러한 이상화는 뭔가 아주 중요한 사실들을 간과했거나 혹은 더 나쁘게는 은폐했다는 것을 의미한다.

예를 들어 야생에서 손가락이 변형되거나 심지어 손이나 발이 모두 없는 등 신체가 비정상인 보노보들이 자주 발견된다면 그것이 폭력에 의한 외상일 가능성에 대해서도 심각하게 고려해보아야 한다. 이러한 기형이 발생하는 비율은 성에 따라 차이가 난다(어른 수컷들 사이에서 가장 높게 나타난다). 우리는 수컷 보노보들이 암컷들보다 훨씬 더 자주 싸움을 벌인다는 것을 알고 있다. 아직은 논거가 확실하지 않기 때문에 내 경험을 이야기하는 것이 더 나을지도 모르겠다. 나는 한때 침팬지가 분쟁을 조정하는 데 경이로울 정도로 빼어난 솜씨를 갖고 있다고 믿은 적이 있었다. 하지만 야생의 침팬지 수컷들은 다른 집단을 상대로 잔인한 전쟁을 일으키며 동족의 새끼도 죽여 잡아먹으며, 심지어 이런 잔인한 싸움은 같은 무리 안에서도 벌어져 치명상을 입을 정도로 확대될 수도 있다는 사실이 알려지게 되었다. 아른헴 동물원에서는 수컷 침팬지 한 마리에게 다른 두 마리가 달려들어 손발을 거의 불구로 만들고 고환에 손상을 가하는 광경이 목격되었다. 곰베 국립공원에서도 수의사가 치료해주지 않았다면 한 수컷 침팬지는 분명히 생명을 잃었을 것이다. 이 침팬지 수컷도 같은 무리의 동료들에게 공격을 받아 음낭이 거의 망가져 있었다. 이와 비슷한 공격 가능성이 보노보들에게도 있을 가능성을 지금 여기서 즉각 부인하지는 않겠다.[14]

아직까지 관찰된 바는 없기 때문에 보노보 역시 이처럼 잔혹한 성격을 가졌다고 말하려면 신중에 신중을 기해야 하지만 그렇다고 해서 이들이 성인(聖人)인 것은 아니다. 보노보의 활달한 기질을 고려해볼 때 이들 사회를 지배하고 있는 조화가 전적으로 천성적인 평화주의에 기반하고 있는 것 같지는 않다. 보노보에게서도 잠재된 경쟁(심)을 발견하는 것은 그리 어려운 일이 아니다. 어떤 성이 우위를 보이든 하급자들을 복종시키기 위한 가혹한 처벌은 반드시 필요하게 마련이다. 앞의 동물원에서 발생한 사건은 바로 이러한 방향을 가리키고 있다.[15] 우리는 또 앞에서 아들들의 지배 서열이 문제가 되는 경우 암컷들도 심각한 경쟁자가 될 수 있으며, 이들간의 싸움은 맹렬하게 벌어진다는 것을 보았다. 다시 말해 보노보 사회의 모습이 모두 장밋빛일 수는 없는 것이다. 물론 이들의 사회에서는 경쟁보다 평화가 더 중시된다는 점에는 동의하지만 협력하려는 경향은 경쟁하려는 경향과 함께 고려해야만 가장 잘 이해할 수 있다는 법칙으로부터 이 종도 예외는 아닌 셈이다.

신비에 싸인 보노보

보노보 암컷들간의 유대감은 영국의 인류학자인 리처드 랭험이 제시한 일반적 법칙을 깨는 것인 만큼 놀랍기 짝이 없다. 통상 동성간에 강한 유대감이 형성되려면 평생을 태어난 집단에 머물러 있어야 한다고 알려져 있다. 예를 들어 침팬지의 수컷들이 강한 유대감을 나타내는 것은 당연히 이들이 태어난 공동체를 평생 떠나지 않기 때문이다. 일본원숭이나 비비와 같은 구세계의 원숭이들이 암컷끼리 유대감을 갖는 것도 마찬가지다. 구세계 원숭이 사회에서는 수컷이 다른 무리로 떠나고 암컷들이 함께 남아 강력한 혈연관계의 망을 형성한다. 그런데 보노보들은 다른 무리에서 옮겨온 다 자란 암컷들이 전혀 모르는 동성의 다른

보노보 무리의 구성과 사회 조직

아래의 개괄적인 요약은 자이르에 위치한 왐바와 로마코, 그리고 그 밖의 여러 지역에서의 현장 연구를 토대로 한 것이다.

1. 침팬지처럼 보노보 사회도 수컷이 유소성을 보이고 헤어짐과 만남을 반복한다.

2. 침팬지 사회는 수컷들이 강한 유대감을 형성하고 암컷들끼리의 유대감은 잠재적인 반면 보노보 사회는 암컷들이 강한 유대감을 보이고 수컷들끼리의 유대감은 잠재적이다.

3. 수컷들의 혈연관계는 형제보다는 어미를 더 중시한다.

4. 먹이가 한 곳에 많이 집중되어 있기 때문에 많은 보노보들이 한꺼번에 몰려다닐 수 있다. 보노보 무리는 자유롭게 구성원을 교환한다.

5. 서로 모이기를 좋아한다. 왐바에서는 큰 규모의 무리들이 자주 관찰되며 로마코에서는 밤에 함께 모여 자는 무리들을 볼 수 있다.

6. 나이와 무리에 결합한 기간에 따라 암컷의 서열이 정해지지만 확실한 구분은 없다.

7. 수컷들은 서열을 놓고 격렬하게 싸우는데 대부분 어미의 서열에 따라 결정된다.

8. 암컷들은 포획한 먹이를 독점할 수 있다. 암컷이 수컷을 지배하는 경우도 있다.

9. 집단들은 서로 적대적이지만 평화롭게 어울리기도 한다.

개체들과 유대감을 형성하는 아주 독특한 동물이다. 이렇게 인위적으로 자매애를 형성하는 것을 두고 이들이 '2차적 유대'를 맺는다고 표현할 수도 있을 것이다(혈연으로 맺어진 관계를 '1차적 유대관계'로 정의할 수 있다면 말이다).

하지만 모든 연구자들이 암컷 보노보들이 강한 유대감으로 "묶여 있다"고 보는 것은 아니다. 기본적으로 두 학파의 생각이 갈리고 있다. 랭험 본인은 보노보 암컷들은 서로에게 관용적이기는 하지만 유대감을 느끼는 것은 아니라고 주장한 바 있다. 그리고 잦은 털 고르기와 성적 접촉이 반드시 서로 반했기 때문은 아니며, 이런 행동은 유대를 강화하기보다는 긴장을 풀어준다는 것이다. 보노보 암컷들은 하나의 무리를 이루지만(associate) 통합적인 귀속감을 형성하는(affiliate) 것은 아니라는 이러한 평가는 사회적 유대의 형성에 관한 기존의 이론을 그대로 따르고 있다. 에이미 패리쉬를 가장 대표적인 대변인으로 하는 두 번째 학파는 보노보 암컷들은 어떤 기준에서 보나 유대감을 형성하고 있다고 주장한다. 이들의 관계를 설명하는 데에는 '유대' 이외의 어떤 용어도 소용 없다는 것이다. (아들을 제외한) 수컷들은 그저 이들의 삶에서 주변적인 역할을 할 뿐인 반면 보노보 암컷들은 서로에게 관대할 뿐만 아니라 실제로 서로를 선호한다. 이 학파는 암컷들간의 관계가 비록 어느 정도 나이가 든 후에 형성되고 유전적인 요소와는 상관이 없는 것임에도 불구하고 보노보 사회의 기본적인 유대관계를 이루고 있다고 본다.

이제 우리는 이처럼 긴밀한 관계가 '어떻게' 형성되는가는 알고 있지만 — 성적 접촉과 털 고르기를 번갈아가며 해주면서 그렇게 한다 — 과학은 이와 관련해 '왜' 보노보와 침팬지가 그렇게 다른지에 대한 답은 아직 갖고 있지 않다. 만약 암컷들이 집단을 구성하는 형태가 핵심적인 요소라는 가정에 근거한다면, 이에 대한 해답은 보노보 암컷들은 심하게 경쟁하지 않고도 함께 모여 다니며 먹이를 구할 수 있는 환경적 요인을 갖고 있는 차이가 있다는 데서 찾을 수 있을 것이다.

랭험과 함께 일하고 있는 리처드 말렌키와 프랜시스 화이트는 로마코에 서식하는 보노보와 침팬지의 먹이 환경을 비교해보았다. 이들은 보노보들의 서식지에 과일 나무가 더 풍부해서 보다 많은 개체들이 다 같이 먹이를 얻을 수 있으며 또 보노보들이 자신들의 서식지에서 흔하게 발견되는 식량원인 지상 초본 식물을 더 많이 소비한다는 결론을 내렸다. 보노보는 섬유질로 된 단단한 지상 초본 식물의 껍질을 이빨로 벗겨낸 후 안에 들어 있는 부드러운 속을 씹어먹었다. 두 사람은 음식물의 공급이 풍부할 뿐만 아니라 끊기는 일도 없다는 사실이 여러 마리의 암컷들이 다툼 없이 음식을 나누어 먹는 사회 구조의 바탕을 이루고 있다고 믿고 있다. 하지만 침팬지 암컷은 먹이가 드문드문 흩어져 있기 때문에 개별적으로 찾아 나설 수밖에 없다.

초본 식물은 보노보와 가까운 다른 사촌, 즉 고릴라의 주식이기도 하기 때문에 랭험은 보노보 서식지에 고릴라들이 전혀 없는 것도 보노보들에게 침팬지들은 전혀 누릴 수 없는 환경적 틈새를 열어주었다고 추정하고 있다(침팬지와 고릴라의 서식지는 넓은 부분에 걸쳐 겹쳐 있다).

> 2~3백만 년 전인 플라이오세 중기에는 침팬지를 닮은 유인원과 고릴라를 닮은 유인원이 자이르 강의 왼쪽 기슭에서 함께 살고 있었다. 이 무렵 짧지만 춥고 건조한 시기가 찾아왔다. 다년생 풀이 감소하고 그 결과 식물을 주식으로 하는 고릴라를 닮은 유인원의 수도 감소했다. 세월이 지나 다시 습도가 올라갔다. 침팬지를 닮은 유인원들은 여전히 과일을 찾아 먹었지만 그와 동시에 고릴라를 닮은 유인원과 더이상 먹이를 두고 경쟁할 필요가 없다는 것도 깨닫게 되었다. 이 원시 보노보들은 과일 나무가 풍부한 먹이를 제공해주지 못할 때면 숲의 밑바닥에서 고릴라를 닮은 유인원들이 먹던 풍부한 초본 식물을 먹으면 그만이었다. 과일이 구하기 힘들어지면 작은 무리로 나뉘어 경쟁을 해야 하는 대신 계속해서 몰려다니면서 먹이를 찾을 수 있었다.[16]

위의 가설이 그럴듯하게 들리긴 하지만 문제가 없는 것은 아니다. 첫째로 이 가설에서 보노보는 침팬지와 비슷하게 생긴 조상들에게서 유래한다고 추정하고 있지만[17] 앞서 살펴본 대로 다른 과학자들은 오히려 보노보가 이러한 조상의 형태를 대변한다고 믿고 있다. 또한 생태적 요인(ecology)이 사회 조직을 결정짓는다면 왜 보노보 사회는 좀더 고릴라 같은 사회 조직을, 즉 한 마리의 수컷이 암컷을 이끌면서 암컷들의 "소유권"을 놓고 다른 수컷들과 경쟁하는 조직으로 발전하지 않았는가 하는 의문이 제기된다. 보노보는 거의 이와 정반대되는 진화 과정을 따라온 것 같다. 막강한 권력을 휘두르는 거대한 수컷은 어디에서도 찾아볼 수 없다. 고릴라 같은 체계로 나갈 가능성은 애초에 희박했던 것 같다. 풍부한 먹이가 여기저기 대량으로 "몰려 있어" 암컷들은 서로 단결하고 결속해서 결국 동맹관계를 형성한 채 수컷들의 야심을 제지할 수 있었기 때문이다. 만약 그렇다면 처음에는 약간만 유리했던 것이 결국에는 보노보 암컷들로 하여금 전혀 다른 사회 조직을, 즉 수컷이 아니라 암컷이 우세한 독특한 사회 조직을 만들어낼 수 있도록 해준 셈이다.

이처럼 독특한 보노보 사회가 어떤 진화 과정을 거쳐 형성되었는지는 아직까지는 안개에 싸여 있다. 앞으로 생태학적(ecological) 연구가 계속된다면 분명히 일부 의문점을 푸는 데 도움이 되겠지만 우리는 심지어 우리 자신을 포함한 아프리카의 원시 인류(hominoid)가 어떻게 갈라져 나왔고 이것을 초래한 환경적 압력은 어떠한 것이었는가를 재구성하는 데에도 미치지 못하고 있다. 분명히 어떤 변화가 있으면 논리적으로 그로부터 다른 변화가 잇따라 이어지겠지만 핵심적인 이행(transition)을 이해하지 못하는 한 그럴듯한 가설은 전혀 제시해볼 수조차 없을 것이다. 또 하나 지금까지 언급조차 되지 않았던 아주 논쟁적인 쟁점이 하나 있다. 보노보 집단들 사이에는 왜 거의 경쟁을 찾아볼 수 없는 것일까? 침팬지 수컷들이 자기 영역을 놓고 서로 죽이기까지 하는 것은 널리 알려져 있으며, 고릴라 수컷도 암컷을 놓고 죽을 때까지 싸우는 일이 종종 있다. 우리 인간도 전장을 사체로 뒤덮어온 오랜 역사를 갖고 있다. 이와 달리 보노보는 약간의 적개심과 긴장감은 있지만 전혀 살의는 없이 그저 이웃들을 "방문하는" 것 같다.

두 공동체가 평화롭게 뒤섞여 있는 모습이 처음 발견된 것은 1979년 왐바에서의 일로, 서로 다른 두 공동체는 한곳에 모여 일주일이나 함께 지냈다. 최근에 만난 가노도 그런 자료를 담은 비디오를 보여주었다. 처음에 보노보들은 무섭게 울부짖고 소리를 지르면서 서로를 쫓아내려 했으나 실제로 맞부딪쳐 싸우지는 않았다. 그러다 두 집단의 암컷들이 하나둘 섹스를 시작하더니 서로 털을 골라주는 것이었다. 그러자 두 집단의 새끼들도 한데 어울려 놀기 시작했다. 심지어 두 무리의 몇몇 수컷들은 서로에게 다가가 음낭을 비벼대기 시작했다. 제인 구달이 섬뜩할 정도로 무시무시하게 묘사한 침팬지 공동체들간의 잔혹한 전쟁에 익숙해져 있는 사람이라면 서로 다른 보노보 집단들간의 이러한 관계에 대해 입이 쩍 벌어져 고개만 갸우뚱거릴 수밖에 없을 것이다.

왐바에서 서로 다른 보노보 무리들간의 32번에 걸친 만남을 기록한 이다니는 다른 무리의 암컷과 수컷들의 전형적인 상호 작용은 성적이고 우호적인데 비해 수컷들끼리는 적의와 냉담함을 특징으로 한다고 말하고 있다. 두 집단이 마주치면 보통 15분 안에 다른 집단의 암수끼리 섹스를 시작한다. 두 집단간의 이러한 화합은 부분적으로는 연구자들이 나눠주는 먹이 때문일지도 모른다. 왜냐하면 보통 급식 장소에서 이런 일이 벌어졌기 때문이다.

그러나 다른 공동체간에 나타나는 이러한 비공격적인 관계가 그저 인간의 영향 때문이라고 생각하기 전에, 침팬지의 경우에는 이와 정반대라는 주장이 있다는 점을 고려해야 한다. 인류학자 중에는 곰베에서 일어나는 침팬지들의 잔인한 싸움이 인간이 먹이를 주는 인위적인 요소 때문이라고 보는 사람도 있다. 그들은 먹이원이 집중되어 있는 것이 폭력을 불러일으킨다고 주장한다. 만약 그것이 사실이라면 왜 같은 조건인데도 보노보는 싸움을 벌이는 일이 드문 것일까? 이다니는 급식 장소가 아닌 다른 곳에서도 보노보들의 행동을 관찰해보아도 결론은 마찬가지라고 덧붙이고 있다. 숲에서도 동일한 융합 행동을 목격할 수 있었던 것이다. 뿐만 아니라 먹이를 주지 않는 로마코에서 나온 최근의 보고서도 서로 다른 무리 사이에서 이와 똑같이 긴장이 완화된 관계를 찾아볼 수 있다고 말하고 있다(이 책의 109~114쪽에 실려 있는 바바라 프루트와 고트프리드 호만과의 인터뷰를 참고하라).

여러 보노보 공동체들의 활동 범위가 넓게 겹쳐진다는 사실과 함께 이들이 비교적 평화스럽게 어울릴 수 있다는 직접적인 관찰 결과들은 서로 다른 보노보 공동체들간의 관계는 이들과 가장 가까운 사촌들과는 현저하게 다르다는 것을 보여준다. 지금의 보노보 사회를 형성하도록 이끌어온 진화적 압력을 둘러싸고 있는 안개를 걷어낼 수만 있다면 이들이 어떻게 외국인 혐오증이나 적에 대한 대규모 살육과 같은 인간의 가장 추악한 죄악들을 피할 수 있었을까 하는 질문에 대한 답을 얻을 수 있을지도 모른다. 보노보들은 아버지의 땅(fatherland, 조국)을 위해서는 싸우지 않으며, 혹시 싸운다 해도 어머니의 땅(motherland)을 위해서 싸운다는 것이 혹시 답이 될 수 있지 않을까?[18]

숲 속 생활

자연 서식지에 살고 있는 보노보 사진은 매우 드물며 이들의 사회 생활의 독특함을 포착한 사진은 거의 찾아볼 수 없다. 사진은 서열이 높은 암컷이 다 큰 아들의 털을 골라주는 모습이다. 이 아들 보노보는 어미를 따라 숲을 다닐 것이며 언젠가는 어미의 도움으로 수컷들 사이에서 높은 위치를 차지할 것이다.

다음 쪽: 보노보들이 소리가 들려오는 오른쪽을 향해 고개를 돌리고 유심히 살펴보고 있다. 보노보들은 다른 집단의 구성원들과 다른 집단들의 위치를 파악하면서 신중하게 이동 경로를 조정한다.

어미의 배에 매달려 지내는 시기가 지나 조금 더 자라면 새끼는 말을 탄 기수처럼 어미 등에 올라탄다. 어미는 4년 내지 그 이상의 시간을 새끼를 돌보는 데 할애한다. 이 동안 언제 어디서든 새끼를 데리고 다닌다. 만남과 헤어짐이 빈번한 보노보 사회에서 새끼 딸린 어미는 종종 자기와 똑같은 또다른 모자를 만나곤 한다.

어미가 옆에서 먹이를 먹고 있는 동안 새끼가 커다란 나무를 버팀목으로 해서 앉아 있다(위).
젊은 수컷 보노보가 이들 특유의 멀리까지 퍼지는 새된 목소리로 부르짖고 있다(오른쪽). 보노보는 이런 방법으로 자기가 거기에 있다는 것을 다른 보노보들에게 알린다.

4

비너스의 후예들

얼마 전 나는 샌디에이고 북동쪽에 위치한 와일드 애니멀 파크를 찾아가 오랫동안 알아온 보노보 친구들에게 먹이를 주고 이들이 그것을 나눠 먹는 모습을 관찰했다. 이 식사 장면은 TV의 과학 다큐멘터리로 방영될 예정이어서 카메라 팀도 합류했다. 보노보들이 먹이를 두고 보여준 행동은 내가 예상한 그대로였다. 먹이를 둘러싼 긴장을 섹스로 풀었던 것이다.

우리가 촬영한 보노보들은 야자수가 자라고 있는 넓고 수풀이 우거진 우리에 살고 있었는데, 건조하고 더운 이곳 남부 캘리포니아의 날씨는 보노보들이 원래 사는 곳이 축축하고 습한 지역이라는 점을 고려할 때 놀라울 정도로 이들에게 안성맞춤이었다. 단번에 나를 알아본 로레타는 여느 때처럼 뒤로 돌아 허리를 숙이더니 머리를 다리 사이로 내밀고 초롱초롱 눈을 빛내며 나를 쳐다보았다. 한 발은 환영의 의미로 쭉 뻗은 채 말이다. 로레타가 속한 무리에는 건장한 수컷도 한 마리 있었지만 로레타에게 대적할 수 있는 보노보는 한 마리도 없었다. 당시 무리의 서열은 다음과 같았다. 1위 로레타(21살 암컷), 2위 아킬리(15살 수컷), 3위 레노어(13살 암컷), 4위 마릴린(8살 암컷).

그들 앞으로 보노보가 좋아하는 생강 잎을 한 단 던져주자 즉시 로레타가 다가와 차지해버렸다. 잠시 후 로레타는 아킬리가 함께 먹는 것을 허락했다. 하지만 레노어는 먹이 곁으로 다가가는 것을 망설이고 있었다. 레노어가 망설이는

섹스는 보노보 사회를 연결하는 끈끈한 아교이다. 사진 속의 암컷은 수컷과 섹스를 하는 동안 즐거운 듯 소리치고 있다. 그러나 성적인 접촉은 암수간에만 이루어지는 것은 아니다. 보노보는 거의 가능한 모든 파트너와 아주 다양한 체위로 섹스를 한다.

이유는 로레타 때문이 아니라 어떤 이유에서인지 아킬리와 사이가 나쁘기 때문이었다. 관리자는 이것이 아주 오래된 골칫거리라고 말해주었다. 레노어는 계속 아킬리의 눈치를 살피면서 녀석이 조금만 움직여도 몸을 사렸다. 그러나 결국 이 문제도 성(性)이 해결해주었다. 레노어는 조금 떨어진 거리에서 몇 번이나 이런저런 몸짓을 했다. 아킬리가 반응을 보이지 않자 이번에는 아킬리에게 다가가 부푼 성기를 녀석의 어깨에 대고 조심스럽게 문질렀다. 그런 다음 레노어는 더 이상 아무 문제없이 그들과 어울릴 수 있게 되었으며, 이제 모든 보노보들은 로레타가 움켜쥐고 있는 생강 잎을 다 함께 평화롭게 먹었다.

무리에서 가장 어린 마릴린에게도 사랑이 찾아왔다. 아킬리에게 흠뻑 빠진 마릴린은 아킬리 뒤를 졸졸 쫓아다니면서 여러 차례 성적인 접촉을 시도했다. 마릴린은 손으로는 성기를 자극하고 입술은 물에 담그면서 오랫동안 인공 연못에서 놀았다. 이렇게 해서 후끈 달아오른 마릴린은 아킬리의 팔을 잡아 물 속으로 끌어당기고는 짝짓기를 시도했다. 아킬리는 마지못해 마릴린의 소원을 몇 번 들어주었지만 마릴린과 풍부한 먹을거리 사이에서 망설이는 모습을 보였다. 나는 마릴린이 혹시 물을 어떤 성적인 감정을 불러일으키는 대상으로 삼게 된 것은 아닌가 궁금해졌다. 아니면 그것은 그저 아주 오래된 주제의 일시적인 변주에 불과한 것이었을까? 아무튼 보노보들은 풍부한 상상력을 동원해 성적인 모험을 꿈꾸는 데 많은 시간을 할애하는 것 같다.

그러던 중에 로레타가 레노어의 새끼에게 큰 관심을 보였다. 로레타는 레노어의 새끼가 자기 곁으로 다가올 때마다 새끼를 자기 쪽으로 끌어당겨 배와 배를 꼭 붙인 상태에서 새끼의 성기를 손가락으로 건드려보곤 했다. 한번은 레노어가 새끼의 성기를 만지작거린 다음 마치 로레타가 자기 새끼를 안아주기를 바라는 것처럼 로레타에게 새끼를 밀어준 적도 있었다.

이처럼 길지 않은 시간 동안 일어난 행동들을 지켜보면서 우리는 보노보들이 섹스를 세 가지 목적, 즉 아킬리와 마릴린처럼 통상적인 의미의 섹스로 또 레노어와 아킬리처럼 화해의 목적으로, 또 로레타와 레노어의 새끼처럼 애정의 표시로 사용한다는 것을 알 수 있었다. 아마 우리는 이 모든 행동을 모두 "섹스"라고 부를 수는 없을 것이다. 사람들은 통상 섹스를 오르가즘을 정점으로 하는 자기 충족적인 행동 범주로 생각하기 때문이다. 우리는 섹스를 재생산〔생식〕과 성적 욕망과 관련시키는 반면 보노보들에게서 섹스는 이와 다른 온갖 성향들과 연관되어 있다. 욕구의 충족이 언제나 섹스의 목적은 아니며, 재생산〔생식〕 또한 섹스가 가진 많은 기능 중의 하나일 뿐이다. 그러나 다르게 생각해보면 인간의 섹슈얼리티도 사람들이 생각하는 것보다 훨씬 더 넓은 의미를 담고 있을지도 모른다. 우리의 성적 충동을 제약하는 도덕적 규제가 너무 강력하기 때문에 과연 그러한 제약들이 어떻게 단순히 성적인 호감을 느끼게 되는 파트너와 관련해서뿐만 아니라 사회적 삶의 모든 측면에 영향을 미치게 되는지를 — 이를 가장 먼저 지적한 사람이 프로이트이다 — 인식조차 못 하고 있는지도 모른다. 나는 이러한 성적 제약의 일부는 순기능을 한다는 것을 알고 있기 때문에 그것을 완전히 부정할 생각은 없다. 하지만 그러한 제약이 없을 때 우리의 섹슈얼리티가 어떻게 기능할까 하는 궁금증은 보노보 사회를 연구함으로써 풀 수 있을지도 모르겠다.

사랑의 연금술사

서로 얼굴을 마주 보고 사랑을 나누는 자세는 유인(類人, subhumans)과 문명화된 인류를 구별하는 기준인 존엄성과 감수성을 상징하는 것으로 여겨져왔다. 이처럼 사랑을 나눌 때 서로 얼굴을 마주 보는 것은 남성과 여성의 관계를 본질적으로 변화시킬 정도로 중요한 의미를 가진 일대 문화 혁명으로까지 격상되기도 했다. 문자를 사용하기 이전의 인류는 이러한 방식으로 사랑을 나누는 것을 배움으로써 큰 이익을 얻었다는 생각이 널리 퍼지게 되었는데, 그래서 '선교사 체위*missionary position*' 라는 용어가 나오게 되었다. 1960년대에 미국의 문화인류학자들은 이러한 체위가 주는 이점을 둘러싸고 논란을 벌였다.

> 우리는 이 대면위 자세가 성인 여성에 대한 성인 남성과 아기의 상대적인 역할을 바꿔놓았다고 생각한다. 왜냐하면 체위의 이러한 혁신 이후 여성들이 아이를 받아들이는 것과 연인을 받아들이는 것이 아주 흡사해졌기 때문이다. 이것이 포유류의 모자 관계에서 보이는 부드러운 감정을 한 무리에 속한 사람들간의 다른 관계에까지도 확산시켜 결국 이로부터 오이디푸스 콤플렉스라는 결과까지 나오게 만들었는지도 모르겠다.[1]

> 이 체위에서 성인 남자는 그의 위치 때문에 성인 여자에게 대리 젖먹이가 된다. 뿐만 아니라 성인 여자도 그의 행위, 즉 성인 몸의 특징인 돌출부에서 생명을 주는 액체〔정액〕를 빨아들이게 되는 행위를 하게 되므로 성인 남자에게 대리 젖먹이가 된다.[2]

오랫동안, 얼굴을 마주 보고 사랑을 나누는 존재는 인간뿐이라고 생각해왔다. 그러나 보노보는 가능한 모든 자세로 사랑을 나누는 동물이다. 보노보의 성기는 서로 마주 보고 사랑을 나누기에 적합하게 진화되었고 실제로도 이 자세를 취할 때가 많다(프란스 드 왈의 사진).

읽는 내내 심기를 건드린 탁상공론일 뿐이지만 어쨌든 이는 인간의 섹슈얼리티를 동물의 성과 구별하려는 사회 과학자들의 진지한 시도를 대변해주고 있다. 하지만 모든 생물학자들에게, 섹스는 숨쉬기와 마찬가지로 문화적 실험이 거의 제약되는 인간 행동 영역 중의 하나라는 것은 너무나 분명한 사실이다. 정자와 난자의 우연한 만남이 없다면 우리가 어떻게 존재할 수 있단 말인가? 이러한 만남을 위해서는 많은 것들이 맞아떨어져야 한다. 먼저 이성끼리 결합할 수 있도록 호르몬이 작용해야 하며 사랑의 행위를 가능하게 하고 만족감을 느낄 수 있는 생물학적인 신체 구조가 발달되어야 한다. 그리고 우리 성기가 몸의 앞쪽에 위치한 것으로 보아 선교사 체위는 강요된 것이 아니라 자연 선택된 것이라는 것 또한 분명해 보인다. 수십억 년이란 무구한 재생산[생식]의 역사에서 문명화가 섹스에 미친 영향은 그리 대단한 것이 아니다.

우리 인간에게서 전형적으로 찾아볼 수 있는 성행위 자세는 거의 다 보노보에게서도 볼 수 있다. 이에 대해 클라우디아 요르단은 이렇게 말하고 있다. "가능한 거의 모든 자세로 짝짓기 행위를 한다."[3] 보노보의 성생활이 얼마나 풍부한가 하는 것은 예전에 샌디에이고 동물원에서 관찰된 유형의 목록만 살펴보아도 알 수 있다. 이 동물원에 가기 전부터 나는 보노보가 매우 성적인 동물이라는 것을 알고 있었다. 하지만 실제로 접한 보노보의 현란한 체위들과 흥분하는 정도는 내 상상을 완전히 초월하고도 남았다. 가장 흔한 짝짓기 자세는 등과 배를 맞대는 후배위이다. 이 자세는 동시에 대부분의 영장류가 취하는 자세이기도 하다. 예를 들어 침팬지만 해도 거의 모든 짝짓기를 이런 "멍멍이 자세(doggy style)"로 한다. 그러나 보노보는 우리 인간처럼 배와 배를 맞대는 대면위 자세에 적합하도록 성기가 해부학적으로 몸 앞쪽에 위치해 있다.

음순(陰脣)*과 음핵(陰核)**으로 이루어진 암컷의 성기는 발정기가 되면 풍선만한 크기로 부풀어오른다. 보노보 암컷의 부풀어오른 돌기와 음문(陰門)***은 침팬지에 비해 더 배에 가까이 위치해 있으며, 음핵 역시 돌출되어 앞으로 나와 있고 마찬가지로 몸의 앞쪽에 위치하고 있다. 이런 신체적 구조는 전위 자세일 때 훨씬 더 많은 자극을 받을 수 있기 때문에 암컷이 이 자세를 더 좋아하는 것은 이상할 것이 없다. 하지만 수컷은 암컷에 비하면 이런 방향으로의 진화가 약간 더딘 것 같고 따라서 암수 사이에는 기호의 차이가 존재하는 것 같다. 암컷은 변함없이 반듯이 누운 자세로 수컷을 맞아들인다. 또 수컷이 다른 자세로 시작했더라도 종종 중간에 전위 자세로 바꾸기도 하지만 보노보에게서는 후배위 자세가 대면위 자세보다 2배 정도 더 많다. 그러나 가장 중요한 사실은 지금까지 모든 연구자들이 보노보들이 이 두 가지 체위를 모두 정규적으로 사용하는 것으로 보고하고 있는 것인데, 이는 결국 이 두 가지 체위 모두를 보노보라는 종의 특성으로 꼽을 수 있음을 의미한다.[4]

* 여자의 성기 중 외음부의 일부. 요도와 질을 좌우에서 싸고 있는 한 쌍의 주름으로, 대음순과 소음순이 있다.

** 클리토리스. 여자의 외음부에 있는 작은 돌기.

*** 여자의 외성기. 대음순, 소음순, 음핵, 질구, 요도구 등으로 이루어져 있다.

또 하나 특징적인 것은 암컷들간의 가교접(假交接, pseudo-copulation)인데, 이때는 서로 마주 본 상태에서 한 암컷이 다른 암컷을 받치고 있는 자세를 취한다. 어미가 새끼를 들어올리는 것처럼 한 암컷이 자신에게 매달려 있는 다른 암컷을 땅에서 들어올리는 자세를 취하면 몸을 옆으로 트는 것이 수월해진다. 이런 자세로 두 암컷은 초당 2.2번 정도 몸을 옆으로 틀어 서로의 음핵을 자극한다. 이런 속도는 교미할 때 수컷이 움직이는 속도와 거의 비슷하다. 연구자들은 이런 행동을 GG 마찰(GG-rubbing)이라고 부른다. 음핵과 음핵의 마찰(genito-genital rubbing)의 줄임말인 이 용어는 구로다가 처음 제안한 것이다. GG 마찰은 보노보의 행동을 관찰한 모든 연구자들이 목격한 것으로, 이 종에 고유한 특성이다.

암컷들은 또한 종종 서로 다른 방향을 쳐다보면서 서로를 올라타고 짝짓기 행위를 하는 경우도 있다. 한 마리가 등을 대고 반듯이 누우면 다른 한 마리가 등을 돌리고 위에 올라탄 다음 자신의 음핵을 상대의 음핵에 대고 문지른다. 이와 비슷하지만 조금 강도가 떨어지는 자세가 수컷들 사이에서 발견되는데, 두 수컷이 네 다리로 땅을 짚은 채 등을 마주하고 엉덩이와 음낭을 서로 문지르는 것으로 이를 '엉덩이 접촉(rump-rump contact)'이라고 한다.

반대로 소위 페니스 마찰 동안 취하는 자세는 암수간의 교미 형태와 비슷한데, 이때 수컷 한 마리(통상 더 어린것이 이렇게 한다)는 순종적인 자세로 등을 대고 반듯이 누워 있고 다른 수컷이 위에 올라탄다. 두 마리 모두 성기가 발기된 상태이기 때문에 서로 성기를 문지를 수 있다. 하지만 나는 수컷끼리 짝짓기 행위를 할 때 사정하는 경우나 항문으로 삽입하는 경우를 본 적은 없다. 가노는 이 밖에도 페니스 펜싱(*penis fencing*)이라고 하는 아주 기이한 행동에 대해 묘사하고 있는데, 이것은 아직까지는 왐바에서만 관찰된 바 있다. 그에 따르면 두 수컷 보노보가 나뭇가지에 매달려 서로를 마주 보면서 성기를 마치 펜싱을 하듯 상대방의 성기에 부딪치고 있었다고 한다.

내가 샌디에이고에서 처음 연구를 시작했을 때, 지금은 와일드 애니멀 파크에서 제 가족을 이끌고 살고 있는 레노어는 막 태어난 어린 새끼였다. 다른 보노보 새끼들처럼 레노어도 섹스에 관심이 많아서 열심히 섹스를 하고 있는 어른들 위로 올라가거나 엄마가 다른 암컷들과 GG 마찰을 하는 동안 자기 음문을 부풀어오른 엄마의 성기에 문지르기도 했다. 이런 식으로 계속 진행되는 과정에 참여함으로써 레노어는 섹스가 갖는 다양한 의미와 맥락을 깨우쳐갔다. 또한 레노어는 스스로 성적인 놀이를 개발하기도 했는데, 상대는 대부분 한창 자라는 중인 수컷들이었다. 레노어는 수컷의 배 위로 올라가 몸을 수컷의 성기에 밀착시켰다. 그러면 수컷은 앉거나 누운 자세로 마치 교미하는 것처럼 몇 차례 왔다 갔다 했다. 하지만 어린 새끼를 올라타고 성기를 삽입하거나 정자를 배출하지는 않았다.

이런 성적인 행위뿐만 아니라 에로틱한 애정 표현이라는 말로 더 잘 분류될 수 있을 법한 행동 양식들을 자주 관찰할 수 있었다. 이런 표현을 쓰는 것은 그러한 행위가 이성인 성인 보노보들간에 행해지지만 그것이 재생산[생식]으로는 이어지지 않기 때문이다. 이중 하나가 서로 입을 맞추는 것으로 서로 입을 벌린 채 입술을 갖다대며 혓바닥을 깊숙이 넣는 경우도 자주 있다. 보노보에게서 전형적으로 찾아볼 수 있는 이러한 "프렌치 키스"는 침팬지에게서는 전혀 찾아볼 수 없으며, 침팬지들은 이보다는 고상한(platonic) 키스를 좋아한다. 오랫동안 침팬지를 돌봐오다가 새로 동물원에 들어온 한 관리자가 수컷 보노보의 입맞춤을 받아들인 것은 보노보의 입맞춤이 침팬지와 다를 것이 없으리라 생각했기 때문이다. 그러나 보노보가 갑자기 그의 입으로 혀를 집어넣자 그가 어찌나 질겁하던지!

또 하나 특징적인 애정 표현은 펠라티오(pellatio)로, 보노보는 상대방 수컷의 성기를 입으로 물고 자극하는 경우가 있다. 이런 행동은 어린 보노보들이 정신 없이 뛰어놀 때 규칙적으로 나타났다. 쫓고 잡기와 구르기를 하던 어린 보노보들이 모두 갑자기 노는 행동을 멈추고 다른 동무 위에 올라타거나 입으로 서로의 성기를 자극하는 등 에로틱한 놀이에 몰두했다. 하지만 이내 놀이는 다시 시작되었다.

마지막으로 보노보는 손으로 다른 보노보의 성기를 마사지하며 애정 표현을 하기도 한다. 대부분의 경우 이러한 행동은 어른 수컷이 한창 자라는 중인 수컷에게 해준다. 어린 수컷이 등을 펴고 다리를 벌린 채 발기된 성기를 내보이며 서 있으면 어른 수컷이 다가와 어린 수컷의 성기를 살며시 잡고 위 아래로 부드럽게 움직인다. 우리 인간 사회라면 일종의 자위라고 할 수 있는데, 물론 보노보는 진짜 자위도 한다. 수컷들끼리의 관계에서는 마사지가 되었든 자위가 되었든 사정하는 것은 관찰되지 않았다. 또한 자위를 제일 많이 하는 구성원은 젊은 수컷과 어른 암컷들이었다.

암컷 보노보의 자위는 매우 의미가 깊은데, 아직도 다음과 같은 생각, 즉 '오직 인간만이 그렇게 한다'는 명제가 세를 얻고 있기 때문이다. 즉 프랑크 비치부터 데즈먼드 모리스에 이르기까지 과학자들은 오르가즘을 느낄 수 있는 암컷은 오직 인간뿐이라고 주장해왔던 것이다. 또 사람들은 수컷들이 성을 즐긴다는 견해에는 쉽게 동의하면서도 암컷들에 대해서는 대부분이 회의적이었던 것도 사실이다. 이런 생각은 20세기 초까지도 사회 전반을 지배하고 있던 청교도적인 시각, 곧 섹스가 남성에게는 특권이고 여성에게는 의무라는 믿음을 반영하고 있다. 암컷/여성의 성적 욕망은 인류에게서만 찾아볼 수 있다고 가정하는 것은 그것이 수컷/남성의 성적 욕망과 동일한 생물학적 기원을 갖는다는 것을 부정하는 것이 된다. 하지만 보노보 암컷이 습관적으로 자위를 즐기는 것은 그것이 틀림없이 유쾌한 감정을 불러일으키기 때문일 것이다. 그렇지 않다면 굳이 왜 그런 행위를 하겠는가. 짧은꼬리원숭이 — 성적인 행위의 유형이 고도로 발달한 또다른 영장류 — 를 대상으로 한 실험실 연구 결과 이들도 인간과 마찬가지로 교미 시 절정에 이르면 심장 박동수가 증가하고 자궁이 수축한다는 것을 알 수 있었다. 이들 짧은꼬리원숭이뿐만 아니라 아마 많은 다른 영장류들이 마스터스와 존슨이 규정한 생리학적 기준에 합당한 오르가즘을 느낄 수 있을 것으로 생

각된다.[5]

소리와 얼굴 표정이 어떤 지표가 될 수 있다면 보노보들은 자위뿐만 아니라 이성간의 교접에서도 쾌감을 느끼는 것이 틀림없다. 섹스를 하는 동안 암컷들은 자주 이빨을 드러내며 웃는 표정을 짓는다. 특히 수컷이 마지막 절정을 위해 느리고 강하게 삽입할 때가 그렇다. 또한 섹스를 하기 전 또는 섹스를 하는 동안 종종 특유의 울음소리를 내거나 새된 소리로 비명을 질러댄다. 이것은 암컷끼리 GG 마찰을 할 때도 마찬가지이다. 섹스를 하는 동안 서로 얼굴을 쳐다보는 경우가 많기 때문에 보노보들은 얼굴 표정과 소리로 상대의 감정을 좀더 가까이서 알아챌 수 있다. 이 때문에 좀더 열정적이고 다정하게 교미를 할 수 있다. 이뿐만 아니라 여키스 영장류센터에서 행해진 수 세비지-럼바우와 비벌리 윌커슨의 초기 연구가 잘 보여주듯이 서로 감정이 통하지 않을 때는 짝짓기 행위가 중단될 수 있다.

> 비디오테이프에 담긴 교미 행위를 느린 화면으로 자세히 분석해본 결과 많은 경우 상대방의 얼굴 표정과 소리에 따라 교미의 속도와 강도를 조절하거나 끝마치는 것을 볼 수 있었다. 이러한 관찰은 피그미 침팬지[보노보]는 교미 시 자신의 생리적 욕구뿐만 아니라 상대의 얼굴 표정과 소리를 통해 전달되는 상대방의 감정에도 반응한다는 것을 강하게 암시하고 있다. 이들은 많은 경우 암수에 상관없이 상대가 눈을 맞추지 않거나 하품을 하고 딴청을 피우면서 지루함을 표하면 즉시 교미 행위를 중단했다.[6]

지금까지 살펴본 보노보의 성적 행동과 애정 표현에 대한 설명이 자칫하면 보노보를 병리(학)적으로 성에 굶주린 종으로 몰아가지 않도록 다음과 같은 점을 덧붙여야 할 것이다. 즉 오랜 시간 보노보를 관찰한 바에 따르면 보노보의 성 행동은 더없이 일상적이며 편안한 일이라는 것이다. 그것은 이들의 사회 생활의 지극히 자연스러운 일부인 것처럼 보인다. 따라서 물론 섹스를 좋아하는 것으로 따지면 영장류의 세계에서 가장 유력한 일등 후보자이기는 하지만 이들의 성적인 면이 지나치게 과장되어서도 안 된다. 실제로 보노보가 언제나 섹스에만 몰두하고 있는 것은 아니기 때문이다. 동물원에서 침팬지는 일곱 시간에 한 번꼴로 섹스를 하는 반면 보노보는 평균 한 시간 반마다 한 번꼴로 한다. 하지만 이러한 빈도 수는 야생에서는 훨씬 더 낮아진다. 또 많은 성적인 접촉에서, 특히 어린 개체와 하는 경우에는 성적으로 절정에 이르도록 격렬하게 하는 법이 없다. 그저 애무하고 쓰다듬고 말 뿐이다. 게다가 어른 보노보들의 성교 시간은 인간의 관점에서 보면 아주 짧은 편이다. 샌디에이고 동물원에서는 13초, 왐바에서는 15초가 고작이었다. 끝없이 성에 탐닉하는 것이 아니라 오히려 짧은 순간의 성적인 행동들로 사회 생활에 활기를 부여할 뿐이다.

매력적으로 보이려면 그만큼 비싼 대가를 치러야 한다.

인간의 핵가족의 경우 경제적 요소나 사회적 압력도 큰 영향을 미쳤겠지만 아무래도 이 제도의 근간을 이루는 것은 결국 아내와 남편의 결속(bond)이라고 할 수 있다. 이것은 일부일처제에나, 꽤 많은 문화권에서 허용되고 있는 일부다처제에나 똑같이 적용되는 사실이다.[7] 이러한 결속은 부분적으로는 정기적인 성관계를 통해 유지된다. 섹스가 이렇게 중추적인 역할을 하게 된 것은 여성의 발정기가 극적으로 늘어났기 때문이다. 만약 인간의 여성이 다른 포유류 암컷들처럼 1년에 몇 달, 혹은 한 달에 며칠 동안만 섹스를 한다면 남성/수컷들에게서 헌신적인 자세를 얻기가 힘들 것이다. 물론 현대 사회에 들어와 배우자의 직접적인 도움 없이도 자녀를 기르는 여성들이 늘어나고 있지만 이러한 선택지가 우리 조상들에게는 거의 없었다고 보는 편이 안전할 것이다. 포식자와 적들에게 둘러싸인 채 빈약한 자원으로 간신히 생계를 유지해가던 시절 남성의 원조는 아주 큰 도움이 되었을 것이다. 그리하여 남성의 원조를 받을 수 있었던 원시 인류 여성들은 그녀들의 조상 유인원들보다 훨씬 더 많은 자손을 기를 수 있었다. 아마 유인원이 아니라 우리 인간들이 이 지구를 뒤덮어버리게 된 주된 이유도 여기에 있을 것이다.

수컷 유인원들도 어린 새끼들과 놀아주고 장난을 받아주며 때로는 온 힘을 다해 보호해주지만 실제로 우리와 가장 가까운 친척들 사이에서 새끼를 돌보는 책임은 전적으로 암컷의 몫이라고 하는 것이 공정할 것이다. 암컷은 여덟 달 동안의 임신 기간을 거쳐 새끼를 낳으면 4년이나 그 이상 새끼를 데리고 다니며 보호한다. 유인원 암컷의 이런 오랜 육아 기간은 코끼리, 고래, 그리고 인간 등 다른 몇몇 장수 포유류를 제외하면 찾아보기 힘든 것이다. 침팬지는 보통 6년에 한 마리 정도 새끼를 출산하며 왐바의 보노보는 4년 반을 주기로 한 마리의 새끼를 낳는다. 이런 출생률은 대부분의 다른 동물들에 비하면 아주 낮은 편이지만 야생 상태의 유인원이 감당할 수 있는 최대치일 것이다. 왐바에서는 종종 새

'엉덩이 접촉'을 하고 있는 두 어른 보노보 수컷. 이 두 마리 수컷은 암컷들이 성기를 마찰시키는 것과 비슷한 사세로 서로의 음낭을 문지르고 있다. 보노보 사회에서는 분명 수컷들이 더 경쟁적이다. 왐바의 급식 장소에서 볼 수 있는 맹렬한 추적 장면의 절대 다수는 수컷들간에 이루어지는 것이다. 수컷들은 이런 긴장 상태를 짧은 시간 동안에 이루어지는 '엉덩이 접촉'을 통해 해소한다(사진-다카요시 가노).

끼를 낳은 후 곧바로 다시 임신해 두 마리의 새끼를 한꺼번에 키우는 암컷도 있다. 젖먹이 새끼는 배에 안고 조금 자란 새끼는 등에 업고 두 발로 서서 걸어가는 암컷의 모습이 종종 보인다. 보노보 어미의 역할은 무척 버거워 보인다. 보노보는 아마 편친(偏親) 체계를 극단으로까지 밀고 나간 것 같다.[8]

인간처럼 견고한 배우자관계는 형성하지는 않지만 보노보는 암컷의 발정기가 극적으로 늘어났다는 점에서 인간과 비슷하다. 보노보 암컷은 성기가 부풀어 올랐을 때 가장 적극적으로 짝짓기를 하려고 한다. 또한 이 기간에는 성교를 하는 수컷의 움직임 역시 빨라지는데 아마도 성적인 흥분을 더 강하게 느끼기 때문인 것 같다. 발정기가 길어진 것은 성기가 팽창해 있는 기간이 길어졌기 때문이다. 침팬지의 생리 주기가 대략 35일인 반면 보노보는 45일 정도 되며, 이중 상당 기간 동안 성기가 팽창해 있다(침팬지는 생리 주기의 50%를, 보노보는 75%를 발정기 상태로 보낸다). 게다가 보노보 암컷은 출산 후 채 1년이 안 되어, 누가 봐도 임신 준비가 안 된 상태에서도 다시 성기가 부풀어오르기 때문에 성적으로 수컷의 시선을 끌 수 있는 시간이 그만큼 늘어나게 된다. 이러한 특징 때문에 보노보와 침팬지 암컷 사이에는 아주 큰 차이가 생긴다. 즉 침팬지 암컷은 성장한 후 인생의 5% 이하를 발정기 상태로 보내지만 보노보는 거의 50%정도의 시간을 발정기 상태로 지내게 된다.[9]

동물원에서 암컷의 부푼 성기를 본 방문객들은 대체로 혐오스럽다는 반응을 보였다. 성기를 종양으로 오해한 사람들도 일부 있었는데, 가장 당혹스런 반응은 한 여인이 숨넘어갈 듯 내뱉은 이런 말이었다. "어머나 세상에, 저거 머리 아니야?" 하지만 이와 달리 유인원 수컷들은 자기들이 무엇을 보고 있는지를 정확하게 알고 있다. 그러니 이들에게 부풀어오른 분홍색 성기를 가진 암컷보다 더 흥분되는 것이 어디 있겠는가? 내 경우 이러한 신체적인 특징에 너무나 익숙해 있어서인지 암컷의 부푼 성기가 이상하다거나 혐오스럽지는 않았지만 약간 "거추장스럽겠다"는 생각은 들었다. 성기가 완전히 부풀어오른 암컷 보노보는 제대로 앉을 수가 없다. 따라서 궁둥이의 어느 한쪽에 체중을 싣고 어정쩡하게 앉아 있을 수밖에 없다. 또한 부푼 부위는 아주 연약하기 때문에 조금만 스쳐도 피가 난다(하지만 상처가 아무는 속도도 아주 빠르다). 매력적으로 보이려면 그만큼 비싼 대가를 치러야 하는 셈이다.

또 불행히도 일단 이렇게 부풀어오르는 것이 이 종의 생식 자극 신호로 자리 잡은 이상 다시 사라지기는 매우 어려울 것이다. 주기적으로 성기를 부풀리던 어떤 조상 종이 이처럼 지속적으로 성기를 부풀리지 않고도 발정기를 늘려가는 쪽으로 진화하게 되었다고 상상해보자. 어떤 문제가 발생할지 쉽게 상상할 수 있을 것이다. 즉 일단 이처럼 신호를 축소시키는 방향으로 진화하는 암컷들은 여전히 그런 신호를 사용하는 암컷들과 수컷의 주목을 끌기 위해 경쟁을 벌여야 하는 일종의 이행기가 일정 기간 동안 필요할 것이다. 그러나 오랜 동안 암컷의 매력을 가늠하는 잣대가 부풀어오른 성기의 크기였기 때문에 앞의 범주의 암컷들은 십중팔구 경쟁에서 밀릴 것이다. 이들의 성기가 부풀어오른 시기가 좀더 오래 지속되더라도 마찬가지다. 공작의 꼬리나 선사 시대의 몇몇 사슴 종에서 발견되는 거대한 뿔이 잘 보여주듯 성적 매력을 발휘하는 형질의 경우 진화 과정에서 도태되는 법이 없다.[10]

우리 인류의 경우 성기를 부풀리지 않고도 발정기가 늘어났기 때문에 우리 조상들은 애초부터 그런 것을 몰랐다고 가정하는 편이 안전할 것이다. 우리와 보노보는 같은 방향으로 진화했지만 우리는 보노보가 지불해야 했던 대가를 피할 수 있었다. 여성들에게는 무척 다행스러운 일이 아닐 수 없다. 만약 우리가 보노보와 똑같은 진화 과정을 따라왔더라면 예를 들어 커다랗게 부푼 성기를 위해 따로 의자를 만드는 데도 많은 비용이 필요했을 것이다.

미국의 인류학자인 오웬 러브조이는 강한 성적 욕구와 생리 주기 내내 언제라도 짝짓기를 할 수 있는 능력 덕분에 원시 인류 여성들은 남성의 서비스를 "살 수 있었다"고 주장한다. 『성의 계약*The Sex Contract*』에서 이런 생각을 널리 유포시킨 헬렌 피셔는 이렇게 설명하고 있다.

> 그렇다면 어떻게 남성의 서비스를 얻을 수 있었을까? 원시 인류 여성 중 몇몇은 다른 여성들에 비해 성적으로 더 매력적이었을 것이다. 이들은 생리 주기의 대부분을 성교에 할애하고 임신 기간에도 다른 여성들보다 더 많이 성교를 할 수 있었다. 더구나 출산한 후에도 더 빨리 성교를 할 수 있었다. 이런 여성들은 비록 양육해야 할 아기가 있더라도 여전히 매력적이었고 발정기 때는 남자들의 시선을 사로잡을 수 있었다. 낮에는 이동하는 무리의 중심에 있었으며, 음식을 먹기 위해 모두 모이는 밤이면 대부분의 음식을 차지할 수 있었다. 따라서 이런 식으로 성적으로 매력적인 여성들은 더 건강하고 신변의 안전도 더 확실하게 보장받았다. 이들의 자식도 마찬가지였다. 따라서 이들의 자손은 어른으로 성장할 확률이 높아졌고, 또 생리 주기와 상관없이 임신중에도, 아이를 낳고 난 직후에도 성행위를 할 수 있는 유전적 성향 역시 함께 물려받았다. 이렇게 해서 원시 인류에게서 발정기가 사라져갔다.[11]

하지만 이 지점에서 과연 핵가족의 기원을 섹스와 먹을거리의 교환 ― 이러한 생각이 위와 같은 추론의 핵심에 놓여 있다 ― 으로만 설명하는 것은 조금 무리가 있어 보인다. 먼저 일부일처제를 택한 다른 영장류들의 짝짓기 빈도수가 그리 높지 않은 것으로 보아 빈번한 섹스가 한 쌍을 묶어주는 필수적인 요소는 아닌 것 같다. 두번째로 아무리 발정기가 없어졌다고는 하나 이것이 남자들을 성적인 만족감 외에는 어떠한 이익도 줄 수 없는 관계로 꾀어들일 수 있게 해준다고 생각하기는 힘들 것이다. 이러한 관계와 관련해서는 단지 여성뿐만 아니라 남성들에게도 재생산[생식]과 관련된 이익이 틀림없이 있을 것이다. 자손을 성공적으로 기르는 것은 남녀 모두에게 중요하기 때문에 남성과 여성의 유대는 여성의 책략이라기보다는 상호 계약으로 보는 것이 가장 타당할 것이다. 『여성의 선택*Female Choice*』에서 메레디스 스몰은 이렇게 지적하고 있다. "여성들은 섹스를 제공함으로써 남성들의 부성애를 끌어낼 필요가 있다고 주장하는 사람들은 재생산에 성공하기 위해서는 여성들만큼이나 남성들도 부모라는 역할을 제대로 해야 한다는 사실을 간과하고 있다. 아버지가 아기를 포기하면 아기는 대부분 죽게 된다. 따라서 굳이 여성이 남성에게 곁에 머물러 돌봐달라고 애원하지 않아도 자연 선택에 의해 이런 행동이 발달했을 것이다."[12]

전쟁이 아니라 사랑을!

애초에 보노보를 연구하려 했을 때는 섹스 문제를 다룰 생각은 별로 없었다 — 아무튼 그럴 생각이었다. 내가 오랫동안 흥미를 느끼고 있던 것은 공격 행동으로, 특히 갈등을 해결하는 방법에 관심이 많았다. 예를 들어 침팬지들은 싸우고 나면 서로 끌어안고 입을 맞추는 경우가 많다. 이러한 재결합이 평화와 사회적 단결에 기여한다고 생각한 나는 그것을 '화해 행동'이라고 이름 붙였다. 상호 협력뿐만 아니라 언제라도 갈등이 일어날 수 있는 모든 종은 이러한 화해 메커니즘을 필요로 한다. 자기가 한 짓에 대해 사과하고 상처를 준 사람을 달래는 방법을 모른다면 결혼 생활을 유지할 수 있는 부부가 얼마나 되겠는가? 나는 영장류들을 관찰해본 결과 그들도 각자 고유한 방법으로 사회를 유지하는 독특한 화해 방법을 발전시켜왔다는 것을 알 수 있었다(이러한 연구 결과들은 내 책『영장류들의 평화 만들기*Peacemaking among Primates*』에 요약되어 있다). 보노보에게는 성이 핵심적인 요소라는 것이 밝혀졌다.

동물원에서 관리인이 우리 쪽으로 먹이를 들고 다가가자마자 보노보 수컷들의 성기는 발기되었다. 심지어 우리 안으로 먹이를 던져주기도 전에 보노보들은 서로에게 섹스를 하자는 신호를 보내느라 여념이 없었다. 암컷과 수컷이 서로를 유혹하고 화답하며 암컷들끼리도 GG 마찰을 시작했다. 이 모든 행동이 의미하는 것은 과연 무엇일까? 가장 간단한 설명은 먹이에 대한 욕망이 성에 대한 갈망에까지 번져 음식을 기대하는 조바심이 성과 하나로 뒤섞이게 되었으리라는 것이다. 그럴 수도 있겠지만 아마 세번째 요소가 이러한 행동의 이면에 놓여 있는 현실적 이유일 것이다. 경쟁이 바로 그것이다.

모든 동물에게서 먹음직스런 먹이는 관계에 긴장을 불러일으키는 요인이다. 이러한 긴장 상태를 해소하기 위해 보노보가 성을 이용한다고 믿을 만한 두 가지 이유가 있다. 첫째로는 먹이가 아니더라도 한 마리 이상이 흥미를 보이는 대상이 나타나면 그것이 언제나 성적인 접촉을 촉발시키는 것을 들 수 있다. 가령 두 마리의 보노보 앞에 판지로 된 상자를 갖다 두면 두 마리는 상자를 갖고 놀기 전에 짧게 성적인 접촉을 한다. 한번은 보노보 어른 암컷 한 마리가 낡은 새끼줄을 갖고 있는 것을 본 적이 있다. 다른 어른 암컷 한 마리가 이 새끼줄을 가까이

서 보기 위해 서둘러 달려오자 녀석은 그 암컷과 GG 마찰을 하기 시작했다. 보통 이런 경우 다른 동물들은 싸움을 벌이기 쉽지만 보노보는 매우 너그러운 동물이다. 이들은 성을 이용해 주의를 분산시키고 긴장 상태를 완화시킨다.

두번째 이유는 먹이와는 전혀 상관없는 공격적인 상황에서도 성을 이용한다는 것이다. 예를 들어 수컷 보노보가 암컷과 함께 있던 다른 수컷 보노보를 쫓아버린 후 화해의 의미로 두 마리가 함께 음낭을 맞대는 것을 들 수 있다. 또는 어떤 어른 암컷이 다른 암컷의 새끼를 때려 어미가 자식을 보호하기 위해 다가왔을 때, 이 문제는 두 암컷간의 강력한 GG 마찰로 해결될 수도 있다. 이러한 사례를 수백 개 조사한 결과 나는 성적 행동이 사회적 긴장을 완화시키는 메커니즘이라는 것을 최초로 확실하게 입증할 수 있었다. 물론 이러한 기능은 다른 동물에게서도 찾아볼 수 있지만(물론 인간도 예외는 아니다) 성을 통해 화해하는 기술은 보노보에게서 진화론적으로 정점에 달했다고 할 수 있을 것이다.

이런 생각을 갖고 이들의 만남을 관찰하면 보노보의 많은 행동이 구체적으로 어떤 의미인지가 드러난다. 한번은 어린 보노보 무리 중에서 가장 나이가 많은 암컷 레슬리와 카코웻의 막내아들인 어린 카코 주니어가 나무 위에서 서로 마주친 적이 있었다. 처음에 레슬리는 카코를 밀어붙였다. 하지만 아직 나무를 타는 데 익숙하지 않은 카코 주니어는 꼼짝도 하지 않았다. 대신 가지를 잡은 손에 더 힘을 준 채 불안한 웃음을 지어 보였다. 그러자 이번에는 레슬리가 카코의 한쪽 손을 물었다. 아마 가지에서 손을 놓게 하려고 그런 모양이었다. 카코 주니어는 날카로운 비명을 질렀지만 나무는 여전히 움켜쥐고 있었다. 그러자 레슬리가 카코 주니어의 어깨에 대고 자기 성기를 문지르기 시작했다. 이번에는 효과가 있어서 카코 주니어가 갈 길을 비켜주었다. 레슬리는 폭력을 사용하기 직전의 상황에서 힘을 사용하는 대신 성기 접촉을 활용해 어린 수컷과 자신 모두를 안심시킨 것처럼 보였다.

이 무리에서 서열 1위 수컷인 버논은 종종 어린 수컷 칼린드를 물이 빠진 해자에 밀어넣어 버리곤 했다. 버논은 칼린드가 무리에서 사라졌으면 하고 바라는 것 같았다. 하지만 칼린드는 매번 다시 돌아왔고 그럴 때마다 버논은 다시 내쫓았다. 이런 일이 여러 번 반복된 후에야 — 어떤 때는 열 번도 넘게 되풀이되었다 — 버논은 칼린드를 쫓는 것을 그만두었다. 그러고 나서는 화해의 표시로 칼린드의 성기를 어루만지거나 고환을 문지르거나 거칠게 간지럼을 태웠다. 이처럼 친근한 접촉이 없었다면 칼린드는 무리로 돌아올 수 없었을 것이다. 따라서 칼린드가 해자에서 나온 후 가장 먼저 해야 할 일은 우두머리 주변을 맴돌면서 이처럼 너그러운 용서의 표시를 기다리는 것이었다.

보노보는 이런 식으로 경쟁을 성적 활동으로 대체한다. 성은 먹이를 사이에 둔 긴장을 완화시키고 싸움이 끝난 후의 화해를 촉진시키는 역할을 한다. 보노보 사회에서 성이 이러한 역할을 하는 점을 고려하면 이들이 정말 다양한 파트너와 성관계를 맺는 것은 전혀 이상할 것이 없다. 평화롭게 공존할 필요가 꼭 이성간에만 존재하는 것은 아니니 말이다. 연구를 통해 나는 잠재적으로 생식이 가능한 짝들 사이에서만큼이나 수컷과 수컷, 암컷과 암컷처럼 생식을 할 수 없는 개체들 사이에서도 섹스가 이루어진다는 것을 알 수 있었다. 게다가 전자의 경우에도 생식은 다만 잠재적으로 가능할 뿐이다. 더구나 암컷이 실제 임신할 수 있는 기간(배란기)도 생리 주기 중 며칠밖에 없기 때문에 실제로 임신할 가능성은 제한되어 있다. 성기의 팽창도 가임 신호로는 그리 믿을 만한 것이 못 된다. 성기가 부풀어오르는 기간은 배란기보다 훨씬 길 뿐만 아니라 임신중이거나 새끼에게 젖을 먹이느라 배란이 불가능한 암컷의 성기도 감쪽같이 부풀어오르기 때문이다. 따라서 보노보 사회에서 행해지는 성적 접촉의 3/4 이상은 생식과 관련이 없다는 것이 내 생각이다.

음식을 둘러싼 공공연한 갈등을 성행위로 완화시키는 모습은 동물원과 먹이를 나눠주던 왐바뿐만 아니라 로마코에서도 볼 수 있었다. 로마코에서 낸시 톰슨-핸들러는 보노보들이 잘 익은 무화과 열매가 달린 숲 속으로 들어갈 때나 무리 중의 한 마리가 숲에 사는 다이커를 잡았을 때 섹스를 하는 것을 목격했다. 보노보들은 5분 내지 10분에 걸쳐 이런 식으로 서둘러 성적인 접촉을 가진 다음에 자리에 앉아 먹이를 나눠 먹기 시작했다.

때로는 먹이와 관련된 섹스의 역할은 한 단계 더욱 진전된 모습으로 나타나기도 한다. 이것은 러브조이나 피셔 그리고 그 밖의 연구자들이 발전시킨 인간의 진화 가설과 너무도 유사하다. 보통 어린 나이 때문에 수컷들을 지배할 수 없는 암컷들은 섹스를 "무기"로 사용한다. 처음 내가 연구에 착수했을 때 로레타는 아직 오늘날처럼 무리의 여왕 자리를 차지하고 있지는 못했다. 당시 로레타의 자신감은 부풀어오른 성기의 크기에 따라 수시로 바뀌고 있었다. 성기가 부풀어오르면 자신 있게 먹이를 갖고 있는 수컷인 버논에게 다가갔다. 로레타는 그와 즐겁게 소리를 지르며 섹스를 한 후 그가 갖고 있던 나뭇가지나 잎 같은 먹이를 모두 얻어 올 수 있었다. 로레타는 버논이 자기 몫을 챙길 기회를 주지 않았고 어떤 때는 교미 도중 버논의 손에서 먹이를 낚아채는 경우도 있었다. 하지만 성기가 부풀어오르지 않으면 전혀 다르게 행동했다. 로레타는 그저 참을성

이 보노보 암컷이 자위를 하고 있는 이유가 쾌락을 얻기 위한 것이 아니라면 도대체 무엇이겠는가? 보노보 암컷은 엄청나게 큰 음핵을 갖고 있으며 동물의 왕국에서 가장 적극적으로 성생활을 하는 종 가운데 하나이다.

있게 버논이 먹이를 나눠줄 때까지 기다렸다.

언젠가 나는 양손에 오렌지를 하나씩 든 수컷과 섹스하면서 이빨을 드러내고 새된 소리를 지르는 암컷의 모습을 찍은 적이 있다. 암컷은 수컷이 오렌지를 갖고 있는 것을 보자마자 수컷에게 접근했다. 오렌지 하나를 손에 넣고 나서 암컷은 자리를 떠나갔다. 이 장면을 몇몇 전문 연구자들에게 보여주자 그들 중 한 명이 인간도 이와 비슷한 속성을 갖고 있다는 것을 장난스럽게 풍자한 적이 있다. 내 발표가 끝난 직후 모두 식사를 하기 위해 들어간 식당에서 덩치 큰 동물행동학자 한 사람이 식탁 위로 뛰어올라 손에 쥔 오렌지 두 개를 공중에 흔들어 보이는 게 아닌가? 사람들은 박장대소했다. 우리 인간에게는 성 시장의 판세를 재빨리 포착하는 능력이 있다.

스에히사 구로다는 그의 저서 『미지의 유인원*The Unknown Ape*』에서 왐바의 급식 장소에서 있었던 일을 다음과 같이 소개하고 있다.

> 마유라는 이름의 어린 암컷이 무리 내 서열 2위인 야수라는 수컷을 발견하더니 그쪽으로 다가갔다. 야수가 사탕수수를 몇 개 갖고 있었던 것이다. 야수에게 다가간 마유는 뒤로 돌아 자신의 부푼 성기를 야수에게 보여주더니 천천히 야수에게 몸을 들이

밀었다. 하지만 교미할 생각이 별로 없던 야수는 마유를 피해 살짝 몸을 돌렸다. 하지만 마유는 계속해서 자신의 성기를 야수에게 들이밀었다. 결국 야수는 마유와 짝짓기를 했다. 마유는 야수를 쳐다보더니 사탕수수 한 줄기를 집어들고는 그곳을 떠나갔다. 마치 마유가 야수에게 성을 사도록 강요한 것과 다름없었다!

정작 항상 내가 궁금한 것은 왜 수컷들이 이러한 성적인 접촉을 받아들이는가 하는 것이다. 대부분의 경우 이런 만남은 매우 짧게 끝나며, 수컷들은 사정을 하지 않는 것 같다. 그런데도 암컷들은 이런 행위가 수컷을 너그럽게 만들어 결국 수컷들이 갖고 있는 먹이를 가져가도 별 문제가 없다고 "확신"하고 있는 것이 틀림없었다. 암컷들은 이를 위해 성을 이용하는 것 같다.

심지어 세 살밖에 안 된 어린 새끼도 이런 전략을 알고 있었다. 한번은 카기의 새끼가 막 어른이 된 수컷 제스에게 파인애플을 달라고 졸라 얻어먹은 적이 있었다. 제스에게서 얻은 파인애플을 다 먹은 카기의 새끼가 더 달라고 졸라대자 제스는 파인애플을 손이 닿지 않은 곳으로 치워버렸다. 그러자 새끼는 뒤로 돌아 제시에게 궁둥이를 들이밀었다. 제시는 자기 성기를 새끼에게 몇 번 갖다댔다. 새끼는 커다란 파인애플 조각을 얻었으며, 그때서야 자리를 떠났다.[13]

먹이를 분배하고 요구 사항을 협상하며 또 마음을 가라앉히고 싸움이 끝난 뒤 화해하기 위해 성을 활용하는 것 등을 볼 때 섹스가 보노보 사회의 마법의 열쇠인 것은 분명해 보인다. 무엇보다 보노보 무리의 독특한 조직 형태도 이러한 성적인 매력을 이용해 설명할 수 있을 것이다. 보노보 사회의 특징은 이동하는 동안 다른 무리의 구성원을 받아들이고 암컷들끼리 결속한다는 사실에서 찾을 수 있다는 사실을 기억해보자. 어린 암컷들은 잦은 GG 마찰과 털 고르기를 통해 공동체의 새로운 일원으로 받아들여진다. 섹스는 암컷들간의 경쟁을 완화시키고 함께 여행하면서 먹이를 찾는 것을 용이하게 해준다. 암컷들은 수컷의 관심을 끄는 동시에 암컷들끼리도 성적으로 많은 관심을 나타낸다. 무리에는 거의 언제나 발정기를 맞은 암컷이 있게 마련이고, 이것은 다시 수컷들의 협력을 얻어낼 수 있는 수단이 된다. 침팬지 수컷들도 성기가 한껏 부풀어오른 암컷과 사랑을 나누지만 침팬지 암컷은 보노보 암컷에 비해 이처럼 매력적인 상태에 있는 기간이 상대적으로 짧은 편이다. 이에 반해 똑같은 매력을 갖고 있지만 발정기가 훨씬 긴 보노보는 수컷과 거의 지속적인 교류관계(association)를 맺을 수 있다.

보노보 사회에서 암수간에 더 커다란 성적 매력을 느끼는지 아니면 암컷들끼리 더 커다란 성적 매력을 느끼는지를 알아내는 것은 불가능하다. 그러나 지금까지 포획된 보노보들을 대상으로 수집한 자료를 근거로 판단해보면 보노보 사회를 구성하는 근간은 암컷들간의 결속이 아닐까 싶다. 샌디에이고 와일드 애니멀 파크에서 에이미 패리쉬는 보노보 암컷이 같은 암컷에게 훨씬 더 많은 관심을 보인다는 사실을 증명해냈다. 패리쉬는 각기 다른 8개의 보노보 집단을 자세히 관찰했는데, 대부분의 집단은 수컷 어른 한 마리와 암컷 어른 두 마리 그리고 어린 보노보 두서너 마리로 이루어져 있었다. 어른 보노보의 파트너는 계속 바뀌었다. 수컷 세 마리와 암컷 다섯 마리가 번갈아가며 짝을 지었는데 암컷들은 항상 성별에 구애받지 않고 짝을 골랐다. 패리쉬는 누가 누구와 얼마만큼의 시간을 함께하는지, 누가 누구에게 다가가는지, 누가 누구의 털을 골라주는지 등 수백 개의 관찰 기록을 작성했다. 결론은 보노보 암컷이 동성인 암컷에게 훨씬 더 호의를 보인다는 것이었다. 암컷들은 같은 무리의 수컷들보다 훨씬 더 많은 시간을 자기들끼리 함께 앉아 털을 골라주며 장난칠 때가 많았다. 암컷들은 아주 적극적으로 이러한 접촉을 즐겼다. 암컷들끼리 함께하는 경우는 수컷과 함께하는 경우보다 7배 정도 많았다. 또 암컷들은 대개 자신들의 새끼인 어린 보노보들과도 좀더 친밀한 관계를 유지하고 있었으므로 무리의 생활에서 어른 수컷들은 집단의 주변부에 머무르는 경향이 있었다.

에이미 패리쉬와의 인터뷰

최근 캘리포니아 대학교(데이비스 소재)에서 인류학 박사 학위를 받은 에이미 패리쉬는 포획된 보노보 암컷들간의 결속에 대해 연구하고 있다. 패리쉬의 지도 교수는 사라 블래퍼 흐르디와 나였다. 1995년 10월 우리는 패리쉬의 최근의 발견과 생각에 대해 의견을 나누었다.

드 왈: 보노보가 인류의 사회적 진화 과정을 밝힐 수 있는 어떤 새로운 단서를 제공할 것으로 봅니까?

패리쉬: 보노보의 사회 체계는 여성들간의 결속에 관해 하나의 대안을 제시하고 있는데, 만약 보노보가 아니었다면 여성들간의 결속 가능성은 그저 황량한 모습으로만 그려졌을 것입니다. 처음 연구를 시작했을 때만 해도 저는 암컷과 수컷들 간의 강력한 유대를 예상했습니다. 당시에는 현장 연구자들이 그렇게 주장하고 있었으니까요. 하지만 연구를 진행할수록 실제로는 암

수들끼리보다는 암컷들끼리의 결속이 훨씬 더 강하다는 것을 알 수 있었습니다. 더구나 선호하는 먹이에 대한 우선권도 암컷이 갖고 있고, 수컷끼리보다는 암컷끼리 먹이를 나눠 먹는 횟수도 많습니다. 또 암컷들끼리 동맹을 맺어 협동해서 수컷을 공격해서 상처를 입히죠. 암컷이 수컷을 지배하고 있다고 봐야 하죠. 보노보 암컷들은 통상 혈연관계로 맺어진 사이가 아니기 때문에 혈연이 여성들간의 결속에 필수적인 요소는 아닙니다.

어떤 사람들은 여성들은 예외적 존재라고, 즉 오직 여성들만이 혈연관계가 없더라도 지속적인 우정을 쌓아나갈 수 있다고 주장하고 있습니다. 이와 달리 다른 사람들은 여성들은 서로 결속을 맺어나가는 데 서툴다고 주장하고 있지요. 그러나 보노보들은 암컷끼리 결속하는 사람상과 동물은 인간만은 아니라는 사실을 보여줌으로써 이런 생각들이 틀렸다는 것을 말해주고 있습니다.

드 왈: 당신은 처음으로 GG 마찰과 결속, 그리고 보노보 암컷의 힘을 하나로 연결지어 생각한 사람들 중의 하나입니다. 이 세 가지 요소는 어떻게 관련되어 있나요?

패리쉬: 암컷들간의 결속이 힘을 키워준다는 증거는 계속 나오고 있으며 설득력도 커져가고 있습니다. 심지어 오래된 문헌에서도 증거를 찾아볼 수 있죠. 단지 이 모든 의견을 하나로 묶은 사람이 없었을 뿐입니다. 물론 예전에 혼동스러운 요소로 남아 있던 사실들이 최근에 새롭게 밝혀지기도 했죠. 가령 왐바에 있는 암컷과 수컷들은 극히 친밀한 결속을 유지한다고 알려져 있었습니다. 하지만 암수 사이의 이러한 긴밀함은 모자간의 친밀함을 포함한 것이었습니다.

샌디에이고 와일드 애니멀 파크에 있는 보노보들의 무리 구성이 변동할 때 GG 마찰이 어떤 의미를 갖는지를 가장 분명하게 알 수 있었습니다. 구성원의 변화가 있은 직후에 암컷들은 분명히 아직 "결속되어" 있지 않았습니다. 하지만 서로 돌아가며 GG 마찰을 하는 것에는 흥미를 보였습니다. 특히 어떤 무리에서는 모든 암컷들이 빠짐없이 돌아가며 GG 마찰을 하는 모습을 볼 수 있었습니다. 하지만 무리에 있던 수컷인 버논은 그런 행동을 그리 달가워하지 않았죠. 암컷들이 GG 마찰을 할 때마다 버논은 괴상한 행동을 하면서 암컷 사이를 돌아다니고 소리를 질러대며 어떨 때는 암컷의 등을 때리기도 했습니다. 그러면 암컷들은 아무 일도 없는 것처럼 시치미를 떼고 가만히 서서 버논이 언덕 너머로 사라질 때까지 기다렸습니다. 버논이 떠나가면 두 암컷은 자리에서 일어나서 마치 버논의 위치를 확인하기라도 하듯 사방을 살펴본 후 재빨리 나무 뒤에 숨어서 GG 마찰을 다시 시작했죠.

버논이 24시간 내내 암컷들을 감시할 수는 없는 노릇이었습니다. 몇 주가 지나자 암컷들은 강한 결속을 형성한 것 같았습니다. 그러자 버논도 암컷들 사이를 갈라놓는 일을 포기했습니다. 버논이 GG 마찰을 막으려고 한 것은 그것이 암컷들끼리 결속을 형성하는 과정의 일부였기 때문이라는 생각이 듭니다. 수컷인 버논이 암컷들의 결속을 싫어하는 것은 당연하지요. 일단 암컷들끼리 결속이 이루어지면 그것을 이용해 수컷들이 먹이를 차지하지 못하도록 하고 또 수컷들을 공격하니까 말이죠.

드 왈: 포획된 상태에서 암컷들의 지배는 어디까지 미치고 있습니까?

패리쉬: 그에 관해서는 슈투트가르트 동물원에서 한 실험이 가장 좋은 답이 될 겁니다. 저는 그곳에서 침팬지와 보노보 무리에게 꿀을 주고 어떻게 먹는지 살펴본 적이 있습니다. 침팬지 무리에서는 항상 수컷이 먼저 먹었지만 보노보들은 암컷이 먼저 먹더군요. 그런데 그러한 상황에서 보노보 암컷들은 먹기 전에 항상 섹스를 했습니다. 특히 서로 나눠 먹기 전에는요. 섹스는 확실히 암컷들간의 관계를 촉진시켰고, 이를 통해 수컷들을 지배할 수 있도록 도와주는 것 같습니다.

이와 비슷한 상황을 프랑크푸르트 동물원과 샌디에이고 동물원에서도 볼 수 있었습니다. 샌디에이고 동물원에서는 사탕수수를 던져주면 항상 암컷 한 마리가 모두 차지해버렸지요. 암컷들은 자기네들끼리 먹이를 나누고 수컷 서열 1위인 버논은 주변에 얌전히 앉아 있었습니다. 그곳에 있는 어른 수컷 둘이 모두 아무것도 못 먹는 날이 종종 있었습니다. 바로 앞에서 말한 것처럼 암컷 구성원들이 처음 만났을 때만이 유일한 예외였죠. 아마도 그때까지 암컷들끼리 친숙하지 않고 또 결속되지 않아서였을 것입니다. 그때는 버논이 난폭한 행동으로 혼자 먹이를 모두 차지해버렸죠.

드 왈: 암컷이 수컷을 공격한다고 했는데 그렇게 해서 다치는 경우도 있습니까?

패리쉬: 현재 슈투트가르트 동물원의 암컷 서열 1위는 어른 수컷을 확실하게 지배하고 있습니다. 전에 있던 암컷 서열 1위도 마찬가지였죠. 한번은 이 암컷이 이 수컷의 페니스를 거의 반으로 쪼개놓은 일도 있었습니다. 이 암컷은 언제나 수컷을 공격하고 있었는데, 어느 날 보니 이 수컷의 페니스가 반쪽으로 잘라져 간신히 한쪽에 매달려 있었답니다. 수의사가 그것을 다시 붙이는 데 상당히 애를 먹었지요.

프랑크푸르트 동물원에는 갱년기에 접어든 암컷이 한 마리 있습니다. 이 암컷은 거의 마흔다섯 살이 됐으며 포획된 보노보들 중에서는 가장 나이가 많죠. 이 암컷이 딸 세 마리를 비롯해 다른 모든 무리를 확실하게 지배하고 있습니다. 암컷들은 종종 수컷을 끌어내 공격하곤 하는데 그럴 때마다 수컷의 손가락이나 발가락을 물어뜯곤 하죠.

때로 저는 왐바에서 높은 비율로 나타나는 수컷들의 기형적인 모습이 최소한 부분적으로는 암컷들의 공격에 의한 것이 아닐까 하는 생각을 떨칠 수가 없습니다.

드 왈: 보노보 사회에서 암컷들의 결속이 중요하다고 주장하는 근거는 무엇입니까?

패리쉬: 수컷 유소성을 보이는 사회는 암컷들에게 여러 모로 불리합니다. 이런 사회 구조는 암컷들이 먹이를 구하기 위해 사방으로 흩어져 혼자 돌아다녀야 하는 침팬지의 경우 납득이 갑니다. 그러나 보노보의 서식지는 먹이가 풍부하기 때문에 암컷들이 서로 모일 수 있는 여건이 마련되어 있습니다. 이런 환경이라면 암컷 보노보들이 자매들과 함께 힘껏 뭉칠 수 있다면 훨씬 풍족하게 살 수 있겠지요.

그렇다면 왜 보노보들은 암컷 유소성 사회, 그러니까 암컷이 태어난 곳에 남고 수컷이 태어난 집단을 떠나는 사회로 바꾸지 않았을까요? 아마 기존의 사회 조직을 완전히 뒤집는 데 따르는 진화적 비용이 너무나 엄청나기 때문일 겁니다. 그렇다면 암컷들이 택할 수 있는 차선책은 혈연이 아닌 집단의 무리들과 마치 암컷 혈연들인 것처럼 지내는 것이라고 할 수 있겠죠. 이렇게 암컷 유소성이 있는 사회를 흉내냄으로서 암컷들은 이 사회의 몇 가지 이익을 되찾을 수 있었습니다. 즉 본질적으로 자신들의 운명을 바꿔버린 겁니다.

일부 페미니스트 학자들은 여성들간의 결속은 오직 인간에서만 찾아볼 수 있다고 주장하지만 실제로 보노보 암컷들이 보여주는 결속은 대부분의 인간 사회에서 발견되는 어떤 여성들간의 결속보다도 훨씬 더 견고합니다.

근친상간과 유아 살해

지금까지 살펴본 보노보는 성적으로 매우 문란하고, 그러한 면에서는 아무런 한계도 없는 것처럼 보일지도 모르겠다. 그러나 보노보에게도 특별히 호감을 갖고 아주 안정된 관계를 유지하고 있는, 무엇보다도 근친 교배로 이어질 수 있는 근친상간을 피하기 위한 특별한 파트너가 있는 것으로 생각된다. 일반적으로 동물들은 근친 교배를 통해 태어난 새끼의 사망률이 높기 때문에 이를 피한다. 보노보에게서 이를 막는 주요 수단은 암컷의 이동이다. 어미와 자매들의 곁을 떠나 다른 무리로 옮겨가는 젊은 암컷은 힘거운 변화를 겪게 되는데, 이주 특별한 혜택이 없다면 굳이 이런 위험을 감수할 이유가 없을 것임에 틀림없다. 즉 이주를 통해 전혀 혈연관계가 없는 수컷과 짝짓기를 해 자연스럽게 근친 교배를 피할 수 있는 혜택만 아니라면 말이다.

진화론적인 관점에서 보노보의 섹슈얼리티에 대해 논한다고 해서 내가 보노보들은 자신들이 하는 행동의 의미를 정확히 알고 있다고 주장하는 것은 아니라는 것을 알아주기 바란다. 지구상에서 성과 생식 간의 관계를 정확히 이해하고 있는 동물은 인간뿐이라고 가정하는 것이 안전할 것이다. 보노보나 다른 동물들이 유전자의 의미나 근친 교배의 병폐를 알고 있으리라고 믿는 사람을 없을 것이다. 보노보 암컷이 무리를 떠나 새로운 무리로 옮겨가는 것은 그저 이 종의 역사를 통해 무리를 옮긴 암컷의 자손이 그렇지 않은 암컷의 자손보다 훨씬 더 건강했기 때문에 일어난 자연 선택의 결과일 뿐이다.

암컷이 태어난 무리에서 쫓겨난다거나 이웃 무리의 수컷들에게 납치된다는 증거는 어디에서도 찾을 수 없다. 그저 암컷들은 일정한 나이가 되면 무리를 떠나 떠돌기 시작한다. 가노는 무리를 떠날 시기가 된 암컷의 사회관계에서 나타나는 극적인 변화를 이렇게 묘사하고 있다. "청년기에 접어든 암컷은 수컷보다도 더 비사교적으로 된다. 그들은 무리의 주변부를 맴돌거나 혼자서 나무에 걸터앉아 있는 경우가 많아진다. 무리를 떠날 준비를 하기 때문인 것으로 보인다. 그리고 종종 무리를 떠나는 일은 암컷이 청년기에 들어선 후 갑작스럽게 일어난다. (……) 또한 청년기로 성장한 어느 시기가 되면 딸에 대한 어미의 태도도 매우 엄격해진다."[14]

지에 하시모토와 다케시 후루이치는 야생 보노보의 성 행동을 연구하는 동안 수컷들은 성숙해질수록 성적으로 더욱 활발해지지만 암컷들은 그렇지 않다는 것을 발견했다. 오히려 연구자들은 암컷이 사춘기 바로 전에 "성적으로 침체되는" 시기가 있다고 말한다 — 이것은 분명히 보노보 사회에서는 의외의 현상이라고 할 수 있다. 아마도 형제나 아버지일 수도 있는 수컷들과의 성관계를 피하기 위해 나타나는 증상이 아닌가 싶다. 암컷들은 보통 처음으로 성기가 자그마하게 부풀어오르는 일곱 살을 전후로 태어난 무리에서 떠나게 된다. 이처럼 자그마하게 부풀어오른 성기를 통행증 삼아 영구히 정착하게 될 새로운 무리를 찾아 이리저리 떠도는 "방랑자"가 되는 것이다. 그러다 갑자기 암컷들은 성에 눈을 뜨게 된다. 이 암컷들은 숲에서 우연히 만난 다른 암컷들과 GG 마찰을 하고 여러 수컷들과 교미한다. 이제 이들에게는 정기적으로 그리고 끊임없이 발정기가 찾아오고 발정기가 찾아올 때마다 성기는 더욱 크게 부풀어오르며, 10세가 되면 완전히 성숙해진다. 그러다 13~14세가 되면 처음으로 임신을 하게 된다.[15]

그렇다면 아마도 어린 암컷의 성욕은 혈연관계에 있는 수컷의 새끼를 배게 될 확률이 현저히 줄어든 환경 속으로 들어가 사회적으로 통합되기 위해 그것을 필요로 할 때까지는 억제되는 게 아닌가 한다. 또 성기가 처음으로 부풀어오른 때부터 초경이 시작될 때까지 몇 년간의 지체 시기 — 이를 "청년 불임(adolescent sterility)"의 시기라고 한다 — 가 있는 것도 이 시기 동안 바람직하지 않은 임신을 막기 위해서인 것 같다.[16]

그러나 수컷은 이와 전혀 다른 상황에 놓여 있다. 이들은 태어난 무리를 떠나지 않으며, 이들이 임신을 하는 것은 아니기 때문에 친척들과 섹스를 해도 전혀 위험할 것이 없다. 그러한 근친 교배로 손해를 보는 쪽은 무리 내 암컷들이다. 따라서 무언가 어미나 여자 형제들과의 섹스를 금기시하도록 만드는 방법이 있을 것이다. 어려서부터 형성된 친밀감이 이러한 금기를 형성하는 것인지도 모른다 — 우리 인간을 비롯한 대부분의 종(種)이 근친 교배를 피하기 위한 기본적인 메커니즘인 셈이다. 원리는 간단하다. 어릴 때부터 같이 자란 다른 성의 남녀가 성적 욕구를 느끼지 않도록 만드는 것이 그것이다. 그런데 동물원의 육아실에서 어린 유인원을 키우는 경우처럼 이러한 과정이 외부 요인에 의해 깨지는 경우에는 혈육간의 섹스가 그리 이례적인 일이 아니다. 같은 환경에서 자라지 않으면 누가 자기 혈육인지 알 수 없기 때문이다. 그러나 통상적인 경우라면 어려서부터 형성된 친밀함이 수컷과 그의 가까운 암컷 혈육과의 관계를 분명하게 해주고, 그리하여 그들이 서로 교미하지 못하게 만든다.[17]

하시모토와 후루이치는 어미와 아들 사이에서도 성기를 접촉하는 일이 있다고 보고하고 있지만 이는 새끼가 아주 어렸을 때만 일어나는 일로 성적인 욕구 때문이라기보다는 스스로를 진정시키려는 것이 주된 목적인 것 같다. "이런 일은 모두 새끼가 두 살 미만일 때 일어나는데, 어미는 새끼를 자기 쪽으로 끌어안으면서 새끼의 성기와 자신의 성기를 맞대고 비벼댔다. 이것은 어미가 흥분된 마음을 진정시키기 위해서 하는 행동으로 생각된다. 왜냐하면 이런 행동은 먹이가 있는 곳으로 들어가거나 싸움을 벌인 후 등 팽팽한 긴장 상태에서만 나타났기 때문이다."[18]

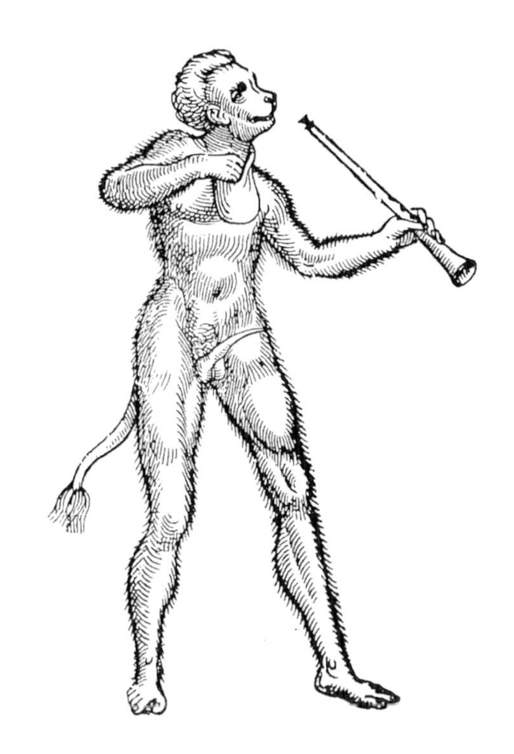

서양에서는 역사적으로 원숭이나 유인원을 정욕과 강간, 성적인 방종 등과 연결해서 생각해왔다. 예를 들어 17세기에는 인도의 어느 해안에 있다고 알려진 사티라이디즈라는 신비의 섬에 인간의 여인을 농락하는 음란한 사티로스 유인원들이 살고 있다는 전설이 떠돌기도 했다. 이 오래된 삽화는 이러한 전설의 유인원을 그린 것으로, 여기서 이들은 플루트를 들고 있으며 꼬리 그리고 보노보와 비슷한 성기를 갖고 있는 것으로 묘사되고 있다(에드워드 탑셀, 『네 발 달린 야수의 이야기*The History of Four-footed Beasts*』, 런던, 1607년).

두 살이 넘으면 어린 수컷들은 점차 암컷과 성관계를 맺는 횟수를 늘리지만 어미와 그러한 접촉을 하는 경우는 결코 찾아볼 수 없다. 어미와 아들이 성적 접촉을 하는 경우는 137쌍의 모자를 관찰한 결과 겨우 다섯 차례밖에 없었다. 따라서 가노는 근친 교배 기피 경향은 아주 어린 나이에 형성된다는 결론을 내렸다. 수컷이 네 살 혹은 다섯 살에 이르면 점차 어른 수컷과 비슷한 성 행동을 하게 된다. 성기가 부풀어오른 암컷들은 종종 두 다리를 벌리고 발기된 성기를 자랑하는 보노보 특유의 자세로 졸라대는 이들 어린 돈 후앙의 욕구를 받아주는 일이 있다. 이 어린 색광들은 이미 다양한 자세로 사랑을 나누는 법을 터득하게 된다.

그러다 청년기에 들어서면 나이들고 힘센 수컷들이 암컷들이 모여 있는 무리의 중심을 독차지하는 경향이 있기 때문에 젊은 수컷들의 교미 횟수는 현저히 줄어든다.[19] 이들은 완전히 다 자라 서열이 높아져야만 다시 발정기를 맞은 암컷과 교미할 수 있다. 성의 독점에 관한 한 수컷 보노보들은 결코 평등주의자들이 아니다. 온화한 이미지와는 반대로 이 종도 암컷을 사이에 두고 수컷들이 경쟁하는 동물의 왕국의 일반적인 유형을 충실히 따르고 있다. 물론 보노보 수컷들은 침팬지 수컷들처럼 격렬하게 경쟁은 하지 않지만 최근 왐바 기지에서의 보고에 따르면 지배적인 수컷들이 다른 수컷들보다 훨씬 더 많이 교미를 하는 것은 의문의 여지가 없다. 이동하는 무리들에서는 일반적으로 서열 1, 2위인 수컷이 암컷과의 접촉 기회를 독차지하고 있는 것으로 보아 이들이 다른 수컷들의 성적 행동을 억누르는 것으로 추정할 수 있다.

하지만 실제 섹스하는 것을 공격적으로 방해하는 경우는 소수에 불과했다. 따라서 성적인 경쟁은 다소 미묘하게 이루어지는 것이 틀림없다. 즉 그것은 실

유아 살해

수컷 긴꼬리원숭이가 무리의 원래의 지도자를 쫓아내고 암컷의 무리를 전부 차지하고 나서 제일 먼저 하는 일은 무리 내의 새끼들을 모두 죽이는 것이다. 승자는 새끼들을 어미의 가슴에서 낚아챈 뒤 뾰족한 송곳니로 모두 물어 죽인다. 1967년 일본의 영장류학자인 유키마루 스기야마는 이처럼 잔혹한 장면을 목격한 것을 이렇게 기록하고 있다.

> 새로운 지도자 수컷이 새끼들을 모두 물어 죽이는 이유는 무엇인가? 이 새로운 지도자 수컷이 새끼들을 모두 물어 죽인 것과 …… 새끼를 잃은 암컷들이 다시 발정기를 맞아 새끼를 물어 죽인 새로운 수컷과 짝짓기를 하는 것 사이에는 어떤 연관이 있는 것 같다. 긴꼬리원숭이 암컷은 새끼가 죽지 않는 한 2~3년에 걸쳐 한 마리의 새끼를 낳는다. 따라서 새끼를 잃은 암컷은 이 때문에 다시 발정기를 맞게 된다. [20]

이러한 의견이 제시되면서 영장류를 비롯한 다른 포유류에서 발견되는 유아 살해에 대해 진화론적으로 설명할 수 있는 무대가 마련되었는데 이 문제는 지금까지 논란거리가 되고 있다. 첫번째 논점은 스기야마가 관찰한 긴꼬리원숭이의 유아 살해와 다른 사람들이 발견한 결과를 과연 다른 동물에게도 그대로 적용시킬 수 있는 것인가 하는 것이다. 나는 유아 살해의 증거가 발견됐다는 보고가 있을 때마다 과학자들의 모임에서 벌어지곤 하던 소란을 잊을 수가 없다(때때로 보고자가 유아 살해를 직접 목격하지 못하고 모임에 모인 청중들에게 부검 결과만 제시하는 경우도 있었다). 유아 살해를 둘러싼 의견 대립은 거의 이데올로기적인 것이었고 지금도 마찬가지이다. 일부에서는 유아 살해를 일반적인 현상이라고 인정한 후 그렇게 된 원인을 찾는 데에만 몰두하고 있으며 다른 일부에서는 유아 살해를 하나의 일탈, 그러니까 병리적인 행동으로 바라보고 있다. 이들이 생각하는 자연에는 유아 살해 같은 것은 발붙일 곳이 없다.

그러나 야생 동물들에서 실제로 유아 살해가 일어나는가 하는 의구심은 이제 대부분 사라졌다. 현재 사자부터 개쥐에 이르기까지, 생쥐부터 고릴라에 이르기까지 다양한 동물 종에서 유아 살해가 일어나고 있는 것으로 알려져 있다. 현재 새끼의 사망 원인 중 유아 살해에 의한 것으로 추정되는 수치(즉 전체 유아 사망자 중 같은 종의 공격에 의해 희생된 새끼의 비율)는 놀랄 만하다. 회색긴꼬리원숭이의 경우에는 35%를 차지하고 산고릴라의 경우에는 37%를 차지하며 붉은짖는원숭이는 43%, 푸른원숭이는 29%에 해당한다.[21]

가장 널리 인용되는 설명은 사라 블래퍼 흐르디의 의견이다. 흐르디는 수컷이 새끼를 죽이는 이유를 성적인 선택의 산물이라고 설명하고 있다. 새끼를 죽이는 수컷은 경쟁자들의 새끼를 없애버림으로써 새끼를 죽인 암컷들이 다시 생식할 수 있는 시간을 앞당기게 되어 다른 수컷들보다 자손 번식에서 유리한 위치를 차지할 수 있다는 것이다. 만약 새끼를 죽이는 수컷의 유전자가 그렇지 않은 수컷의 유전자보다 빠르게 퍼져나간다면 그의 유전자의 특성은 자연 선택에 따라 혜택을 누리게 될 것이다. 따라서 수컷이 무리 내에 새로 들어온 암컷의 새끼처럼 자신의 유전자를 갖지 않은 개체를 죽이는 것은 당연한 일이 된다. 인도의 조드푸르 근방에서 20년 동안 하누만긴꼬리원숭이를 연구해온 폴커 좀머는 이러한 연구를 근거로 유아 살해가 수컷의 일종의 생식 전략의 하나라는 주장을 뒷받침하는, 이제까지 나온 여러 증거 중 가장 강력한 논거를 제출한 바 있다.

고릴라와 침팬지의 유아 살해는 잘 알려져 있다. 이런 사실이 처음 발견된 것은 1970년대 초로 아키라 스즈키가 이를 제일 먼저 관찰했다. 그는 부동고 숲에서 몸집이 커다란 수컷 침팬지가 죽은 새끼 침팬지를 움켜잡고 먹고 있는 장면을 목격했다. 주변에는 다른 수컷들이 서 있었는데, 수컷들은 새끼의 시체를 번갈아가며 나눠 먹고 있었다. 또 다이앤 포시는 실버 백 수컷 고릴라[등에 회색 털이 나 있는 무리 내의 대장 고릴라] 한 마리가 잔뜩 화가 나서 무리 안으로 돌진해 가는 모습을 보았다. 수컷이 달려오자 전날 밤 새끼를 낳은 암컷 한 마리가 수컷의 앞을 가로막고 똑바로 서서 자기 가슴을 두드렸다. 그러는 사이 무방비로 노출되어 있던 암컷의 배에 매달려 있던 새끼를 수컷이 내리쳤다. 새끼는 외마디 비명을 지르며 죽어버렸다.

이후로도 침팬지와 고릴라들에게서 벌어지는 유아 살해 현장이 많이 목격되고 보고되었으며, 모하일 산에서 벌어진 장면은 촬영되기도 했다. 당연히 이러한 유아 살해는 인간 관찰자들에게는 혐오감을 불러일으키게 된다. 따라서 침팬지를 연구하는 한 현장 연구가는 보다 못해 거기에 개입하고 말았다.

마리코 히라이와-하세가와는 수컷들에게 둘러싸인 채 땅바닥에 엎드려서 새끼를 감싸안고 있는 암컷을 발견했다. 암컷은 낮은 소리로 끊임없이 끙끙대는 소리를 내고 있었다[이것은 복종을 나타내는 목소리였다]. 하지만 무정한 수컷들은 하나씩 암컷을 공격하면서 새끼를 빼앗았다. 이 순간 그것을 지켜보던 하세가와는 순간적으로 자신이 관찰자라는 사실을 잊어버리고는 어미와 새끼를 구하기 위해 막대기를 휘두르며 그쪽으로 달려가 수컷들을 가로막았다.[22]

만약 보노보 사회에서 이런 유아 살해를 관찰할 수 없다면 왜 이 종은 또 다른 가까운 사촌인 인간은 물론이고 다른 아프리카 유인원들과도 다르게 행동하는지를 설명할 수 있어야 할 것이다. 헤로데 왕부터 시작해 현대 사회의 아동 학대자들에 이르기까지 인간도 똑같은 위협에 시달리고 있는 것은 너무나 명백한 현실이다. 보노보는 어떻게 이러한 저주를 피할 수 있었을까? 그저 보노보 수컷들 사이에서는 유아 살해 성향이 부재하기 때문일까? 아니면 암컷이 이를 억제할 수 있는 효과적인 전략을 발전시킨 것일까? 아마 둘 다 맞는 말일 것이다. 암컷이 유아 살해를 막을 수 있는 방법을 찾아냈기 때문에 수컷들 사이에서 그러한 성향이 사라졌을 것이다.

지금으로서는 답보다는 풀어야 할 문제가 훨씬 더 많다. 그러나 유아 살해가 보노보 사회가 진화해온 과정을 설명할 수 있는 열쇠가 된다는 점은 분명해진 것 같다.

제 싸움보다는 주로 봉변을 당하지 않을까 하는 두려움에 기반하고 있는 것이 분명하다. 따라서 서열이 낮은 수컷들은 은밀히 짝짓는 법을 익혀나갔으며, 서열이 높은 수컷에게 들키지 않고 암컷을 유혹하는 방법을 개발해나갔다. 한번은 이런 일이 있었다. 미추오라는 수컷은 무리 내 서열 1위인 수컷이 지금 발정기를 맞고 있는 암컷인 미소를 혼자 두고 떠나기만을 기다리고 있었다. 서열이 제일 높은 수컷이 떠나가는 것을 본 미추오는 미소가 앉아 있는 나무 위로 올라가기 시작했다. 하지만 곧바로 미소에게 가지 않고 미소가 있는 곳을 지나쳐 4미터 가량을 더 높이 올라갔다. 잠시 후 미추오는 머리 위에 있는 가지를 잡아당겨서 잔가지를 부러뜨린 다음 그것을 밑으로 떨어뜨렸다. 가지는 먹이를 먹고 있는 미소를 살짝 스치면서 땅으로 떨어졌다. 이후 미추오는 세 번이나 더 가지를 떨어뜨렸다. 미소도 분명 그것을 알고 있었겠지만 그저 힐끗 위를 한 번 바라볼

보노보의 독특한 행동 중의 하나는 암컷끼리 얼굴을 마주 본 상태에서 성기를 접촉하는 것, 곧 GG 마찰을 하는 것이다. 서로 몸을 비틀면서 부푼 성기를 마찰시키는 동안 아래쪽에 있는 암컷은 위쪽에 있는 암컷에게 매달린 자세를 취한다. 이러한 접촉들은 짧지만 아주 강렬하며, 대개는 긴장된 관계를 완화시켜주는 역할을 한다.

뿐이었다. 미추오는 아무런 소리도 내지 않고 가볍게 몸을 흔들며 계속 가지를 떨어뜨렸다. 이렇게 나뭇가지 비가 쏟아지기 시작한 지 4분이 지나자 미소가 나무 위로 올라와 미추오 앞에 섰다. 둘의 짝짓기 행위가 끝나자마자 미소는 아무 일도 없었다는 듯이 땅으로 내려갔고 미추오는 그대로 나무 위에 남아 있었다. 서열 1위인 수컷은 아무것도 눈치채지 못했다.[23]

야생의 보노보가 도구를 사용한 것으로 간주될 수도 있는 최초의 기록이 섹스와 관련된 것이라니 이 얼마나 기막힌 조화인가! 서열이 낮은 수컷은 서열이 높은 수컷 앞에서는 항상 조심한다거나 서열이 높을수록 훨씬 더 많은 짝짓기 기회를 가진다는 사실은 섹스를 둘러싼 경쟁이 전에 생각했던 것보다 훨씬 더 치열하다는 것을 말해준다. 더 나아가 여기서 우리는 암컷이 수컷들의 서열 다툼에 관여하는 이유 — 앞에서 이것을 자세히 살펴본 바 있다 — 도 아들을 통해 자손을 더 많이 퍼트리고 싶은 욕망 때문이라고 유추해볼 수 있다. 만약 이러한 전략이 암컷들에게 더 많은 손주를 볼 수 있도록 만들어준다면 자연은 아들의 성공에 더 많은 공을 들인 암컷들을 선택할 것이기 때문이다.

보노보들의 짝짓기 빈도와 암컷의 발정기가 짧은 배란기보다 훨씬 더 길다는 점 등을 생각해볼 때 수컷이 자기 새끼를 알아보는 것은 천재가 아니고서는 거의 불가능하다. 자기 새끼를 알아보려면 먼저 생리일과 출산일을 보고 어떤 암컷이 임신을 할 수 있는지를 따져본 뒤, 임신이 가능한 암컷과 계속 관계를 맺어야 하며 그렇지 않다면 최소한 언제 암컷과 짝짓기를 했는지 정도는 기억해두고 있어야 한다. 하지만 보노보 수컷은 분명히 그런 계산 따위는 하지 않는다. 수컷들은 그저 부푼 성기를 가진 암컷을 쫓아다니기에 정신이 없다. 그런데 임신한 암컷들도 마치 "수정이 가능한 것처럼" 부푼 성기로 수컷을 유혹하니 수컷들은 지금 하고 있는 행위가 자손을 생산할 것인지 아닌지를 알 방법이 없다. 무리 안의 거의 모든 새끼가 자기 새끼일 수도 있고 그렇지 않을 수도 있다. 어쩌면 무리들끼리 뒤섞이다가 만난 이웃 영토의 수컷을 포함해 어떤 수컷의 새끼도 될 수 있다.

만일 누군가 부계가 명확하지 않은 사회 체제를 고안해내야 한다면 자연이 만들어놓은 이 보노보 사회보다 더 완벽하게 할 수는 없을 것이다. 가노, 랭험, 그리고 패리쉬 같은 과학자들은 암컷들의 발정기가 길어진 것은 실제로는 이 때문이었을지 모른다고 생각하고 있다.[24] 암컷들은 거의 항상 부풀어 있는 성기로 수컷들이 자주 섹스를 하도록 유도함으로써 무엇인가 이익을 얻을지도 모른다. 의도한 바는 아니더라도 이렇듯 임신이 가능한 것처럼 체계적으로 오해하게 만드는 것은 어쨌든 암컷의 생식에는 도움이 되었다. 언뜻 이런 주장은 아주 당혹스러울 수 있을 것이다. 제 자식을 알아보는 것이 뭐가 어려울까? 부계가 모계만큼은 확실하지 않지만 우리 인간은 누가 아버지인지를 비교적 정확하게 알아볼 수 있지 않은가?

맞는 말이다. 하지만 인간과 보노보를 비교하기 전에 먼저 보노보의 가장 가까운 사촌을 한번 살펴보자. 보노보와 가장 가까운 사촌인 침팬지 수컷은 소수의 다른 동물 종들과 함께 새로 태어난 새끼를 잔인하게 죽여버리는 것으로 알려져 있다. 이것은 아주 충격적인 사실이다. 물론 아주 자주 그렇게 하는 것은 아니지만 암컷에게는 심각한 문제가 될 만큼은 자주 일어난다. 여기서 심각하다는 것은 단지 새끼의 죽음으로 인한 심적인 상실감만을 의미하는 것이 아니다. 유전자의 진화라는 좀더 냉정한 관점에서 더 문제가 되는 것은 암컷이 자손 번식에 실패하는 것, 즉 지금까지 임신과 수유에 투자한 것을 그대로 날려버리는 것이다. 생물학자들은 이런 일이 정기적으로 일어나면 이것은 틀림없이 수컷들에게도 치명상을 입혀 더이상 해당 종(種)의 진화는 있을 수 없을 것이라고 말한다. 그렇다면 유아 살해로 수컷이 얻을 수 있는 이익은 무엇일까? 연구자들은 새끼를 없애버림으로써 수컷들은 암컷들이 다시 한 번 생식 주기를 맞게 할 수 있다고 보고 있다. 수컷들은 암컷에게 딸린 새끼를 제거하면 암컷이 즉시 새로운 짝짓기를 해서 임신할 수 있다고 믿는다. 따라서 새끼를 죽이면 암컷의 생식 주기가 돌아오기를 몇 년이나 기다릴 필요 없이 즉시 자기 자손을 번식시킬 수 있는 기회를 얻게 되는 것이다.

지금까지 설명한 내용이 진화론적인 관점을 가진 생물학자들이 생각해낸 유일하게 신빙성 있는 설명이다. 이것은 달리는 도저히 이해할 수 없는 행동을 이해해보려는 연구자들의 노력의 결과였다. 그러나 이러한 가설이 설득력이 있으려면 수컷에게 자기가 죽인 새끼가 자기 핏줄이 아니라는 비교적 견고한 확신이 있어야 한다. 그러한 확신도 없이 아무 새끼나 물어 죽이는 수컷은 자기 유전자를 다음 세대에 전달할 수 있는 기회를 그만큼 상실하게 될 것이다. 따라서 안전하게 자기 유전자를 보호하려면 수컷은 낯선 암컷의 새끼를 공격하거나 이웃 무리의 수컷과 짝짓기를 한 암컷의 새끼를 주로 공격할 것이다. 같은 영토에서 계속 살아온 암컷은 이 암컷과 짝짓기를 하는 데 실패한 수컷에게만 공격의 대상이 될 것이다. 수컷 침팬지들은 어림짐작으로 자기와 짝짓기를 한 암컷과 그렇지 않은 암컷의 새끼를 다르게 다뤄야 한다는 것을 터득하는 것 같다.

수컷의 이런 성향을 생각해보면 왜 침팬지 암컷들이 새끼를 낳은 후 적어도 몇 년간은 큰 무리에서 떨어져 지내려 하는지 이해할 수 있다. 아마도 다른 수컷들과 떨어져 지내는 것이 유아 살해를 저지하기 위한 주요 전략인 것처럼 보인다. 그렇게 되면 3~4년이 지나 육아기가 끝날 무렵에 다시 성기가 부풀어오르는 발정기를 맞을 수 있다. 이처럼 무리를 떠나 있는 동안은 교미를 원하는 수컷을 피할 수 있고 또한 새끼를 죽이려 드는 수컷을 상대하지 않아도 된다. 이처럼 젖먹이가 딸린 암컷은 인생의 대부분을 새끼를 데리고 외롭게 떠돌아야 한다.

그러나 보노보 암컷은 새끼를 낳자마자 다시 자기 무리로 돌아간다. 또한 몇 달 안에 또다시 교미를 시작한다. 부계를 모호하게 만들어버리기 때문에 그다지 걱정할 일도 없다. 수컷들은 태어난 새끼가 누구의 핏줄인지를 알 수 있는 방법이 없다. 더구나 대부분 무리를 지배하고 있는 것은 암컷이기 때문에 암컷이나 새끼를 공격하는 것은 매우 위험한 일이다. 게다가 수컷이 조금이라도 이상한 기미를 보이면 암컷들은 똘똘 뭉쳐서 집단으로 방어에 나설 것이다. 물론 단언할 수는 없지만 적어도 지금까지는 보노보가 새끼를 죽이는 장면이 한 번도 발견되지 않았다. 아마도 암컷들은 수컷들이 새끼를 죽이려는 시도도 못 할 만큼 효과적으로 수컷을 통제하고 있는 것 같다. 불행히도 우리는 y라는 반응이 일어나지 않았기 때문에 x라는 행동도 일어나지 않았다는 것을 입증할 수는 없다. 하지만 이러한 식으로 추론해보는 것은 여전히 중요하다. 비교적 태평하게 살고 있는 보노보 암컷의 삶은 온갖 위험을 감수해야 하는 침팬지 암컷의 삶과는 현격한 대조를 이룬다. 적어도 암컷들에게는 유아 살해가 멈추게 된 것이야말로 진화가 가져다준 최고의 보상이라고 해도 큰 무리는 아닐 것이다.

친밀한 관계들

보노보 어른 수컷이 어른 암컷의 털을 골라주고 있다(커다란 가슴이 암컷임을 말해준다). 지금까지 포획된 보노보를 관찰한 결과 수컷은 암컷과 접촉하기 원하지만 암컷은 같은 암컷과 함께 있는 것을 더 선호하는 것으로 밝혀졌다 — 암컷은 이주하는 습성이 있으며 따라서 혈연관계가 없다는 사실을 고려해볼 때 이는 상당히 당혹스러운 일이라고 할 수 있다. 암컷들간의 이러한 유대야말로 보노보와 침팬지의 가장 현격한 차이라고 할 수 있을 것이다.

나무 위로 올라가고 있는 암컷 보노보. 새끼의 크기로 보아 — 새끼의 팔과 다리의 크기로 나이를 추정해볼 수 있다 — 이 암컷은 한동안 다시 임신하는 것이 불가능해 보인다. 그런데도 성기는 부풀어올라 있다(위). 발기된 성기를 드러내 보인 채 사탕수수를 들고 있는 수컷 보노보 (오른쪽). 이는 암컷을 유혹하는 보노보 수컷의 고유한 방식이다. 먹이는 성적인 흥분을 유발하고 또 거꾸로 섹스는 먹이를 사이좋게 나누어 먹도록 돕는다.

다음 쪽: 보노보 암컷 두 마리가 친밀하게 GG 마찰을 하고 있고 호기심 많은 새끼 두 마리가 다가오고 있다. 종종 성적 행위에 두 마리 이상이 참여하는 경우가 있는데 그럴 때는 이 사진에서처럼 어린 개체가 참여하는 경우가 많다.

어린 보노보들이 조숙하게도 벌써 성적인 놀이를 시작하고 있다(위).
오른쪽: 보노보 암컷 한 마리가 다른 암컷을 이끌고 GG 마찰을 하기 위해 조용한 장소를 찾아가고 있다. 샌디에이고의 와일드 애니멀 파크에서 이 사진을 찍을 당시에는 수컷 한 마리가 암컷들 사이에 친밀감이 형성되는 것을 체계적으로 방해하고 있었다. 그러나 일단 암컷들이 수컷보다 우위에 서게 되면 수컷도 더이상 방해할 수 없게 되며 그렇게 되면 암컷들은 어디서나 자유롭게 GG 마찰을 할 수 있다.

5

보노보와 우리

지금 현존하는 인간과 비슷한 유인원들 중에 어느 하나도 인류의 직계 조상은 아니다. 이들 역시 한때 지구상에서 번성했던 협비류(狹鼻類) 원숭이에서 갈라져 나와 최종적으로 남은 종들이고, 인간도 여기에서 갈라져 나와 독특한 진화 과정을 거치며 특정 종으로 전화한 것이다.

1896년 에른스트 헤켈*

인간 사회에서도 성적으로 극히 자유롭다고 여겨지는 사회들이 몇 군데 있다. 이중 극단적인 곳이 서구인들이 도착하기 전의 태평양 여러 섬의 원주민 사회였을 것이다. 서구에서 몰려온 이들은 이곳에 빅토리아 시대의 가치뿐만 아니라 성병도 함께 가져왔다. 브로니슬라프 말리노프스키는 이 지역의 문화를 타부와 금기가 없는 문화로 묘사했으며, 하와이 원주민들의 지극히 관대로운 성 문화에 감탄을 금치 못했던 미국의 성 연구학자 밀턴 다이아몬드는 이들에게 섹스는 "사회 전체를 치료하는 고약이자 사회를 통합시키는 아교"라고 설명했다.[1]

아마도 우리 모두의 마음속에는 일종의 보노보가 살고 있을 것이다. 한때 인간의 성에 관한 토론회에 참가한 사람들이 모두 그렇게 추론하려고 했듯이 말이다. 또한 보노보처럼 공개적인 방식으로 성을 화해의 도구로 사용할 수는 없지만 사생활에서는 얼마든지 이와 비슷한 과정이 일어날 수 있다. 프랑스 속담인 '베개 위의 화해(*la réconciliation sur l'oreiller*)' 라는 말이 괜히 생긴 것은 아닌 셈이다. 우리가 보노보에게 매료되는 것은 다름 아니라 의식적이든 무의식적이든 섹스가 이들의 사회관계에서 어떤 방식으로 기능하는지를 알고 있기 때문이다. 한때는 이러한 주제를 공개적으로 언급하는 것 자체를 금기시한 적이 있었다. 심지어 동물이라도 마찬가지였다. 동물의 섹슈얼리티는 기피 대상이었다. 사람들에게 인류 자신의 음탕함을 너무나 또렷이 상기시켰기 때문이다. "판 사

* Ernst Heinrich Haeckel, 예나 대학교 교수로 재직하면서 연구에 필요한 채집을 위해 세계 곳곳을 돌아다녔고 특히 해서무척추동물을 자세하게 비교 연구했다. 『일반형태학』(1866), 『인류의 발생』(1874), 『종교와 과학의 매체로서의 일원론』(1882) 등의 저서가 있다.

수컷이 제 새끼일 수도 있는 어린 보노보와 가까이 눈을 맞추고 있다. 그러나 보노보의 성행위 유형을 고려해볼 때 보노보 수컷이 제 새끼를 다른 수컷의 새끼와 구별해내는 일이란 거의 불가능하다.

티루스(*Pan satyrus*)"라는 침팬지의 옛날 학명이 전형적으로 보여주듯이 원숭이와 유인원은 음탕한 존재로 생각되었다. 버논 레이놀즈는 초기 기독교도들에게서 시작된 이처럼 부정적인 시각은 "욕구"의 절제라는 초기 기독교 특유의 관념 때문에 생겨났다고 주장한다. 그리하여 자제(self-denial)가 힘의 원천이 되었다. 성적인 쾌락을 포함하여, 어떠한 형태의 즐거움도 도덕적으로 정당한 것이어야 했다. 이전까지만 해도 원숭이와 유인원들은 장난스럽고 유쾌한 존재로 여겨졌으나 이때가 되자 비열한 존재로 간주되었다.

> 초기 기독교는 성행위는 출산이라는 목적을 위한 것이 아닌 한 그리고 결혼이라는 틀 안에서 이루어지는 것이 아닌 한 죄악이라고 가르쳤다. 그리고 비록 이러한 생각은 당시 대부분의 분별 있는 이교도들에게는 당혹스러운 것이었지만 새로운 지배〔즉 기독교〕가 널리 확산되면서 빠르게 전파되었으며 오늘날까지도 기독교 세계에서는 막강한 영향력을 행사하고 있다. 당혹감은 다른 종교 집단들 — 이들 대부분은 인간의 자연적 욕망에 대해 기독교보다 훨씬 더 관용적이었다 — 에 대한 기독교인들이 공격(성)에서 두드러졌다. 또한 이러한 공격성은 이보다는 더 부차적인 방식으로도 표출되었는데, 원숭이들에 대한 인간의 태도를 그러한 예로 들 수 있을 것이다. 고대인들이 재미있어했던 원숭이의 속성들, 즉 흉내를 잘 내고 욕심스럽고 색을 밝히는 성질은 기독교인들은 즐겁게 하지 못했다. 이제 이런 속성들은 죄악의 불길한 기운을 나타내게 되었다. 이런 속성을 가진 사람이 갈 곳이라고는 끝없는 지옥의 불길 속뿐이었다. 원숭이는 익살맞고 재미난 장난꾸러기에서 악의 화신을 상징하는 존재로 전락했다.[2]

인간은 편견 없이 자연을 있는 그대로 보는 법을 모르는 것 같다. 인간은 어떤 동물은 무조건 숭배한다. 가령 "부지런히 일하는 꿀벌"이라는 식으로 인간이 정해놓은 기준에 적합하면 좋은 동물이 된다. 하지만 "게걸스러운 돼지"라는 식으로 인간이 자신의 기준에 맞춰 혐오감을 드러내는 동물도 있다. 과학도 완전히 중립을 지킬 수는 없다. 과학의 관심사 역시 동시대의 사회문화적 맥락에 따라 자주 변한다. 가령 전후에 동물행동학자들은 인간의 잔혹한 행동에 실망한 나머지 공격성은 타고난 본성이라는 설에 매료되었다. 또 1970년대에서 1980년대 사이에 자유 시장 이데올로기가 부활하고 공산주의가 몰락하자 신(新)다윈주의 연구자들은 개인의 이익을 추구하려는 성향을 자연의 기본 법칙으로까지 격상시키려고 했다.

이런 관점에서 볼 때 보노보는 역사적으로 아주 흥미로운 전환점에서 등장했다. 무엇보다도 최근에 발견된 사실들은 과학이 페미니즘 운동에 선사한 뒤늦은 선물이라고 할 수 있다. 보노보와 관련된 이러한 발견들은 비비와 침팬지의 행동에서 유추된 "마초"적인 진화론 모델에 대한 구체적인 대안을 제시하고 있기 때문이다. 두번째로 보노보는 성이란 오로지 생식만을 위한 것이라는 생각을 완전히 뒤엎어버렸다. 이제부터 생물학을 논거로 들어 그러한 명제를 지지하려는 사람은 누구라도 즉각 반론에 부딪힐 것이다. 우리와 유전자를 98%나 공유하고 있는 이 동물에게서 전혀 사실이 아니라고 밝혀진 현상이 인간에게서 사실로 밝혀지기를 기대할 수는 없으니 말이다.

그러나 성행위를 출산 이외의 목적으로 사용하도록 해주는 심리적 메커니즘이 아무리 공동의 조상에게서 유래한 것이라 해도 인간 사회에서 성의 정확한 역할은 수백만 년 전에 우리와 가장 가까운 친척들과 분리된 후 우리 인류가 겪어온 고유한 진화적 · 문화적 역사를 통해 결정되어온 것이다. 이와 관련해 이러한 진화의 가장 획기적인 산물은 핵가족이라고 할 수 있을 것이다.

가족의 가치

여성/암컷의 입장에서 보면 침팬지 사회는 다소 긴장하지 않으면 안 되게 편성되어 있다. 수컷 침팬지는 암컷과 먹이를 나눠 먹고 대부분의 시간을 암컷과 사이좋게 지내지만 암컷을 완벽하게 지배하고 새끼를 양육하는 것을 돕는 대신 종종 암컷에게 위협으로 다가가기도 한다. 하지만 보노보 사회에서 암컷은 암컷 침팬지보다는 훨씬 더 긴장을 풀고 살 수 있다. 암컷들이 먹이를 통제하며 수컷을 지배하는데다 아들의 서열을 결정할 때 외에는 그다지 다른 개체와 경쟁할 필요도 없다. 분명히 먹이가 풍부한 보노보의 숲 속의 서식지가 이러한 조직을 가능하게 해주는 것 같다.

그러나 우리 조상은 이들과는 달리 거친 환경에 적응했다. 과연 보노보를 닮은 영장류들이 사바나와 같은 주거지에서도 원래의 사회 제도를 그대로 유지하면서 제대로 적응할 수 있었을까는 의문이다. 넓은 평원에서는 먹이가 드문드문 널려 있기 때문에 먹이를 찾기 위해서는 좀더 먼 거리를 이동해야 했을 것이다. 특히 먹을 입이 많아지면 이동 거리도 그만큼 더 늘어나야 했을 것이다. 그러나 과연 숲을 떠난 암컷이나 새끼들이 포식자의 눈을 피할 데 없는 평원에서 얼마

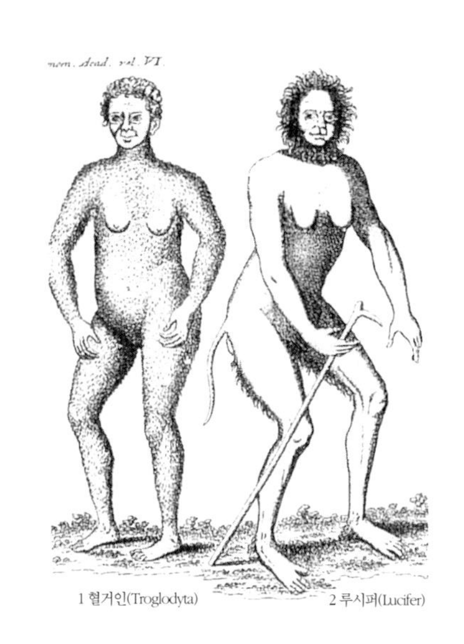

오랫동안 과학자들은 인간과 유인원의 경계를 어디에 그어야 할지 알지 못했다. 스웨덴의 위대한 박물학자인 칼 린네의 제자인 C. E. 호피우스는 유인원들이 인간을 닮았다는 강한 확신을 갖고 있었다. 1760년 그는 당시 알려진 제한된 지식을 토대로 이처럼 사람의 형상을 한 존재들(Anthropomorpha)을 그린 삽화를 발표했다. 그는 사람과 닮은 정도에 따라 순서대로 혈거인과 (꼬리가 달린 상상 속의 종족인) 루시퍼, (좀더 유인원에 가까운) 사티로스와 피그마에우스를 차례대로 그려놓았다. 이중 사티로스는 1641년에 니콜라스 툴프 박사가 해부한 — 보노보로 추정되는 — 최초의 유인원을 모델로 그렸다고 한다.

나 멀리까지 갈 수 있었겠는가? 물론 보노보는 재빠르게 움직일 수도 있지만 그렇다고 해도 보노보가 가젤이 될 수는 없다. 보노보 새끼는 손쉬운 먹잇감이었을 것이다. 물론 민첩한 수컷들이 모여서 무리를 보호하고 새끼들이 무사히 이동할 수 있도록 지켜주었을 수도 있다. 그러나 보노보 사회에서처럼 부계 혈통이 모호한 사회에서 사회의 주변부를 떠도는 수컷들이 암컷들에게 큰 도움이 되었으리라고 상상하기는 어려울 것이다.

그렇다면 침팬지 사회는 어떨까? 이 사회에서는 수컷 침팬지들이 함께 모여서 사냥도 하고 자기 영역을 지키기 위해서라면 이웃 무리와 전쟁도 불사하며 호의와 경쟁이 반반쯤 뒤섞인 동지애를 자랑하기도 한다. 협동과 행동에 능한 이들의 모습은 현대 남성들의 모습과 흡사하다. 현대 사회에서 남성들은 소속 단체 내부에서는 경쟁관계에 있지만 다른 집단을 상대로 싸울 때는 서로 똘똘 뭉치는 것이 보통이다. 침팬지 수컷들도 내적인 갈등과 외부에 대항하기 위한 단결 사이에서 절묘한 균형을 이루고 있는데, 이것은 모든 유인원 중에서 이들의 사회 체계를 가장 인간과 비슷한 것으로 만들고 있다. 그럼에도 불구하고 새끼 양육과 관련해서 보자면 침팬지는 우리 인간과 완전히 다른데, 그들은 새끼의 양육을 전적으로 암컷에게만 떠넘긴다. 사바나에서의 삶이 암컷으로 하여금 수컷에게 의존할 수밖에 없도록 만든다면 이 지역에서 침팬지가 성공적으로 살아가려면 다음과 같은 문제가 먼저 해결돼야 했을 것이다. 곧 침팬지 암컷이 언제든지 새끼를 죽일 수 있는 수컷과 어쩔 수 없이 가까이 머물러야 하는 문제를 말이다. 현재 침팬지의 사회 체계는 먹이가 사방에 흩어져 있어 어미 혼자 새끼를 데리고 먹이를 찾아 멀리 떠돌아다녀야 하는 서식지에 적응한 상태이다.

따라서 어느 정도나마 수컷의 원조와 보호가 없이는 암컷과 새끼가 평원에서 생존할 가능성이 적다고 본다면 암컷 중심의 보노보 사회나 비교적 독립적으로 혼자 생활해야 하는 침팬지 사회 모두 평원에 효과적으로 적응한 우리 조상의 모습과는 거리가 멀다. 오늘날 몇몇 침팬지 무리가 실제로 그렇게 하고 있듯이 보노보를 닮은 유인원과 침팬지를 닮은 유인원 둘 다 부분적으로나마 탁 트인 평원으로 나와 생활할 수도 있었을 것이다. 그러나 안전한 숲 속에서의 생활을 완전히 버리고 위험한 평원에 정착한 유인원은 우리 인류의 조상들뿐이었다.[3]

인간 사회의 특징은 (1) 남성들간의 결속, (2) 여성들간의 결속, (3) 핵가족 제도의 결합에서 찾을 수 있다. 우리는 남성들간의 결속은 침팬지와, 그리고 여성들간의 결속은 보노보와 공유하고 있으며 핵가족 제도는 우리 인간들만의 특징이라고 할 수 있다. 전세계 사람들이 사랑에 빠지고 성적인 질투심을 느끼며 수치가 무엇인지를 알고 성생활에서는 사생활이 보장되기를 바라며 어머니와 아버지의 모습을 모두 소중하게 여기며 배우자와의 안정된 관계를 소중히 여기는 것은 결코 우연이 아닌 셈이다. 심지어 말리노프스키의 성적 쾌락에 빠진 "야만인들"도 이러한 기질을 갖고 있는데, 그것은 남성과 여성이 자녀 양육을 위해 협력하는 배타적인 가족을 형성하려는 우리 인류의 성향을 반영하고 있다. 이러한 재생산 단위는 일부일처제라고 할 수 있으나 문화적으로 가장 널리 퍼져 있는 유형은 일부다처제 형태이다(여기서 일부다처제란 함께 살든 떨어져 살든 남성 한 명이 여러 명의 여성과 성행위를 갖는 것을 말한다). 인간은 수백 년 동안 이러한 핵가족 — 사회의 근간을 이루는 초석(礎石) — 을 중심으로 돌아가는 사회 질서에 적응해왔다. 이처럼 독특한 사회 질서는 다른 거대 유인원에게는 찾아볼 수 없는 것이다.[4] 이처럼 독특한 제도를 토대로 우리의 유인원 조상들은 남녀 양성이 모두 뭔가를 기여할 수 있고 남녀 모두에게 안정감을 주는 협력적인 사회를 만들 수 있었다.

3 사티로스(Satyrus) 4 피그마에우스(Pygmaeus)

수컷은 어느 정도 확실하게 어떤 새끼가 자기 새끼인지를 알 수 있을 때만 새끼의 양육을 책임지려 한다. 핵가족 제도는 제 새끼를 죽일지도 모르는 수컷을 쫓아내기 위해 자신과 성행위를 한 여성을 곁에 두려는 수컷들의 성향에서 유래한 것일지도 모른다.[5] 이처럼 간단한 안전 장치는 쉽게 널리 퍼져나갔을 것이다. 예를 들어 아버지는 자기 짝을 과일 나무가 있는 곳으로 안내하고 사냥감을 잡아오고 새끼들을 이동시켜줄 수도 있었을 것이다. 또한 도구를 정밀하게 사용하고 견과류와 장과류를 따 모으는 암컷의 재주는 분명히 남성에게도 이익이었을 것이다.[6] 이렇게 되자 암컷들은 보호자인 수컷이 자기를 버리고 지나가는 매혹적인 암컷을 따라가지 못하도록 발정기를 늘리기 시작했을 것이다. 암컷과 수컷이 점점 더 이 핵가족 제도를 수용하게 되자 그만큼 이해관계도 복잡하게 얽혀들었다. 남성들에게는 배우자가 출산하는 아이가 그의 자식이며, 오직 자기 자식뿐이어야 하는 것이 점점 더 중요해지게 되었다. 진화론적 관점에서 보면 누군가 다른 개체의 자손을 돌보는 것은 완전히 에너지의 낭비에 불과하다. 따라서 남성들은 좀더 적극적으로 배우자의 생식에 관여할 필요가 있었으며, 이것은 이들이 제공하는 원조와 정비례할 수밖에 없었다.

자연 속에 공짜란 없는 법이다. 보노보 암컷들이 성공적으로 입지를 굳히기 위해 끊임없이 성기를 부풀려야 하는 대가를 치러야 했듯이 원시 인류 여성들은 남성의 원조를 얻는 대신 생식의 자유를 잃어버려야 하는 대가를 치러야 했다.

남성이 여성을 통제하게 된 이유들은 우리 조상들이 유목 생활을 청산하고 한 곳에 정착해 물질재를 축적하기 시작하면서 비로소 배가되기 시작했다. 이제 유전자를 다음 세대로 전하는 것에 덧붙여 부도 상속되었다. 아무래도 우리 인류의 특징은 남성 지배에서 찾을 수 있기 때문에 이러한 상속은 통상 아버지에서 아들로 이어져 내려왔다. 모든 남성들은 평생 모은 재산이 반드시 정당한 계승자 즉 자기 자식의 손에 전해진다는 보증이 필요했기 때문에 여성의 순결과 정숙을 강박증처럼 강요하게 되었다. 자손을 양육하는 일에 남성이 개입할 필요가 없다면 종종 소위 "가부장제"로 불리는 도덕적 규제도 필요 없었을 것이다. 우리 인류는 가족의 안위를 보호하기 위해 일반적으로 이 제도를 채택했다.

이와 관련한 양극단적인 모습! 침팬지 수컷은 어떤 새끼가 자기 핏줄이 아닌지를 확인하는 문제에 대해 상당히 예민하고, 그래서 그렇지 않을 경우 새끼들을 죽이기도 한다. 다른 한편 인간 남성은 부성(父性)적 투자라고 부를 만한 전략을 발전시켜왔다. 즉 배우자가 낳은 자식이 바로 자기 자식일 수 있도록 자기가 할 수 있는 모든 것을 하는 것이 그것이다. 그리고 핵가족과 함께 아버지 역할에 대한 자신감도 증가한다.

그러면 보노보는? 이러한 이론들에 따르면 보노보는 이 모든 쟁점을 혼란스럽게 만들어버림으로써 제3의 길을 택해왔다. 즉 모든 수컷이 새로 태어날 새끼의 아버지일 가능성이 있다면 어느 수컷도 새로 태어난 이 새끼들에게 위해를 가할 이유가 없어진다는 것이 그것이다.

보노보의 진화에 관한 가설들

진화론적 모델을 세우는 일은 과연 예술인가 아니면 과학인가? 인간의 오랜 과거를 하나씩 꿰어 맞춰보는 방식으로 작업하는 화석학자와 비교해볼 때 유인원을 닮은 영장류의 특정한 종을 대상으로 똑같은 일을 하는 영장류학자에게는 [화석과 같은] 구체적인 자료가 거의 없다는 점에서 차이가 난다. 우리의 가까운 조상들은 인공적인 유물을 남기기 때문에 이를 통해 그들의 습관과 기술, 생활 수단, 사회 조직 등을 재구성해볼 수 있다. 그러나 영장류학자들은 현재 살고 있는 유인원의 행동 양식을 관찰하는 것으로 만족해야 한다.

상상과 추리의 역할이 중요하다는 것을 부인할 수는 없지만 어쨌든 특정한 종의 진화 과정에 대한 가설을 세워보는 작업은 말 그대로 과학적 시도이다 —

즉 그러한 가정의 결과는 항상 반증에 노출되어 있다. 모든 가설은 일련의 가정들, 즉 언제든지 부정될 수 있는 가정에 기반해 있다. 최근에 발견된 "작은 발"이 인간의 직립 보행에 대한 기존의 가설을 어떤 식으로 뒤집었는지가 좋은 예가 될 것이다(46쪽 참고). 이와 비슷하게 보노보의 사회적 진화에 대한 이론들도 만약 수컷들이 암컷들의 배란기를 배란기가 아닌 시기와 정확히 구별해낼 수 있다는 증거가 발견되면 커다란 문제에 봉착할 것이다. 하지만 아직까지는 그러한 증거가 관찰되지 않았고 아마 앞으로도 나타나기 어려울 것 같다. 결국 요점은 다른 모든 과학적 가설들과 마찬가지로 진화론적 모델에서도 역시 입증이 중요하다는 것이다. 물론 과거에 대한 특정한 모델이 정확하다는 것을 모든 세부적 사실들에 이르기까지 완벽하게 증명해내는 것은 불가능한 일이다. 따라서 지금까지 알려진 자료들에 가장 잘 맞아떨어지는 가설을 선택하는 것이 우리의 목표가 되어야 한다.

보노보의 사회적 진화 과정에서 결정적이었던 순간은 아마도 암컷의 성기가 부풀어오르는 시간이 빈번해지고 기간도 길어지기 시작한 때가 아니었나 싶다. 이것은 보노보 사회를 전반적으로 성적인 것으로 만든 것 외에도 수컷들간의 경쟁을 줄이고 부계의 구분을 애매하게 만들었으며 특히 암컷들끼리의 짝짓기를 비롯하여 모든 구성원이 다양한 조합으로 자유롭게 짝짓기 행위를 할 수 있게 해주었다. 그리하여 결국 암컷들 사이에서는 2차적인 자매애가 생겨났고, 암컷들이 수컷들을 제치고 사회에서 우위를 차지했으며 유아 살해라는 저주로부터도 풀려날 수 있었다.

이러한 진화 가설은 초기 단계가 가장 미궁에 싸여 있다. 소위 보노보의 '섹스 중심화(sexualization)' — 성행위가 사회 생활의 모든 측면으로 침투하기 시작한 현상 — 는 암수 사이에서 시작되었을 가능성이 가장 크다. 어찌되었든 섹스의 원래 기능은 생식이다. 그리고 이는 어른 이성들간의 성적 관계를 전제한다. 보노보 사회에서는 아마도 잦은 섹스가 암수로 하여금 서로를 관대하게 대하도록 하고 친밀감도 증대시켜줌으로써 양쪽 모두가 이로부터 이득을 봤을 것이다. 포유류의 경우 암컷이 수컷을 지배하는 경우가 거의 없기 때문에 초기 단계에서는 보노보 사회에서도 수컷이 지배하고 있었다고 가정하는 것이 안전할 것이다. 이때 이루어진 섹스와 먹을거리의 교환은 수컷이 통제하고 있던 먹이에 암컷이 접근하는 것을 용이하게 해주었을 것이다. 그리하여 결국 암컷들은 발정기를 늘려 이익을 취하게 되었을 것이다. 이때 암수의 연합관계가 독점적인 것이 아니라면 — 즉 여러 암수가 복합적으로 관계를 맺는 방식이었다면 — 같은 성의 성원들간의 관용도 중요한 문제가 되었을 것이다. 그러다 보니 사회를 결합시켜주는 접착제였던 섹스의 역할이 이성간의 영역으로부터 다른 영역들로까지 확대되어 나가게 되었을 것이다. 그리고 동성간의 성적 접촉은 수컷과 암컷들을 함께 좀더 큰 규모의 집단에 묶어두기 위한 하나의 방법이 된 것이다.[7]

하지만 왜 사회적 관계를 성적인 것으로 만든 동물이 침팬지가 아니라 하필 보노보인가 하는 문제는 유아 살해를 언급하지 않고는 답하기 어렵다. 결속이나 관대함을 꼭 성적인 행동으로 표현할 필요는 없다. 예를 들어 침팬지들은 굳이 성을 동원하지 않더라도 보노보의 성기 접촉만큼이나 효과적인 결과를 얻을 수 있다. 침팬지는 화해의 표시로 서로 입을 맞추고, 또 먹이를 나눠 먹기 전에 큰 소리로 떠들어대고 서로 껴안거나 등을 가볍게 두드리는 등 특유의 "의식"을 치르기도 한다. 그런데 보노보가 성행위를 기반으로 한 메커니즘에 의존하는 것은 부계를 모호하게 하는 데 따른 또다른 이득 때문이 아닌가 싶다. 특히 보노보는 암컷과 수컷이 함께 여행하고 먹이를 찾기 때문에 이 문제는 더욱 중요했을 것이다.

이렇듯 하나의 진화론적 가설 전체를 유아 살해의 위협에 기반하도록 만드는 것은 아무래도 꺼림칙하다는 것을 고백해야겠다. 물론 보노보의 경우 야생이든 아니면 포획되었든 이러한 유아 살해 사례가 단 한 번도 보고된 적이 없기는 하다. 우리는 또 이러한 변화로부터 수컷들이 어떤 (만일 그런 것이 있다면) 이익

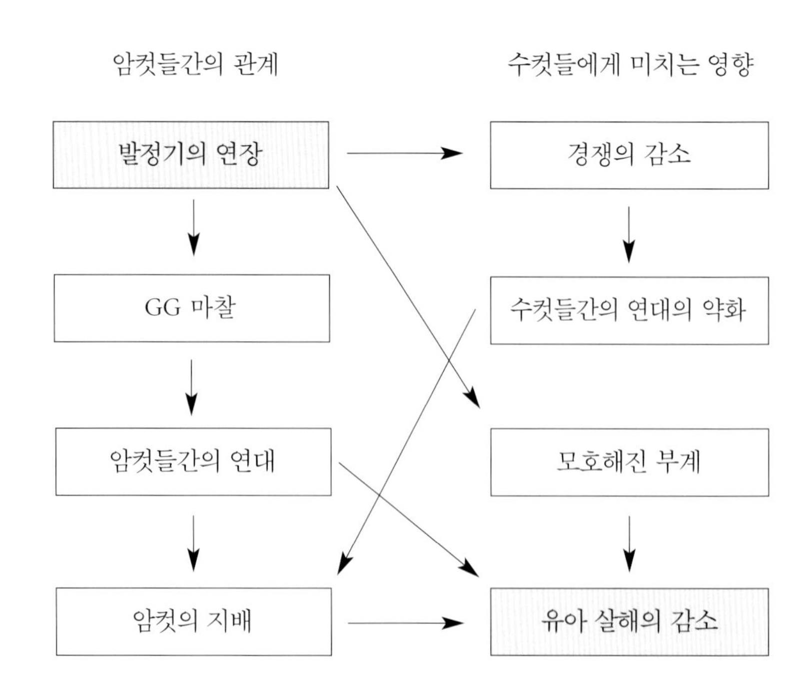

을 얻었는지도 살펴볼 필요가 있다. 암컷들이 출산의 성공률을 높였다면 일부 또는 모든 수컷들도 마찬가지일 것이다. 결국 수컷은 암컷을 통해 새끼를 낳으니 말이다.[8] 이것은 다양한 사회적 배치가 진화론적으로 어떤 결과를 가져오는지를 수학적으로 〔모의〕 시험해보려고 하는 과학자들에게 흥미로운 과제를 제시하고 있다. 수컷들의 이해관계는 암컷들의 영향력이 커지면 어떻게 변할까? 이는 수컷들의 저항을 불러올 만한 일이었을까? 아니면 혹시 이렇게 "함께 즐기는" 것이 수컷의 전부나 일부에게는 오히려 유익했을까? 게다가 어쩌면 보노보 사회의 독특한 구조는 현재의 우리로서는 상상도 할 수 없을 만큼 커다란 혜택을 가져다주는 구조일지도 모른다. 뿐만 아니라 우리는 과거와 현재 어떤 포식자로부터 어떤 위협을 받으면서 살았는지, 과일을 먹는 다른 종들과 경쟁은 없었는지에 대해서 아는 것이 없다. 따라서 위의 도식으로 묘사한 가설은 잠정적인 것으로 간주되어야 한다. 비록 전체적으로 받아들 수는 없겠지만 하위의 구성 요소들은 충분히 개연성이 있는 것들이다. 이중 핵심적인 내용은 다음과 같다.

1. 암컷의 발정기가 늘어나자 수컷들간의 경쟁이 줄어들었다. 성적인 매력을 풍기는 암컷들이 사방에 널려 있고 또 이들의 배란기를 정확하게 가늠할 수 없게 되자 수컷들 사이에서는 굳이 짝짓기를 둘러싸고 상처를 입을 위험을 감수할 필요가 없어졌다.
2. 다른 영장류 수컷들이 동맹을 결성하는 것은 주로 가장 매력적인 암컷에게서 제3의 경쟁자들을 떼어놓기 위해서이다. 따라서 한꺼번에 많은 암컷이 성적인 매력을 띠게 되면 그렇게 동맹을 맺어야 할 이유는 사라지게 된다.
3. 수컷의 개인주의적 성향은 결국 암컷들이 집단적으로 권력을 빼앗을 수 있는 길을 열어주었다.
4. 암컷들간의 사회적인 성행위와 결속은 먹이를 독점하고 유아를 살해하는 수컷들로부터 아이들을 보호할 수 있는 동맹관계로 변형된다.
5. 발정기의 연장과 잦은 섹스는 유아 살해가 반(反)생산적인 일이 될 정도로 부계를 모호하게 만들어버렸다. 수컷들이 자기 새끼를 정확히 가려낼 수 없게 되었기 때문이다.

이러한 가설의 각 부분은 보노보의 진화 경로를 재구성하고자 하는 과학자들에게서 면밀히 검증받아야 할 것이다. 그리고 언제나 예외적인 경우가 있을 수 있다는 것을 특별히 명심해야 한다. 가령 유아 살해가 보노보 사회에서 조금이라도 발견되거나 또 암컷 지배 현상이 현재 연구자들이 생각하는 것만큼 일반적이지 않다면 큰 문제가 제기될 것이다. 소수의 예외가 모델 전체에 타격을 줄 것 같지는 않지만 그래도 언젠가는 재검토가 필요하게 될 것이다.

위의 가설은 또 몇 가지 흥미로운 질문을 제기하고 있다. 나는 남성들이 큰 소리로, 그것도 아주 비난 섞인 목소리로 항의하는 것을 듣곤 했다. "대체 이 보노보 수컷이란 놈들은 왜 암컷이 맘대로 하도록 그냥 내버려두는 거요?" 하지만 이렇게 말하는 것이 과연 정확한 것일까? 내버려둔다는 말은 보노보 수컷에게 선택권이 있다는 것을 전제하고 있다. 하지만 만일 선택권이 없다면? 또는 다른 질문에 대해 생각해보자. 보노보의 사회 체계가 그렇게 유리한 것이라면 왜 침팬지는 보노보와 동일한 진화 경로를 밟지 않았을까? 의심할 것도 없이 환경적 조건이 핵심적인 요인이었다. 여러 마리의 암수가 한꺼번에 모여서 먹을 수 있는 풍부한 먹이가 없었다면 보노보에 대한 가설 전체를 결코 생각할 수도 없었을 것이다. 보노보 공동체들이 먹이를 찾아 헤매기 위해 뿔뿔이 흩어져야 한다면 어떻게 암컷들 사이에서 연대감이 생기겠으며 연대감이 생겼다 한들 무슨 효과가 있었겠는가?

보노보 수컷들이 암컷들의 야심을 꺾기 위해 단결하지 않는 것은 아마 지배하는 위치에 섰을 때 얻을 수 있는 보상이 굳건하게 협력할 정도로 충분하지는 않기 때문일 것이다. 수컷들은 언제나 짝짓기의 우선권을 놓고 경쟁하기 때문에 이들이 동맹을 형성하는 것은 꽤나 까다로운 과정일 수밖에 없다. 여기서 관건은 최종적인 승자뿐만 아니라 동맹의 양쪽 당사자들이 이로부터 과연 무엇을 얻을 수 있는가에 달려 있다. 그런데 상호 이익이 돌아가도록 타협하는 법을 아는 동물은 거의 없다. 침팬지 수컷들만이 주목할 만한 예외라고 할 수 있다. 이들은 높은 지위에 오르는 과정에서 신세를 진 수컷 동맹자들에게 선별적으로 먹이를 나눠주고 성적 특권도 분배한다. 그러나 보노보처럼 수컷이 사냥을 거의 하지 않고 또 발정기에 있는 암컷도 상대적으로 풍부한 사회에서는 분배할 일이 별로 없다. 예를 들어 발정기를 맞은 암컷들이 많아 경쟁 상대인 수컷들이 마음대로 짝짓기를 할 수 있는데 굳이 암컷 한 마리를 두서너 마리의 수컷들이 지키고 있을 필요가 있을까? 암컷들을 두고 개별적으로 경쟁을 벌여서 수컷이 이득을 볼 수도 있는 반면 한 마리의 암컷을 독점해서 얻을 수 있는 이득은 결코 동맹을 형성하는 것이 오히려 더 매력적인 전략이 되는 지점에 다다를 수 없을 것이다.[9]

이처럼 수컷들이 협력할 수 있는 견실한 토대가 부재하는 것 이외에도 어미의 영향력이 점점 더 커진다는 것 또한 이유가 될 수 있다. 암컷의 서열이 높을

배에 갓난 새끼를 안고 등에는 조금 더 자란 새끼를 업고 있는 보노보 암컷의 모습. 출산 간격이 짧아졌기 때문에 이 보노보 엄마는 혼자서 새끼를 양육해야 하는 무거운 짐을 짊어지고 있다.

수록 어미는 높은 서열을 차지하고 싶어하는 아들을 그만큼 더 효과적으로 도와줄 수 있다. 수컷들에게 어미의 도움이 다른 수컷들의 도움만큼이나 효율적인 것이 되면 수컷들 사이에 동맹을 형성하려는 경향도 크게 줄어들게 된다. 그리고 점점 더 어미처럼 〔수컷들보다 훨씬〕 덜 변덕스러운 조력자에게 의지하는 것이 유리해진다. 그렇게 되면 결국 이동하는 무리의 핵심은 암수 구성원들 사이의 연합에서 무리 내 고참 암컷들간의 연합과 모자 연합으로 옮겨가게 된다. 이렇게 되면 더이상 암수 사이에 먹이를 대가로 섹스를 해야 할 필요도 없어진다. 암수가 먹이를 대가로 섹스를 하는 것은 암컷이 무리를 지배하기 전의 과거의 흔적인 것 같다. 지금은 주로 어린 암컷들이 처음에 이러한 방식을 택하고 있다.

우리의 사회 체계는 보노보와 비슷한 사회 체계에서 파생되어 나온 것일까? 만약 보노보와 같은 조상들이 출발점이었다면 인류의 진화는 극적인 변화를 겪어야 했으리라. 먼저 아주 길어진 발정기는 그대로 유지한 채 성기가 부풀어오르는 현상이 사라지고 암컷 지배도 전복되어야 했을 것이다. 또한 남성들이 사냥과 전쟁에서 동맹을 강화하는 방향으로 발전하고 핵가족도 만들어졌을 것이다. 어떻게 또 왜 이러한 변화가 일어나야 했는지는 분명하지 않다. 따라서 유인원과 인류의 공동 조상에게는 성기를 장기간 부풀리는 특징이 없었고, 수컷 지배와 수컷들간의 협동을 찾아볼 수 있었다고 가정하는 편이 훨씬 더 간편할 것이다. 후자의 측면과 관련하여 침팬지와 같은 사회 체계에서 우리 인간의 사회 체계로 넘어오는 데는 그리 많은 변화가 필요하지는 않았을 것이다. 인간이라는 종도 최소한 수컷들간의 적극적인 동맹을 알고 있으니 말이다. 하지만 가족을 근간으로 하는 사회는 보노보보다는 침팬지와 훨씬 더 무관한 것 같다.

현재 가장 안전한 가설은 인류와 침팬지, 보노보 이 세 종이 공동 조상으로부터 갈라져 나온 후 각각 독자적으로 진화해왔다고 보는 것이다. 안타깝지만 그래도 '잃어버린 고리'의 사회 생활과 관련된 의문은 풀리지 않은 채로 남는다. 현존하는 어떤 종도 모델로 택할 수는 없다. 그러나 좋은 소식은 보노보에게서 이 미스터리를 풀 수 있는 또다른 열쇠를 찾을 수 있다는 것이다. 보노보는 현생 인류와 침팬지에게서는 찾아볼 수 없는 고대 조상의 특징을 간직하고 있는 것 같다. 보노보는 정말 독특한 사회 조직을 보여주는데, 이것은 우리 조상의 몇몇 특징이 보편적인 것이라고 우기는 사람들의 입을 다물게 할 것이다. 침팬지와 보노보처럼 아주 가까운 사촌간에도 그렇게 많은 차이가 있다면 이를 통해 이제까지 많은 사람들이 생각해온 것과 달리 (문화적 의미에서만이 아니라 진화론적으로도) 우리 인간의 핏줄 속에도 융통성이 내재되어 있다는 암시를 얻을 수 있을 것이다.

무엇보다도 보노보와 침팬지는 우리 인류로부터 등거리에 있다는 점을 명심해야 한다. 양자를 비교하여 우리와 더 가까운 종을 고르는 것은 의미가 없는 일이다. 이데올로기적인 이유로 보노보를 '잃어버린 고리'의 모델로 내세우고 싶어하는 사람들은 진화 생물학은 그러한 선별적 배려를 전혀 허용하지 않는다는 것을 깨달아야 한다. 파이 전체를 먹지 않고 찔끔찔끔 조금씩 뜯어먹어서는 맛을 알 수 없을 것이다. 보노보가 우리 인류의 조상의 모델로 인정받기 위해서는 진화론적으로 완전한 틀이 갖추어져야 한다. 그리고 이 틀은 비비, 고릴라, 침팬지, 그리고 그 밖의 다른 많은 영장류의 행동까지도 설명할 수 있어야 할 것이다. 대부분의 생물학자들은 개별 종의 진화보다는 적응과 자연 선택의 일반 원칙을 밝히는 것이 훨씬 더 중요하다고 생각한다. 물론 우리와 아주 가까운 사촌간이라는 것을 생각해보면 보노보가 인류의 진화라는 퍼즐에서 핵심적인 한 조각인 것은 사실이지만 과학이 진정으로 풀고자 하는 것은 퍼즐 전체이다.

따라서 우리의 과거를 가장 성공적으로 재현하는 일은 이처럼 커다란 진화론적 맥락에서 보노보와 침팬지 그리고 인간의 3자를 포괄적으로 비교하는 것에 기반해야 할 것이다.

의사소통

참으로 다양한 보노보의 목소리는 매우 독특하고 잘 발달되어 있다. 침팬지에 비해 보노보의 목소리가 훨씬 더 고음이기 때문에 두 종을 구별하는 가장 쉬운 방법은 목소리를 들어보는 것이다. 어두운 숲 속에서 시각적인 신호는 아주 짧은 거리에서만 유용하기 때문에 목소리가 유일한 의사소통 도구이다. 어떤 보노보가 소리를 지르면 구성원들은 함께 모이기도 하고 흩어지기도 한다. 보통 보노보들은 같은 무리에 있는 개체들의 목소리를 정확히 구별해낼 수 있는 것 같다.

찰스 다윈은 인간과 다른 영장류들의 얼굴 표정이 유사하다는 사실에 주목했다. 젊은 수컷의 신경질적인 웃음(위 왼쪽)과 어린 새끼의 뾰로통한 표정(위 오른쪽)은 보노보가 자신의 감정을 나타낼 때 자주 보이는 표정이다. 그 밖의 다른 표정들은 좀더 신중하며, 감정을 잘 나타내지 않는다. 포획된 이 암컷(옆쪽)은 사진작가에게서 반응을 끌어내려고 길게 하품을 하듯 입을 크게 벌리고 있었다.

보노보 수컷은 무리가 이동할 때 아주 중요한 역할을 하는 것 같다. 어른 수컷 보노보 한 마리가 커다란 나뭇가지를 질질 끌면서 숲 속으로 달려가고 있다(오른쪽). 수컷의 이런 짤막한 행동은 커다란 소음을 야기해 무리의 주목을 끌어 이동을 시작하게 만든다. 왐바에서 보노보의 이런 행동을 수백 차례에 걸쳐 관찰한 미국의 인류학자인 앨런 잉그맨슨은 이들이 무리의 다음 행선지의 방향을 예고한다는 것을 밝혀냈다. 이러한 과시 행동의 연출자들은 동료들에게 갈 곳을 "제안하는" 것 같다 — 자기가 알고 있는 과일 나무가 있는 곳이나 정기적으로 먹이를 찾아가는 장소 따위를 말이다.

얼굴 표정과 목소리를 이용한 의사소통 외에도 유인원들은 몸짓을 이용해 상대방에게 의사를 전달한다. 사진은 어린 보노보 두 마리가 놀이에 들어가기에 앞서 몸짓을 교환하고 있는 모습을 보여준다. 보노보는 보통 오른쪽 손을 이용하여 의사를 표현하는데, 이로 보아 인간의 언어를 관장하는 것과 유사한 뇌 기능의 수평적 분화가 보노보에게도 있지 않았나 싶다.

6

풍부한 감수성

1978년에 와세나 동물원에서 처음으로 보노보를 보았을 때 나는 보노보를 침팬지와 비교해보고 싶어 안달이 나 있었다.[1] 당시 나는 "피그미 침팬지"라는 널리 알려져 있던 이름이 암시하는 것보다는 몸짓이 아주 큰 것뿐만 아니라 특히 이들의 시선에서 느껴지는 호기심과 다정함 때문에 상당히 놀랐다. 그들의 눈은 정말 생동감이 넘쳤고 자신들을 둘러싼 사람들에게 숨김없는 흥미를 나타냈다. 나같이 아주 낯선 이방인에게까지 말이다!

그때까지만 해도 이 종의 사회 생활에 대해서는 거의 알려진 것이 없었다. 당시에 오늘날에 알려져 있는 것만큼만 보노보에 대해서 알려져 있었어도 보노보는 틀림없이 연구자들의 근심거리가 되었을 것이다. 아마 모르긴 해도 보노보는 지구 위의 생명의 일반 원리에 관심을 가진 사람들 누구에게서나 "비정상"이라고 낙인이 찍혀 무시되고 말았을 것이다. 당시에 사람들은 스스로를 서로를 죽이는 데 혈안이 되어 있는 추악한 사냥꾼 유인원으로 생각하고 있었다. 따라서 당시 유인원을 대표하는 모델로 침팬지 이상 가는 것이 없었다 — 특히 침팬지가 같은 종끼리도 서로 죽이고 잡아먹는다는 것을 발견한 후에는 그런 분위기가 더 팽배했다. 보노보는 이러한 생각과 흐름에 전혀 맞지 않았다.

그러나 이제 시대가 변했다. 우리는 이미 인류가 지닌 공격적 성향에 대해 이골이 날 정도로 들어왔다. 물론 우리도 그러한 것이 존재한다는 것은 인정한다 — 매일 보도되는 뉴스만 보아도 기사의 대부분이 잔혹한 사건들로 채워져

암컷인 "보모" 보노보가 나무 타기를 하고 있는 다른 암컷의 새끼와 놀고 있는 모습.

있다. 그리고 그러한 경향이 타고난 것이라는 것도 알고 있다. 적어도 대부분의 생물학자들은 그렇게 생각하고 있다. 하지만 이와 동시에 우리의 관심은 이러한 성향들을 제어하고, 평화로운 공존을 가능하게 해주는 메커니즘 쪽으로도 옮겨져왔다. 상대적으로 비폭력적이며 평등하며 여성 중심적인 보노보 사회는 이와 관련해 시사하는 바가 많을 것이다. 물론 보노보 사회에도 경쟁이 존재하기는 하지만 사회적 반목을 해결하는 보노보의 능력은 실로 탁월하다.

이제까지 내가 추론해본 보노보 사회의 기원은 진화론적인 측면에만 치우쳐 있다. 정작 동물들 자신들은 현재의 행동 방식이 어떤 과정을 거치면서 진화해왔는지 알지 못한다. 자신들의 행동이 재생산〔생식〕에 미칠 결과나 부계의 인식이 모호해진 결과로 얻을 수 있는 이익을 계산할 수 있는 것도 아니다. 암컷들도 자기 맘대로 성기의 부풀림을 조정하는 것이 아니며 수컷들도 의식적으로 유아 살해를 억제하고 있는 것이 아니다. 행동 방식을 포함해 생식을 증진시키는 보노보의 천성적인 특징들은 이들의 의식적인 결정에 따라 그렇게 된 것이 아니라 한 세대에서 다음 세대로 전해진 것일 뿐이다. 특정한 행동 방식이 왜 자연 선택에 의해 선호되었는지를 추론하는 것과 이들이 하루하루 어떤 삶을 살고 있는지를 이해하는 것은 전혀 별개의 문제이다.

유인원들의 일상은 매일 긴장을 피하거나 줄이고 기쁨을 찾거나 주고, 결속을 유지하고, 새끼를 보호하며 또 충분한 먹이를 구하기 위한 결정을 내리는 일을 중심으로 전개된다. 보노보들은 어떤 종류의 사회를 만들지를 미리 지시하는 정신적 · 생리적[2] · 사회적 기질을 타고나는 것 같다. 이중 가장 핵심적인 기질은 내가 첫 만남부터 눈치챘던 감수성으로, 이것은 인간들 사이에서라면 "공감"이나 "감정 이입"이라고 부를 어떤 것의 토대를 마련해준다.

보노보들은 다른 개체의 의도나 감정을 이해할 수 있기 때문에 관계를 부드럽게 하고 도움이 필요한 경우에 서로 돕고 성적인 경험도 더 풍요롭게 할 수 있다. 예를 들어 분쟁이 해결되려면 동료를 괴롭히는 문제를 미리 간파해야 하며, 불만을 예방하기 위해서는 무엇을 해야 하는지를 알아야 한다. 우리는 섹스를 할 때도 보노보들은 눈빛을 보고 상대방의 기분을 배려하며 행동을 조절한다는 것을 암시하는 많은 자료를 앞에서 보아왔다. 또 통상 상대방의 성기를 어루만져주는 등 자기는 흥분 상태에 있지 않아도 상대를 성적으로 흥분시키는 행동도 할 줄 안다. 이런 행동은 이들이 무엇이 상대방을 기쁘게 하는지를 알고 있다는 것을 암시하고 있지 않은가?

엄지손가락을 빠는 것은 이유기에 들어간 영장류 새끼들이 입에서 만족감을 얻기 위해 일반적으로 하는 행동이다.

다른 존재에 대한 섬세한 배려

과학자들은 인간 이외의 영장류들이 과연 다른 개체의 의도나 생각, 감정을 이해할 수 있는가 하는 연구를 점차 활발하게 진행하고 있다. 영장류들도 정신적으로 다른 개체의 입장을 헤아릴 수 있을까? 다른 개체의 필요나 요구를 알아차릴 수 있을까? 여기 보노보에게 다른 개체의 입장을 헤아리는 소중한 능력이 있음을 보여주는 일화가 몇 가지 있다.

새는 날아야 한다

영국의 트위크로스 동물원에서 근무하는 숙련된 조련사인 베티 왈시는 쿠니라는 이름의 7살짜리 암컷 보노보가 다음과 같은 행동을 하는 것을 목격했다.

어느 날 쿠니가 찌르레기 한 마리를 잡았다. 찌르레기가 다친 것 같지는 않았지만 이 기절한 가여운 새를 쿠니가 괴롭힐지도 모른다고 생각한 베티는 쿠니에게 새를 놓아주라고 명령했다. 베티의 재촉 때문이었겠지만 쿠니는 찌르레기를 밖으로 내밀더니 가만히 원래 있던 대로 똑바로 세워놓았으나 새는 돌로 굳은 듯 꼼짝도 하지 않았다. 한참을 쳐다봐도 새가 움직이지 않자 쿠니가 새를 살짝 던져보았는데 찌르레기는 잠시 퍼덕거리다가 다시 떨어지고 말았다. 이에 만족하지 못한 쿠니는 한 손으로는 새를 움켜쥐고 우리에서 가장 큰 나무 위로 올라갔다. 두 다리를 나무 줄기에 감고 있었기 때문에 두 손을 자유롭게 해 새를 쥐고 있을 수 있었다. 그러한 자세로 조심스럽게 찌르레기의 날개를 편 쿠니는 두 손에 각각 한 짝의 날개를 쥔 다음 있는 힘껏 우리 밖을 향해 새를 날려보냈다. 하지만 불행하게도 새는 얼마가지 못하고 해자 가장자리에 떨어졌다. 그러자 쿠니는 한참동안 호기심 많은 어린 보노보들이 이 새를 괴롭히지 못하게 보호해주었다. 저녁 무렵이 되자 찌르레기는 흔적도 없이 사라져버렸다. 아마도 충격에서 회복된 뒤 날아간 것 같았다.

물을 먹여주는 보노보

1971년에 샌디에이고의 보노보 동물원에서 토마스 패터슨은 보노보가 다른 개체가 바라는 것을 이해하는 모습을 관찰할 수 있었다.

린다의 두 살 된 딸이 뾰로통한 표정으로 어미를 쳐다보면서 애처로운 목소리로 끙끙대고 있었다. 보통 새끼가 이런 행동을 하는 것은 젖을 달라는 의미였지만 린다의 새끼는 모두 사람이 키웠다. 이 새끼가 무리에 다시 돌아온 것은 린다의 젖이 다 마르고 난 한참 후였다. 어미는 우물로 걸어가서 입안에 물을 가득 머금었다. 그런 다음 딸이 있는 곳으로 돌아가 입을 오므려서 물을 받아먹을 수 있게 해주었다. 이런 식으로 린다는 세 번에 걸쳐 새끼에게 물을 날라다 주었다.

도움의 손길

밀워키 카운티 동물원에 있는 스무 살 된 보노보인 키도고는 심각한 심장병으로 고생하고 있었다. 기력이 소진된 키도고는 수컷 어른으로서의 힘도 자부심도 모두 잃어버리고 있었다. 처음에 밀워키 카운티 동물원으로 옮겨왔을 때 키도고는 낯선 건물에서 관리인이 자꾸 이래라저래라 하는 바람에 완전히 혼란에 빠지고 말았다. 키도고는 사람들이 한 장소에서 다른 장소로 움직이라는 명령을 내려도 어디로 가야 할지 전혀 이해할 수 없게 되었다.

그러나 이동 명령이 떨어질 때마다 무리에 있던 다른 보노보들이 키도고에게 다가가 그의 손을 잡고 가야 할 길로 이끌었다. 동물원 관리인이자 사육사였던 바바라 벨은 이처럼 보노보들이 자발적으로 키도고를 돕는 모습을 많이 목격했으며, 그녀 스스로도 키도고를 이동시키기 위해 다른 보노보의 도움을 청하는 법을 알게 되었다. 길을 잃고 당황한 키도고가 애절한 소리로 부르짖고 있으면 다른 보노보들이 그를 진정시키고 바른 길로 인도해주었다. 키도고를 많이 도와준 보노보 중에는 수컷 서열 1위인 로디도 있었다. 이렇게 보노보 수컷들이 손을 맞잡고 걸어가는 모습을 보면 수컷들은 서로 돕지 않는다는 생각은 저 멀리 사라져버린다.*

키도고의 상태를 이용해먹으려는 보노보는 단 한 마리뿐이었다. 머프라는 이 다섯 살 된 수컷은 자기를 방어할 힘이 없는 불쌍한 키도고를 자주 괴롭혔다. 그러면 로디가 종종 둘 사이에 끼어들어 키도고를 괴롭히는 머프의 발목을 잡아끌거나 팔로 키도고를 감싸안고 지켜주기도 했다.

* 그럼에도 불구하고 수컷들은 효과적인 연합 전선을 구축하는 데는 실패했다. 밀워키 카운티 동물원에 있는 세 마리 수컷, 즉 키도고와 다른 건장한 수컷 두 마리는 가장 나이가 많은 암컷 보노보의 지배를 확실하게 받고 있었다.

자매애

연구를 하는 동안 에이미 패리쉬는 동물원에 있는 보노보들과 아주 가까운 사이가 되었다. 그러자 암컷들은 패리쉬를 마치 자신들의 동료처럼 대하기 시작했다. 하루는 샌디에이고 동물원의 보노보들에게 샐러리 속을 나눠주자 언제나 그렇듯이 암컷들이 거의 대부분을 차지해버렸다. 그때 패리쉬가 사진을 찍으려고 보노보들에게 자기를 쳐다보라는 몸짓을 했다. 먹이 대부분을 차지하고 있던 루이스는 패리쉬가 먹이를 달라고 애원하는 것으로 오해하고 시선을 맞추지 않았다. 그렇게 10분 정도 패리쉬를 외면하던 루이스는 갑자기 자리에서 일어나더니 샐러리를 나눈 후, 루이스의 시선을 끌기 위해 필사적으로 노력하고 있던 패리쉬를 향해 해자 밖으로 던져주었다.

패리쉬는 연구에 사용할 배설물을 얻는 데 전혀 어려움이 없었다. 하루는 패리쉬가 양손에 배설물을 들고 있는 암컷을 설득하여 일부를 얻은 적이 있었다. 주말 무렵 패리쉬가 다른 보상을 하지 않았는데도 암컷 네 마리가 배설물을 자발적으로 그녀에게 내주었다. 이 암컷들은 패리쉬가 우리 안으로 들어오는 것을 보자마자 배설물을 찾기 시작했던 것이다. 훗날 패리쉬는 슈투트가르트에 있는 빌헬마 동물원에서 연구를 하게 되었다. 이 동물원에는 패리쉬가 전에 연구하던 샌디에이고에 있던 한 보노보의 딸인 리나가 살고 있었는데, 이 암컷은 패리쉬의 유별난 취향을 정확히 기억하고 있었다. 패리쉬는 리나의 배설물을 수집한 적이 없었지만 이 젊은 암컷은 패리쉬에게 지독한 냄새를 풍기는 선물을 넘겨주었다.

오랫동안 슈투트가르트의 보노보들을 떠나 있던 패리쉬가 동물원을 다시 찾았을 때였다. 패리쉬가 그동안 낳은 갓난 아들을 보노보들에게 보여주자 대장 암컷은 흘끗 쳐다보더니 갑자기 근처에 있는 우리 안으로 사라졌다. 잠시 후에 다시 돌아온 이 보노보의 품에는 자신의 어린 새끼가 안겨 있었다.

보노보는 인지적으로 특별히 상대의 감정을 읽을 수 있고 다른 보노보의 생각을 파악할 수 있도록 진화되어왔을까? 간단히 말해 보노보는 감정 이입을 가장 잘 하는 유인원일까? 만약 그렇다면 지능을 판단할 때 도구의 사용처럼 눈에 보이는 모습에만 초점을 맞춰 보노보를 평가하는 것은 잘못된 일일 것이다.

보노보들도 도구를 사용하기는 하지만 이 도구는 예를 들어 먹이를 찾는 데

보다는 대개는 사회적 용도로 사용되는 것 같다. 바바라 프루트와 고트프리드 호만이 로마코 숲에서 발견한 '은밀한 보금자리(taboo nest)'가 그러한 사례가 될 것이다. 보노보들은 밤을 지내기 위해 나무에 보금자리를 만든다. 하지만 이 보금자리는 낮에 휴식을 취하고 털 고르기를 하거나 노는 장소이기도 하다. 이 은밀한 보금자리는 무척 사적인 장소로 그것을 만든 보노보와 아무리 가까운 사이라도 함부로 들어갈 수 없다. 예를 들어 새끼도 예외가 아니어서 어미가 허락하지 않는 한 절대 어미의 보금자리에 들어갈 수 없다. 새끼는 그저 어미가 부를 때까지 주변에서 애절한 얼굴 표정과 슬픈 목소리로 들어가게 해달라고 애원할 뿐이다.

보금자리가 "개인적인 공간"을 구획하는 것인 한 이 공간의 분배는 만든 이의 권한이므로 암컷은 이를 이용해 젖을 떼거나 젖을 떼기에 적당한 나이가 된 새끼들을 다른 보금자리로 보낼 수도 있다. 또한 이 보금자리를 피신처로 이용해 갈등을 피할 수도 있다. 프루트와 호만은 보노보들이 좋아하는 먹이를 먹을 때 동료가 가까이 오자 나뭇가지를 몇 개 꺾어 재빨리 간단한 보금자리를 만드는 모습을 십여 차례 관찰할 수 있었다. 안전하게 보금자리를 만든 보노보는 다른 동료에게 방해받거나 자리를 내주지 않고 느긋하게 먹이를 먹었다. 또다른 예도 있는데, 이때는 먹이와는 전혀 상관이 없는 상황이었다. 다른 어른 수컷에게 쫓기던 어른 수컷 한 마리가 나무 위로 달아나더니 재빨리 보금자리를 만들었다. 그러자 쫓아오던 수컷이 나무 밑에서 멈추더니 그대로 발길을 돌렸다.

아마 앞으로는 보노보들이 타인의 감정과 요구에 어떻게 반응하는지를 연구하는 것이 가장 흥미로운 연구 영역임이 입증될 것이다. 구어로 된 영어를 파악하는 칸지의 빼어난 능력을 생각해보라. 칸지의 이러한 능력은 언어 습득 기술이라는 관점보다는 실제로 사회적 인지 능력이라는 관점에서 바라보아야 더 잘 이해될 수 있을 것이다. 사람의 말을 이해한다는 것은 사람이 내뱉고 있는 소리의 이면에 있는 의도를 간파한다는 것을 의미한다. 칸지는 또 동료 보노보 중 일부는 자기처럼 사람의 언어를 이해하지는 못한다는 사실을 알고 있는 것 같았다. 칸지가 종종 언어를 모르는 보노보들에게 언어를 가르쳐주려고 했던 것이다. 한번은 인간의 언어를 거의 이해하지 못하는 어린 여동생 타물리와 함께 있는 칸지를 촬영한 적이 있다. 수 세비지-럼바우는 사람의 음성을 통한 몇 가지 간단한 질문에 답하는 법을 타물리에게 가르치려 했지만 그런 훈련을 받아본 적이 없는 타물리는 어쩔 줄을 몰라 하며 쩔쩔맬 뿐이었다. 럼바우는 계속해서 타물리에게 말을 걸며 질문이 뜻하는 바를 알려주려 했지만 막상 그녀의 말뜻을 알아들은 것은 타물리의 오빠였다. 한번은 타물리에게 칸지의 털을 골라주라고 하자 칸지는 타물리의 손을 잡더니 턱 밑으로 가져가서 가슴과 턱 사이를 지그시 눌렀다. 그러한 자세로 칸지는 이것이 무엇을 의미하는지 알아맞혀 보라는 듯이 타물리를 빤히 쳐다보았다. 칸지가 여러 번 같은 동작을 반복하자 타물리는 어떻게 해야 할지 망설이면서 손가락을 칸지의 가슴에 올려놓았다.[3]

또한 칸지는 사람들의 명령이 자기를 향한 것인지 아니면 다른 보노보를 향한 것인지도 정확히 구별할 수 있었다. 칸지는 단지 타물리에게 주어진 명령을 대신 수행할 뿐만 아니라 실제로 타물리의 손을 잡고 자기 행동을 따라하게 만들기도 했다. 칸지는 여동생의 학습 능력이 떨어진다는 것을 잘 알고 있었고, 안타까운 마음에 어떻게 해야 할지를 가르쳐주려 했던 것이다. 앞의 여러 장에서도 보노보의 이러한 능력을 보여주는 많은 일화들을 찾아볼 수 있었다(이를테면 어린 보노보가 놀고 있는 해자에 물을 부으려고 하는 관리인을 저지한 카코웨 이야기). 하지만 가장 놀라운 이야기는 트위크로스 동물원에서 있었던 쿠니와 찌르레기에 관한 이야기가 아닌가 한다(198쪽 참고). 자기와는 완전히 다르게 생긴 존재와 동일감을 느끼고 평소에 보여준 모습 그대로 그 존재를 놓아준 것은 내가 보기엔 어떤 복잡한 도구의 사용보다도 훨씬 더 인상적인 것이었다.

불행하게도 아직까지는 보노보가 다른 개체의 생각을 이해할 수 있는가에 대해 실험한 예가 없다. 지금 그러한 연구는 침팬지와 어린아이들을 대상으로 점점 더 많이 진행되고 있다. 보노보를 실험 대상에 추가하면 아마도 놀라운 통찰을 얻을 수 있을 것이다. 70여 년 전 로버트 여키스는 어린 보노보였던 프린스 침이 병을 앓고 있던 동료인 침팬지 팬지에게 보여준 행동에 어찌나 놀랐는지 이렇게 기록하고 있다. “팬지를 돌보는 프린스 침의 이타적이고 누가 봐도 동정심 어린 행동을 솔직하게 말하면 사람들은 나를 보고 유인원을 미화하는 이상주의자라고 비난할 것이다.”[4] 이처럼 보노보가 독립된 단일 종으로 구분되기 전에 영장류의 기질을 연구한 위대한 전문가 중의 하나가 벌써 이 종의 주요한 정신적 특성을 감지해냈던 것이다.

인간의 진화 과정에 완전히 새로운 빛을 비쳐줄 가까운 사촌 종을 발견한 것은 이 세기를 살아갈 많은 인류학자와 영장류학자들에게는 분명 축하해야 할 가장 커다란 행운 중의 하나임에 틀림없다. 보노보는 우리가 어디에서 왔으며 우리에게 잠재된 행동 방식이 어떤 것인지에 관한 기존의 관념들을 뒤집어엎고 있다. 보노보가 아니었다면 우리 인류가 언어, 문화, 도덕, 가족 구조 등과 관련하여 다른 뚜렷한 특징을 많이 갖고 있음에도 불구하고 틀림없이 인간의 공격성과 사냥, 그리고 전쟁을 강조하는 전통적인 진화 가설이 여전히 우리의 논의를 지배하고 있을 것이다. 물론 보노보는 우리의 조상이 아니라 다른 식으로 특수하게 진화한 친척일 뿐이지만 여성 중심의 평화로운 사회를 건설하며 살아가는 보노보는 우리 종에 대한 기존의 진화 가설 전반을 재고해보도록 만들고 있다.

어느 누가 암컷들이 연합하여 수컷을 위협하고, 성 행동이 우리 인간만큼이나 풍부하며, 다른 집단들끼리 싸우는 것이 아니라 어울려 살며, 또 어미가 중심적인 역할을 하며, 가장 뛰어난 지적 성취가 도구의 사용이 아니라 다른 이를 배려하는 섬세한 감수성인 동물이 우리의 사촌으로 존재하고 있다는 것을 상상이나 했겠는가? 1960년대에 이러한 특성을 우리 인류와 가까운 혈통이 지닌 특성이라고 주장하는 과학자가 있었다면 그는 필시 웃음거리밖에는 안 되었을 것이다! 하지만 오늘날에는 점점 더 많은 사람들이 이러한 설명에 기꺼이 귀를 기울이고 있다 — 단순한 추측이 아니라 확실한 증거들이 더욱더 많아지고 있기 때문에 더욱더 그러하기도 하다. 그럼에도 불구하고 인류의 진화를 연구하는 학자들 사이에서 보노보에 대한 가설이 완전히 인정받으려면 적어도 한 세대는 더 지나야 할 것이 분명하다.

우리는 그때까지 이 아름다운 종이 야생에서 살아남기를, 그래서 활발한 현장 연구가 계속되기를 바랄 뿐이다. 또한 우리는 얼마 안 되는 포획된 보노보가 성공적으로 번식하여 보노보의 인지 능력과 행동 방식을 앞으로도 지속적으로 깊이 있게 연구할 수 있기를 기도해야 한다.

보노보 연구는 이제 막 서막이 올랐을 뿐이다.

사회 생활

보노보는 사회성이 고도로 발달한 동물이다. 그래서 경쟁자와 동료가 함께 모이는 대규모 무리를 이루는 경우도 종종 있다. 보노보가 그토록 복잡하면서도 정교한 의사소통 방식을 만들 수 있었던 것도 아마 이런 성향 때문이었을 것이다. 보노보가 타인을 배려하는 섬세한 감수성을 갖고 있다는 것은 앞서 언급한 일화뿐만 아니라 그들이 자주 몰두하는 상호간의 신체 자극에서도 알 수 있다. 사진 속의 어른 암컷은 어린 보노보의 눈을 좀더 잘 들여다보기 위해 어린 보노보의 털을 들어올리고 있다.

영장류들이 먹이를 나눠 먹는 것은 매우 드문 일이다. 이런 습성은 보노보를 포함한 극소수 종에서만 나타나는데, 이들은 먹이가 있는 장소를 알리는 독특한 소리 신호와 먹이를 조르는 독특한 몸짓을 사용한다. 어른 암컷이 먹이를 갖고 있는 동료에게 다가가고 있다(왼쪽). 새끼가 먹이를 씹고 있는 어미에게 한 조각만 달라고 애원하며 손을 내밀고 있다(위).

인간의 아기는 다른 어떤 종의 유아들보다 어미와 더 자주 눈을 맞춘다고 주장하는 사람들이 많다. 설령 그것이 사실이라 해도 영장류의 어미들 역시 그에 못지않게 새끼들과 눈을 맞추기 위한 놀이를 자주 한다. 땅 위에서 대부분의 시간을 보내는 포획된 유인원들이 가장 자주 하는 놀이는 "비행기 태우기" 놀이이다.

보노보 사회에는 "2차 자매애"라 불릴 만한, 혈연관계가 없는 암컷들이 맺는 강한 결속 외에도 또 하나 무시하지 못할 결속이 존재한다. 어미와 아들의 관계가 그것이다. 이들은 태어나서 죽을 때까지 아주 견고한 관계를 유지한다. 딸들도 처음에는 어미와 긴밀한 관계를 유지한다(오른쪽). 그러나 사춘기에 접어들면 딸들은 어미에게서 멀어지는 반면 아들은 언제나 어미 곁에 있으면서 어미의 보살핌을 받는다(위).

에필로그:
보노보의 오늘과 내일

이 책을 읽는 독자들 중에는 책을 읽기 전까지만 해도 보노보라는 이름을 들어본 적이 없는 사람이 많을 것이다. 보노보의 서식지가 세계의 오지 중의 오지일 뿐만 아니라 보노보를 볼 수 있는 동물원이 극소수에 불과하기 때문이다. 인간의 손에 잡힌 침팬지는 수천 마리가 넘는 데 비해 보노보는 불과 몇백 마리도 안 된다. 야생에 살고 있는 보노보의 숫자로 미루어볼 때 이 종이 멸종 위기에 처해 있다는 것은 거의 확실하지만 실제로 어떤 정도로 그러한 상태에 있는지는 지금으로서는 확실하지가 않다. 아직은 수많은 다른 동물들을 위협하고 있는 운명을 피해가기에 그렇게 늦은 시점이 아닐지도 모른다. 다행히도 보노보는 비교적 사람의 손길이 닿지 않는 외진 곳에 살고 있으니까 말이다.

보노보가 사는 곳

보노보는 열대 지방에서도 가장 인구 밀도가 낮고 개발도 가장 덜 된 곳 중의 한 곳에 살고 있다. 자이르의 에쿠아테르 주 큐벳 센트럴 지역은 세계에서 두번째로 크고 우거진 열대 우림 지역으로 지금까지 남아 있는 아프리카 열대 우림의 절반 정도를 차지하고 있다. 접근하기가 워낙 힘든 이 지역에서 가장 믿을 만한

보노보를 사육하고 있는 몇 안 되는 동물원에서 방문객들은 보노보를 자세히 볼 수 있다. 오랫동안 끈기 있게 보노보를 지켜보고 있으면 쉬거나 털 고르기를 하는 보노보의 다양한 사회 생활을 관찰할 수 있을 것이다. 사진은 신시내티 동물원의 모습이다.

왐바로 가는 제일 큰 길도 네 바퀴 달린 교통수단이 들어가기에는 너무 비좁다. 자전거도 사치에 속한다. 이런 도로 사정은 이 지역 경제에 악영향을 미치지만 보노보에게는 차라리 축복이라 하겠다.

교통수단은 직접 걸어서 들어가거나 카누를 타고 가는 방법뿐이다. 이렇게 광대한 원시림 지역에서 보노보는 세상과 격리된 채 살아가고 있다.

보노보 서식지는 북쪽과 서쪽으로는 커다란 자이르 강이, 동쪽으로는 로마니 강이, 남쪽으로는 카사이 강과 산쿠루 강이 감싸고 있다. 보노보가 분포되어 있는 지역의 면적은 84만 4백 제곱킬로미터로 추정되지만 실제로 보노보가 활동하는 지역은 이 면적의 1/4 정도로 추정되고 있다.

보노보는 이 지역의 북쪽에 상대적으로 더 많이 분포되어 있고 남쪽에는 적은 수가 산재해 있는 듯하다. 주요한 연구 기지인 로마코와 왐바는 북쪽에 있다. 그 밖에 릴룽구와 얄로시디, 야사, 툼바 호수에 보노보 연구 기지가 있다. 이중 가장 남쪽에 위치한 야사 기지에서는 미국인 학자인 조 톰슨이 1994년부터 연구를 해오고 있는데, 그는 보노보는 상록수가 우거진 숲에서만 산다는 믿음이 잘못된 것임을 밝혀냈다. 이 지역의 보노보들은 숲과 광활한 삼림 지대, 목초지 할 것 없이 넓은 지역을 자유롭게 돌아다닌다. 숲과 목초지가 번갈아 나오는 기지 주변의 구릉 지역에 사는 보노보들에 대한 연구는 이 유인원이 살고 있는 환경이 얼마나 유연한지에 대한 새로운 통찰을 제공해줄 것이다.

자이르에 살고 있는 보노보의 숫자에 대한 신뢰할 만한 자료는 나와 있지 않다. 전에는 대략 10만 마리 정도로 추정되었지만 1만 마리에서 2만 5천 마리 정도라고 보는 것이 보다 현실적일 것이다. 보노보는 현재 '국제자연보전연맹(IUCN)'과 '미연방야생생물관리국'이 각각 정한 멸종 위험에 빠진 동물이며 〈멸종위기에처한야생동식물종의국제거래에관한협약(CITES)〉의 '아프리카 협약

부속 조항 I' 에서 A등급으로 분류하고 있는 희귀 동물로 사냥, 도살, 포획, 거래가 금지되어 있다.

현재 자이르의 보안림 중 국가적 차원에서 보노보를 보호하고 있는 곳은 살롱가 국립공원 한 곳 뿐이다. 1971년에 지정된 이 거대한 국립 공원(36,560제곱킬로미터)에서는 이곳저곳에서 보노보가 목격되고 있다. 보노보는 이 공원 전역에서 발견되지만 서식 밀도가 아주 높지는 않은 것 같다. 현재 이 공원은 중무장한 밀렵꾼들의 수중에 있는데, 이들은 엄청난 수의 코끼리와 하마를 죽이고 있다. 이들 밀렵꾼들이 다른 야생 동물들에 끼친 피해 상황에 대해서는 정확히 알려진 바가 없다. 아직까지 이 공원의 많은 부분에는 인간의 발길이 닿지 않고 있다.

어떤 동식물 보호 프로그램이든 가장 중요한 과제는 해당 종의 전체 서식지에 실제 존재하는 개체 수와 분포도, 그리고 밀도를 상세히 연구하는 것이다. 보노보에 대한 이러한 대규모의 현장 연구는 아직까지 진행된 적이 없다 — 아마 엄청난 사업이 될 것이다. 그러나 효과적인 보호를 위해서는 반드시 현장 연구가 뒷받침되어야 한다. 이후에 언급하겠지만 현재 특별 보호 구역이 계획되고 있지만 아직까지 살롱가 국립공원을 제외하고는 보노보를 보호하기 위한 구역이 따로 존재하고 있지는 않다.

무너지는 금기들

한때 왐바 숲에는 70제곱킬로미터당 약 300마리의 보노보가 사는 등 서식 밀도가 아주 높았다. 이 숲은 루오 과학 보존 지역이라는 더 넓은 보호 구역의 일부로 또 이 지역 안에는 약 1천여 명의 사람들이 보노보와 공존하고 있다. 1987년 연구자들과 지역 관리들은 왐바 주변에서 보노보 사냥을 금지하기로 한 합의 문서에 서명했다. 이 약속은 잘 지켜져왔다. 보노보는 우리의 친척(kin), 거의 우리 조상과 같다는 오래된 믿음에 따라 보노보 고기를 먹는 것을 금지하는 지역의 엄격한 타부가 있었기 때문이다.

이러한 타부는 1984년까지는 잘 지켜졌다. 그런데 이 해 연구자들이 잠시 없는 사이에 첫번째 밀렵이 자행됐다. 왐바 숲 바깥에서 온 밀렵꾼이 젊은 수컷 보노보를 사냥한 뒤 고기를 내다 팔기 위해 시체를 이웃 마을로 가져갔다. 1987년에 일어난 두번째 사건은 훨씬 더 끔찍했다. 다시 한 번 연구자들이 자리를 비우자 군인들을 동원한 보노보 사냥이 자행되었다. 협력을 거부하는 인부들은 호된 매질을 당했다. 대규모 사냥이 진행되는 와중에 군인들은 여러 마리의 수컷 보노보와 새끼가 딸린 암컷 두 마리를 죽여버렸다. 가노의 인부 십장이 군인들에 맞서 필사적으로 보노보를 보호하지 않았다면 희생은 훨씬 더 커졌을 것이다. 두 마리의 새끼 보노보가 수도인 킨샤사로 끌려가 국빈에게 선물로 주어졌다는 소문이 돌기도 했다.

왐바의 주요 연구 그룹으로부터 사라지고 있는 보노보의 개체 수를 보면 사태가 얼마나 점점 더 악화되고 있는가를 금방 알 수 있을 것이다. 1976~1983년까지의 8년 동안에 사라진 보노보는 겨우 세 마리에 불과했다. 하지만 1984~1991년의 같은 8년 동안에 사라진 개체 수는 최소한 11마리에 이르렀다. 지난 몇 년 사이에는 벌써 10마리나 없어졌다. 거의 모든 사건이 연구자들이 자리를 비운 사이에 일어났고, 놀랍게도 희생된 대부분은 한창 나이의 어른 수컷 보노보들이었다(수컷들은 사냥꾼에 가까이 가려는 경향이 있다). 그렇게 된 결과 1970년대 중반부터 1980년대 중반까지 계속 증가 추세를 보이던 보노보 집단이 오늘날에는 감소 추세를 보이고 있다.

이웃 마을의 남자가 갖고 온 들통에는 토막 난 보노보의 몸뚱이가 가득 차 있었고 또다른 마을의 한 집에서는 말린 보노보의 발목과 긴 뼛조각들이 발견되었다. 이것은 왐바에서 밀렵이 행해지고 있다는 직접적인 증거이다. 인근 마을을 상대로 벌인 조사에서 20%의 응답자가 보노보를 먹어본 적이 있다고 답했다. 10년 전만 해도 이 모든 사람들이 보노보를 먹는 것을 금하는 전통적인 금기를 어기지 않았었다. 나쁜 소식은 이것으로 그치지 않는다. 사람들은 한동안 만들지 않았던 독화살을 다시 만들기 시작하고 있다. 아마도 이를 통해 연구자들과 관계 당국의 추적을 따돌리고 사냥을 할 수 있기 때문인 것 같다.

보노보의 수가 계속 감소하자 가노와 그의 동료들은 보노보 보호 구역을 만들기 위해 노력하고 있다. 이들이 추진하고 있는 루오 특별 보호 구역은 왐바 주변의 6천 제곱킬로미터 정도의 지역을 포괄할 예정이며, 이 안에는 약 50개 정도의 마을이 들어가 있다. 이 계획이 시작된다면 홍보 활동과 교육 프로그램, 밀렵 감시단 창단 등의 활동이 전개될 것이며, 이 서식지의 동부 지역에 사는 보노보에 대한 연구도 진행될 것이다. 또 커피 농장이 팽창되는 것도 막을 수 있을 것이다. 보호 구역도 현재의 루오 연구 지역보다 훨씬 확장될 수 있을 것으로 예상된다. 하지만 왐바가 현재 당면하고 있는 문제들이 잘 보여주듯이 이 계획을 위해 정부의 지원을 얻더라도 사냥을 더 엄격하게 금지시키는 것은 여전히 난제로 남을 것이다.

서방 언론에서는 생물 의학 연구를 위해 유인원들이 대량 포획되거나 살상되고 있다는 이야기들이 떠돌고 있지만 실제로는 출산 프로그램이 성공을 거두고 있고 영장류, 특히 유인원을 이용한 실험은 감소하고 있기 때문에 대부분의 생물 의학 연구 시설들에는 이들이 남아돌고 있는 실정이다. 더구나 국제법이 강화되어 유인원 거래는 거의 멈추어져 있는 상태이다. 오늘날 보노보를 비롯한 열대 지역의 영장류를 가장 크게 위협하는 것은 서식지 파괴와 야생 동물 고기의 거래라고 할 수 있다.

자이르의 경우 숲의 산업적 개발은 열대 지역의 다른 지역들보다는 덜 문제가 되고 있다. 큐벳 센트럴 지역은 접근하기가 워낙 힘들기 때문이다. 하지만 그럼에도 불구하고 매년 20만 헥타르의 숲이 농지로 개간되느라 파괴되고 있으며 또다른 20만 헥타르가 땔감과 숯을 만드느라 파괴되고 있다.

1981년에는 독일의 한 대형 베니어 합판 제조회사가 로마코 숲 근처에 대규모 벌목장을 세웠으나 1987년에 개발권을 포기했다. 덕분에 3천8백 제곱킬로미터의 땅이 그대로 남게 되었는데, 아마 이곳을 보호 구역으로 전환시킬 수 있을 것이다. 하지만 이때 서쪽으로 뚫린 벌채용 도로를 통해 사냥꾼과 화전농민들이 이 지역에 출입할 수 있게 되었다. 1990년에 로마코 보호 구역 설치 계획안이 관계 당국에 제출되었지만 아직까지는 정부의 승인을 얻지 못하고 있다.

숯 다음으로 도시에서 활발하게 거래되는 '숲의 생산품'은 야생 동물들의 고기이다. 야생 동물 고기는 생계 수단이 거의 없는 내지(內地) 사람들의 주요한 현금 수입원이다. 새로 만들어진 보노보 연구 기지인 릴룽구에서는 총을 가진 사냥꾼은 거의 찾아볼 수 없으며 보노보는 이 지역의 종교적 믿음에 의해 보호받고 있는 것으로 생각되었다. 하지만 스페인의 영장류학자들은 숲 속에서 철로 만든 올가미를 1천 개 이상 발견했다. 이런 올가미는 영장류를 잡기 위한 것은 아니지만 올가미에 걸려 상처를 입으면 세균에 감염되어 죽을 수도 있기 때문에 보노보의 생존에 심각한 위협이 되고 있다.

야생 동물 고기의 거래가 낳은 가장 슬픈 부산물은 새끼 영장류가 어미를 잃는다는 것이다. 어린 영장류들은 보통 애완동물로 팔려 가는데, 이들은 부족한 먹이와 낯선 생활 환경 때문에 서서히 죽어가는 경우가 많다. 이중 몇몇 운 좋은 어린 보노보들은 수도 킨샤사에 있는 프랑스의 한 생물의학 연구소에서 근무하는 미국인 연구원 델피 메신저를 만날 수 있었다. 메신저는 그때까지 병들거나 팔리지 않은 보노보 새끼 고아들을 십여 마리 정도 돌봐주고 있었다. 메신저는 한 동료와 함께 극히 열악한 환경에서도 이들을 돌봐주었다. 1991년 킨샤사에 폭동이 일어나 약탈과 노략질이 끊이지 않자 벨기에 정부와 프랑스 정부는 1만 5천 명의 자국민을 국외로 철수시켰다. 하지만 메신저는 수도에 남아 보노보를 보호하기로 마음먹었다. 그녀는 연구소 정문에 'SIDA(프랑스어로 AIDS라는 뜻)' 라고 크게 써 붙였는데 이 전략은 폭도들을 막는 데 큰 도움이 되었다.

자이르에서는 원숭이류와 유인원들을 포함한 다양한 야생동물들이 식용으로 사냥되고 있다. 사진은 왐바 원주민이 다이커를 자르고 있는 모습이다.

동물원의 보노보

포획된 보노보는 건강하게 오랫동안 살 수 있다. 또한 출산에도 아무 문제가 없다. 한 가지 문제가 있다면 전세계 동물원에 분포하고 있는 보노보가 1백여 마리도 되지 않는다는 것이다. 개체 수가 이렇게 적다 보니 유전자의 다양성을 확보하기가 거의 불가능하다. 근친 교배의 위험 때문에 단일 연구소로서는 출산 프로그램을 진행할 수 없으며 모든 연구 기관들이 협력하더라도 — 실제로 그렇게 하고 있다 — 정기적으로 유전자를 교환하는 것은 그리 쉬운 일이 아니다. 따라서 각 연구 기관이 보유하고 있는 많은 보노보들이 일정 기간 동안 다른 연구 기관에 임대되어야 한다. 두 가지 프로그램이 이러한 출산 계획을 위해 마련되어 있다. 북미의 〈보노보종보호계획(SSP)〉과 〈유럽멸종위기동물보호프로그램(EESP)〉이 그것이다.[1]

동물원에 있는 보노보 무리는 모두 소규모로 평균 5.6마리에 불과하다. 가장 많은 수를 보유하고 있는 곳은 벨기에의 메헬렌에 있는 디에렌파크 플랑큰달 동물원과 위스콘신 주 밀워키에 있는 밀워키 카운티 동물원인데, 이러한 시설도 가장 잘 알려진 침팬지 사육장들에 비하면 아주 작은 규모이다. 일부 침팬지 사육장은 지금 30마리 이상을 기르고 있다. 이처럼 사육되고 있는 보노보 숫자가 적은 것은 물론 부분적으로는 포획된 보노보가 매우 적은 데서도 이유를 찾을 수 있지만 보노보의 사회적 요구에 무지하기 때문이기도 하다. 이러한 요구는 가장 희귀한 영장류인 보노보를 전시하고 싶어하는 동물원의 욕구와도 맞물려 있었는데, 원하는 동물원에 모두 분배하다 보니 결과적으로 보노보들이 뿔뿔이 흩어질 수밖에 없었던 것이다. 그러다 1993년 이후로 보노보 출산 프로그램은 주로 성숙한 암컷을 교환하고 또 가능하면 언제나 아들은 어미와 함께 있게 하고, 〔소규모 집단보다는〕 대규모 집단을 형성하는 정책을 채택하기 시작했다. 이러한 정책을 통해 보노보들이 좀더 자연 상태에 가까운 집단을 형성해 이들

한때 심각한 문제를 야기했던 국제적인 영장류 밀수출입은 실제로는 거의 사라지고 있다. 유인원의 새끼가 수출용으로 포획되는 일은 더이상 벌어지고 있지 않지만 고기를 노린 밀렵꾼들에게 어미가 죽어 고아가 된 새끼들은 늘어나고 있다. 애완용으로 사육되는 이 고아 보노보들은 오래 살지도 못하며, 비참한 생활을 하는 것이 보통이다. 하지만 사진 속의 이 두 보노보는 지금 킨샤사에 있는 유인원 고아원에서 안전하게 보호받고 있다.

특유의 복잡한 사회성이 유지되기를 기대해본다.[2]

운이 좋은 사람들은 잠깐의 방문만으로도 보노보의 흥미로운 행동을 볼 수 있을지도 모르지만 이 책에 묘사된 것과 같은 보노보의 사회 생활과 짝짓기 행위를 보려면 제법 인내심이 필요하다. 이상적으로 보자면 보노보를 갖고 있는 근처의 동물원을 찾아가 하나하나가 다 다른 이들의 얼굴 모습을 구별하는 방법을 배우는 것이 가장 바람직할 것이다. 사진을 전시해놓은 동물원에서는 사진을 통해 보노보들의 이름을 알 수 있으며, 그렇지 않으면 사육사에게 물어보면 된다. 물론 자기 마음대로 하나 골라 이름을 붙여줘도 된다. 보노보를 보다 자세히 알고 그들이 사회적으로 어떻게 관계를 맺어나가는지를 알고 싶다면 먼저 각 개체를 개별적으로 인식하는 것이 중요하다. 어떤 개체들은 무척 가까운 친구 사이일 것이다. 즉 그들은 자주 서로 털을 골라주고 싸울 때는 협력한다. 반대로 서로 함께 있는 것조차 싫어하는 보노보들도 있을 것이다. 그들은 언제나 서로 멀리 떨어져 있으며 자주 다툰다. 하지만 이 모든 것을 관찰하려면 제법 시간이 걸릴 것이다. 어떤 행동을 "자주" 또는 "정기적으로" 한다고 말하지만 그것은 종종 겨우 하루에 한두 번 정도 하는 경우가 많기 때문이다. 그리고 어떤 희귀한 행동은 한 주 또는 한 달에 한 번 하는 경우도 있다. 따라서 이러한 행동을 보려면 더 많은 인내심이 필요하다.

새끼가 태어나 자라고 다양한 행동과 사회 생활을 익혀나가는 것을 보는 것은 보노보를 바라볼 때 느낄 수 있는 크나큰 기쁨 중의 하나이다. 어떤 한 집단을 오래 관찰하면 할수록 촘촘하게 짜여진 이들의 사회 생활을 바라보는 것은 마치 한 편의 연속극을 보는 것과 비슷해져, 행복과 즐거움이 넘치는 순간이 있는가 하면 슬픔과 분노가 치솟아오르는 순간도 있게 된다. 아마 아마추어 유인원 관찰자에게 무엇보다도 깊은 인상을 남기리라 생각되는 것은 보노보의 각 개체가 갖고 있는 천차만별의 다양성일 것이다. 우리 인간과 마찬가지로 보노보들도 각자 다른 지능과 성격, 행동 방식을 갖고 있다. 일단 이들을 개별적인 존재로 인식하는 순간 우리는 바로 각각의 보노보들이 가진 개성을 발견할 수 있을 것이다.

M·K
EKON
TAPPUS
MEZO
NJUNA
ZENTO
tout

살아남기 위한 투쟁

사람들은 자기 영역을 표시한다. 왐바 근처에 있는 숲의 오솔길을 따라 자란 나무에 지역 주민들이 낙서를 해놓았다. 숲은 보노보들의 일상의 서식처로, 먹이와 안전을 상징한다. 자이르의 열대 우림은 과연 언제까지 상대적으로 인간의 손을 타지 않고 그대로 유지될 수 있을까?

왐바 부근의 한 마을 주민이 사냥을 위해 활을 당기고 있다(위). 그는 원숭이류나 다이커, 그 밖의 다른 숲 속 동물은 사냥하지만 이 지역에서 사냥이 금지된 보노보는 잡지 않는다고 말한다. 그러나 직접 사냥의 대상은 아니지만 보노보들은 이들로부터 심각한 위협을 받고 있다.
사진 속의 암컷은 한쪽 손이 잘려나갔는데, 아무래도 올가미에 걸렸던 것 같다(오른쪽). 이렇게 불구가 되는 보노보가 늘어나고 있다.

학생들이 멀리서 지켜보는 가운데 보노보들이 길을 건너가고 있다. 보노보의 서식지의 핵심부에서까지 이제는 사람들의 수가 보노보를 앞지르고 있다. 그러나 왐바의 경험이 잘 보여주듯이 공존은 얼마든지 가능하다. 보노보를 존중하는 이 지역의 전통이 앞의 세대들에게까지 길이 전해지길 바랄 뿐이다.

주

1장 최후의 유인원

1. 카트밀 1993, 14쪽.

2. 여키스 1925, 246쪽.

3. 일반적으로 강이 가로막고 있기 때문에 보노보와 침팬지의 서식지는 서로 겹치지 않을 것으로 생각된다(유인원들은 수영을 못 한다). 유전자 분석을 해보면 강폭이 아마 지금처럼 넓지 않았던 때에 이 두 종이 강을 따라 섞여 살며 교배를 했는지 알아보는 데 도움이 될 것이다.

4. 여키스 1929, 244쪽.

5. 그날 밤 보노보는 모두 공포 때문에 죽었지만 동물원에 있던 많은 침팬지들 중 단 한 마리도 이상이 없었던 것은 보노보의 감수성이 무척 예민하다는 것을 입증해준다(트라츠와 헤크 1954).

6. 트라츠와 헤크 1954, 99쪽.

7. 예를 들어 모리스(1967)는 "털 없는 원숭이(그는 우리 인간을 이렇게 부른다)"야말로 살아 있는 영장류 중에서 성이 가장 발달한(sexiest) 동물이라고 주장한다. 인간의 여성만이 오르가즘을 느끼며 남성은 영장류 중 가장 커다란 페니스를 갖고 있다는 것이다. 보노보의 페니스 크기를 측정한 정확한 자료가 있는지는 알 수 없으나 완전히 발기한 보노보의 페니스를 본 사람이라면 모리스의 주장이 틀렸다는 것을 금세 알아차릴 수 있을 것이다. 보노보의 페니스는 인간 남성의 페니스보다 굵기는 가늘지만 길이는 월등히 길다. 이것은 절대 비교를 해보아도 맞는 말이지만 특히 보노보의 체구가 인간보다 훨씬 작은 점을 고려해볼 때 더더욱 옳은 말이라고 할 수 있다. 암컷의 오르가즘과 일반적인 "성 행동의 독특한 발달(sexiness)"에 대해서는 4장에서 자세히 다루고 있다.

8. 갓 태어난 보노보의 무게는 침팬지 새끼의 3/4 정도밖에 되지 않는다. 톰슨-핸들러(1990)가 재본 포획된 보노보 새끼 8마리의 무게는 평균 1,381±199그램(±표본오차)인 반면 침팬지 새끼는 약 1,800그램 정도였다. 상대적으로 느린 보노보의 성장률에 관한 예비 자료로는 구로다(1989)를 참조하라.

9. 캠벨 1980, 7쪽.

2장 두 종류의 침팬지

1. 쿨리지 1933, 56쪽.

2. 스트로델(1994)은 직립 보행의 이동 효율성이 더 크다는 로드만과 맥헨리(1980)의 주장에 반론을 제기하고 나섰다. 직립 보행이 사바나 생활의 결과라는 가설 — 우리 모두 이러한 가설을 믿으면서 자라왔다 — 은 새로 발견된 사람상과 동물의 화석 때문에 아주 논쟁적인 주제가 되었다. 이에 관해서는 쉬리브(1996)의 유명한 논평을 참조하라.

3. '작은 발'에 대한 자세한 정보와 인류 진화에서 숲이라는 서식지가 수행한 역할에 대해 알고 싶으면 서스먼 외(1984), 뵈쉬 부부(1994), 클라크와 토비어스(1995)를 참조하라.

4. 서스먼 1984, 390쪽.

5. 세포유전학적으로 인간과 유인원의 가장 큰 차이점은 염색체 수에 있다. 인간의 염색체는 46개인데 반해 유인원은 48개다. 진화 과정에서 인간은 두 개의 조상 염색체를 하나로 융합시켜버렸다. 핵형(核型)을 비교해본 결과 첫째 유인원들은 일반적으로 알려진 것보다 공동의 조상에서 보다 더 진화한 형태라는 것, 둘째 염색체상으로는 보노보가 가장 분화된 아프리카 유인원이라는 것을 알 수 있었다. 이를 근거로 스태넌 등(1986)은 판 파니스쿠스가 공동 조상의 현존하는 최고의 모델이라는 생각에 의문을 제기했다.

6. 일부 과학계에서는 유인원을 인간의 어린애와 비교하는 경향이 있다. 유인원들은 영리하고, 장난치기를 좋아하며 끊임없이 말썽을 일으킨다고 생각하는 것이다. 하지만 어린 유인원들

은 그럴 수도 있지만 어른 유인원들도 그렇다고 보는 것은 큰 잘못이다. 유태성숙 이론은 이와 정반대되는 논리를 따르고 있다. 즉 인간의 성인은 유인원 어른보다는 어린 유인원과 공통점을 더 많이 갖고 있다는 것이다(드 왈 1989, 249~252쪽). 진화 과정에서 유년기의 특성이 그대로 유지된다는 생각은 루이스 볼크(1926)가 처음으로 제안했는데, 그는 호모 사피엔스가 성적인 성숙기에 이른 영장류 태아와 아주 흡사하다고 주장했다. 굴드(1977)는 유태성숙에 대한 깊이 있는 통찰들을 제공해준다. 이러한 유태성숙 가설을 보노보의 진화에 적용하는 문제에 대해서는 쉐아(1983)와 블론트(1990)를 참조하라.

7. 가면 침팬지 또는 흰얼굴침팬지(*Pan Troglodytes verus*)는 서부 아프리카에, 검은얼굴침팬지(*P. t. troglodytes*)는 중앙 동부 아프리카에, 이보다 작은 긴털침팬지(*P. t. schweinfurthii*)는 동부 아프리카에 살고 있다. 침팬지 DNA 분석에 대해서는 모린 외(1994)를, 보노보 DNA 분석에 대해서는 저로프 외(1995)를 참조하라.

8. 연구 결과는 『행동*Behaviour*』 지에 음성 분석 실험 결과를 포함해 이들의 행동을 양적으로 분석해 상세히 묘사한 보고서로 실렸다(드 왈, 1988). 또한 54분짜리 비디오테이프인 <샌디에이고 보노보들의 사회적 에소그램>은 보노보의 행동 유형을 상세히 보여준다. 6분짜리 오디오카세트인 <침팬지의 음성과 비교한 보노보의 음성 레퍼토리>에서는 이들의 다양한 외침 소리를 들을 수 있다(위스콘신 지역 영장류연구소의 영장류도서관에서 이 두 테이프의 복사본을 대출하거나 구입할 수 있다. 주소는 The Primate Library of the Wisconsin Regional Primate Research Center, 1223 Capitol Court, Madison, WI 53715-1299, USA이며 전화는 608-263-3512이다). 내 에소그램은 구달(1968)과 반호프(1973)의 침팬지 에소그램과의 비교는 별도로 하더라도 먼저 만들어진 패터슨(1979), 가노와 그의 동료들의 작업(가노 1980, 구로다 1980, 모리 1984), 특히 요르단(1977)과도 비교된다. 나는 어떤 행동이 전형적으로 일어나는 상황을 기초로 이들의 행동 유형을 범주화해 분석을 진행했다. 가령 내 에소그램에서 종종 공격하기 전에 지르는 소리는 위협으로, 털 고르기와 관련된 몸짓은 화해로 해석된다.

9. 보노보는 곡예사들로서, 뭔가를 집을 때 손과 발이라는 두 기관을 자유롭게 바꿔 쓸 수 있다. 보노보는 발을 사용해 뭔가를 들어올리거나 움켜쥘 수 있고 발로 서로 차며 장난하는 것은 물론 심지어 자위 행위를 하기도 하며 상대방을 부를 때면 발로 툭툭 건드리기도 한다. 침팬지도 똑같은 것을 할 수 있지만 손과 발 간의 기능 분화가 더 철저하게 이루어지기라도 한 듯 그렇게 하는 빈도수가 보노보보다는 많지 않다. 이것은 이미 어린 나이부터 분명하게 나타난다. 보클레어와 바드(1983)는 서로 다른 세 종(種), 즉 인간과 침팬지, 보노보의 7개월 된 어린 개체를 대상으로 사물 조작 능력을 비교해보았는데, 인간의 유아가 좀더 복잡한 조작 능력을 보여주었을 뿐 침팬지와 보노보는 서로 크게 다르지 않았다. 하지만 조작을 위해 사용한 사지(四肢)는 크게 달랐는데, 유아와 침팬지 새끼의 경우 거의 발을 사용하지 않은 반면 보노보 새끼는 40% 이상의 사물 조작에 발을 사용했다.

10. 이빨을 드러내는 행동의 원래 기능은 스스로를 방어하기 위한 것이었음이 틀림없다. 그런데 진화를 거치는 동안 이처럼 강력한 시각적 신호는 복종과 낮은 지위를 전달하는 방법이 되었다. 이 책에서 보노보를 대상으로 해서 논증되고 있듯이 일부 종의 경우 이러한 표시가 상대방을 안심시키고 우호적인 의도를 나타내는 것으로 사용되기도 한다. 비록 웃음과 미소의 진화에 관한 반호프(1972)의 분석 속에 보노보는 포함되어 있지 않았지만 그의 연구는 동물과 인간의 감정 표현에 관심을 가진 사람이라면 누구나 만족시킬 만한 아주 훌륭한 사유의 실마리를 담고 있다. 물론 이 문제를 제일 먼저 진지하게 고민했던 사람은 다윈(1872)이었다.

11. 샌디에이고 동물원에서 벌어진 이러한 일화의 일부는 휴블레인의 책(1977) 속에 인용되어 있다. 유인원과 어린아이의 귀착시키기와 관점을 택하기 — 이는 종종 "사고의 이론(theory of mind)"으로 불리기도 한다 — 에 관한 전반적 정보는 버터스워드 외(1991)와 위튼

(1991)에서 찾아볼 수 있다. 드 왈(1996)은 이러한 능력들이 공감이나 감정이입과 어떤 관계가 있는지를 검토하고 있다. 또 이 책의 6장을 함께 참조하라.

12. 거울 속의 자기를 인식하는 능력은 논란의 소지가 많은 주제이다. 고릴라가 얼굴에 찍어놓은 점을 알아보는 시험을 통과할 수 있는지는 오랫동안 논란이 되어 왔으며, 이러한 시험이 "자기 인식"이라는 관점에서 정확히 무슨 의미인지 하는 문제도 아직 미해결 상태이다. 고릴라의 자기 인식을 지지하는 자료를 포함해 현재 진행되고 있는 논란의 전체적인 흐름에 대해서는 파커 외(1994)를 참조하라. 보노보를 대상으로 한 예비적 연구는 웨스터가드와 히아트(1994), 월레이븐 외(1995)가 시행한 바 있다.

13. 1993년에 C. P. 반 샤이크와 그의 동료들은 수마트라 섬의 수아크 발림빙에서 오랑우탄 무리와 우연히 마주쳤는데, 이 오랑우탄들은 도구를 만들어 필요에 맞게 사용하고 있었다. 이를테면 나뭇가지를 꺾어 잎을 모두 떼어낸 뒤 벌집을 쑤셔 침이 없는 벌들의 벌집에서 꿀을 빼 먹거나 곤충을 찾는 데 사용했다. 야생 상태의 오랑우탄이 이렇게 도구를 사용하는 모습이 목격된 것은 이번이 처음이었다. 이때까지 포획된 오랑우탄은 도구를 사용한다는 것으로 알려져왔었는데, 이들은 이러한 사실을 다시 한 번 확인시켜주었다. 그리고 오랑우탄의 도구 사용 기술은 침팬지들에 필적하는 것이었다. 이 책의 저자들은 유연한 도구 사용을 가능하게 해주는 인지 능력은 최소한 오랑우탄과 아프리카 유인원, 원시 인류의 공동 조상에게까지 거슬러 올라간다는 결론을 내리고 있다. 반 샤이크 외(1996)를 참조하라.

14. 맥그루(1992)는 아프리카 전역의 침팬지들의 도구 사용 기술을 분류하면서 각각의 침팬지는 무리마다 독특한 물질 문화를 갖고 있다고 주장했다. 이에 대한 보다 자세한 정보는 니시다(1987)와 랭험 외(1994)를 참조하라.

15. 인간의 오른쪽 뇌는 병렬적인 정신 활동, 감정 조절, 얼굴 표정 등을 관장하는 반면 왼쪽 뇌는 분석적 사고와 언어를 관장한다. 인간 이외 영장류들의 뇌 기능의 수평적 분화에 관한 전반적인 개괄로는 홉킨스와 모리스(1993)를 참조하라. 홉킨스와 드 왈(1995)은 여키스 영장류 센터와 샌디에이고 동물원에 있는 21마리의 보노보에 관한 자료를 비교하고 있다.

16. 토마셀로 등(1993)은 칸지가 사람들을 많이 접해보지 못한 유인원들에게서는 찾아볼 수 없는 능력을 갖고 있다고 주장했다. (a) 어미가 직접 키운 유인원과 (b) 칸지처럼 돌봐주는 사람과의 긴밀한 접촉 속에서 자란 유인원, (c) 인간의 어린아이를 비교해본 이들 연구자들은 어미가 직접 키운 유인원이 실험자를 모방하는 능력이 가장 떨어진다는 사실을 발견했다. 이와 달리 사람이 키운 유인원은 어린아이와 비슷한 능력을 보였다. 이들은 인간의 문화적 환경 속에서 자란 유인원은 오직 동족과만 접촉하면서 자란 유인원들에게는 잠재된 상태로만 남아 있는 인지 능력을 갖게 된다는 점에서 이들을 "문화화된" 유인원이라고 불렀다. 그러나 이러한 실험에 관해 이와 전혀 다른 설명도 존재한다. 유인원은 자기가 자랄 때 속했던 종의 행위만을 모방하는 것일 수도 있다. 다시 말해 어미가 키운 유인원은 사람에게는 별 관심이 없고 자기와 같은 종의 행동을 모방하고자 하는 경향이 훨씬 더 강할 수 있다는 것이다.

17. 수 세비지-럼바우와 르윈 1994, 174쪽.

3장 아프리카의 심장부에서

1. 먹이 공급을 둘러싼 찬반 논쟁은 아직까지도 계속되고 있다(애스큇 1989). 야생의 침팬지를 가장 성공적으로 장기간 연구한 것은 제인 구달과 도시사다 니시다의 연구로 둘 다 탄자니아에서 이루어졌다. 이들은 침팬지에게 제한된 양의 바나나나 사탕수수를 제공해주었다(처음에는 많은 양을 나눠주자 싸움이 벌어졌다). 그러나 좀더 최근에 과학자들은 먹이를 주지 않고도 침팬지를 길들이려는 노력을 진행중이다. 시간은 조금 더 걸리지만 고생한 보람은 있는 작업이다. 이중 가장 성공적으로 진행된 사례는 아이보리 연안의 타이 국립공원에서 이루어진 뵈쉬 부

부의 연구이다. 로마코 숲에서도 먹이를 주지 않는 방식으로 연구를 시작했다(길들이기 기술에 대해 좀더 자세히 알고 싶은 사람은 이 책 109~114쪽을 참고하거나 프루트〔1995, 37~38쪽〕를 참조하라). 로마코에서는 과거에 이에 관한 방침이 일관성 있게 유지된 것은 아니었지만 이제는 먹이 공급 없이도 실험에 성공하리라는 자신감이 생기고 있다. 로마코는 비록 순수한 원시 상태는 아니지만 왐바에 비해 마을과도 더 멀고 인간의 발길도 덜 탔기 때문에 이 점은 특히 더 중요하다(톰슨-핸들러 외 1995).

2. 로마코의 보노보들은 어린 다이커(*Cephalophus spp.*)는 말할 것도 없고 종종 어른 다이커도 사냥한다(호만과 프루트 1993). 무게가 10킬로그램까지 나가는 이 숲 속의 영양은 비교적 커다란 사냥감으로 침팬지가 잡아먹는 콜로부스 원숭이와 비슷한 영역 안에 살고 있다.

3. 야생의 침팬지(스기야마 1988, 뵈쉬 1991)와 포획된 침팬지(드 왈 1994)를 관찰한 결과 이 종에서도 암컷들간의 유대가 발달할 가능성이 상당히 큰 것을 볼 수 있다. 패리쉬(1996a)에 따르면 암컷들간의 유대는 주변의 생태 환경에 따라 제약을 받는다.

4. 암수간의 잦은 털 고르기에 대해서는 배드리안 부부(1984b, 335~336쪽), 가노(1992), 톰슨-핸들러(1990)를 참고하라. 이러한 털 고르기 중 일부는 모자 사이에 일어나는 것이겠지만(후루이치와 이호베 1994) 가노의 자료에서 확인되는 모자관계를 제외해도 털 고르기의 빈도는 아주 높다. 수컷들 사이의 유대감과 관련해 흥미로운 것은 두 시간 넘게 지속되는 가장 오랜 털 고르기가 두 마리의 어른 수컷 사이에서 진행되었다는 베드리안 부부의 연구 결과이다. 이와 비슷하게 가노의 자료도 왐바에서는 수컷들이 암컷들보다 더 오랫동안 서로 털 고르기를 해주었다는 것을 보여주고 있다.

5. 가장 잘 알려진 야생의 보노보 공동체 중에서 개별적으로 신원이 파악된 개체들의 총수(N)가 아래의 표에 표시되어 있다. 이와 함께 어른 수컷 대 어른 암컷의 남녀 성비(M : F)도 제시되어 있다. 보노보의 집단, 그리고 내부의 더 작은 무리들에 대한 개괄적인 설명으로는 반엘사커 외(1995)를 참조하라.

연구 기지	*집단*	*N*	*M : F*	*출처*
왐바	E*	75	20 : 20	가노(1992)
왐바	E1	32	7 : 9	이호베(1992)
왐바	E2	36	8 : 11	이호베(1992)
로마코	헤돈스	44	8 : 14	톰슨-핸들러(1990)
로마코	레인저스	26	5 : 5	톰슨-핸들러(1990)
로마코	이엔고**	34	6 : 12	프루트(1995)

* 왐바의 E 집단은 북쪽과 남쪽의 하위 집단으로 구성되어 있다. 이 집단은 최대 규모, 즉 여기에 기록된 숫자인 75마리에 이르자 E1과 E2 집단으로 영원히 나뉘어졌다. 이 두 무리가 나뉜 것은 1982년의 일로 여기에 제시된 E1과 E2 집단의 규모는 1987년의 것이다.

** 로마코에 있는 "레인저스"는 이후 이들의 서식지에 있는 강의 이름을 따서 "이엔고"라는 새로운 이름을 얻었다. 톰슨-핸들러(1990)의 수치는 1984~1986년에 이 집단을 대상으로 한 것이고 프루트(1995)의 것은 1994년의 자료이다.

6. 최근 들어 표범과 사자가 침팬지를 잡아먹는다는 사실이 밝혀지기 전까지 오랫동안 거대 유인원을 위협하는 존재는 사람뿐이라고 생각해왔다(뵈쉬 외 1991). 침팬지와 보노보가 밤이 되면 나무 위에 보금자리를 만드는 것은 야행성 포식자들을 피하기 위한 것일 수도 있다.

7. 가노 1992, 193쪽.

8. 가노(1992, 176쪽)는 왐바의 급식 장소에서 관찰한 325개의 싸움을 기록해놓았는데, 이

중 어른 혹은 젊은 암컷들끼리 싸우는 경우는 불과 3.4%에 불과했다. 압도적 다수는 수컷들로 이들은 침략자와 피해자 역할을 번갈아 가며 끊임없이 싸웠다. 하지만 후루이치(1989, 194쪽)는 "자주 싸우지는 않지만 가장 격하게 싸우는 것은 암컷들"이라고 지적하고 있다. "이러한 경향은 혈연관계가 아닌 암컷들이 맺는 관계가 경쟁적인 성격을 띠고 있는 것을 반영하는 듯하다."

9. 가노(1992, 183~184쪽)는 코구마와 우데의 싸움을 묘사하면서 이렇게 지적하고 있다. "강한 어미는 …… 문제를 복잡하게 만든다. 이러한 어미의 아들은 턱없이 높은 지위를 얻게 된다. 이렇게 급상승된 서열은 엉터리에 불과해 일시적 현상에 그치거나 아니면 그대로 유지될 수도 있다. 흥미로운 것은 아들들이 제 어미의 능력과 영향력을 정확히 파악하고 있다는 점이다. 서열이 낮은 어미의 아들들은 그렇게 대담한 도전을 하지 않기 때문이다." 이러한 전술적 감각은 후루이치(1992a)가 기록한 텐과 이보의 싸움에서도 잘 드러난다. 텐이 이보에게 도전한 사건이 케임이 나이가 들어 병약해지자 일어난 것은 결코 우연이 아닌 것이다.

10. 내가 암컷 우위를 처음으로 인지한 것은 1985에 후속 연구차 샌디에이고 동물원에 들렀을 때였다. 이전에 연구할 때 암컷 한 마리만을 지배하고 있던 수컷은 이제 두 마리의 암컷과 함께 살고 있었는데, 누가 봐도 두 마리 암컷 중 나이 많은 암컷이 우위를 점하고 있었다. 우리에 먹이를 넣어주면 이 나이 많은 암컷은 수컷이 다가오기 전에 가장 좋은 먹이를 차지했다. 혹자는 이것이 암컷 우위를 입증하는 증거가 될 수 없다고 말할지도 모르겠다. 물론 그저 수컷이 관용을 보이고 암컷을 존중해주는 것일 수도 있다. 하지만 이 암컷은 또한 종종 수컷을 쫓아버렸다. 이와 반대로 수컷이 암컷을 쫓아내는 경우는 관찰되지 않았다. 이와 다른 개체들의 결합(예를 들어 암컷들간의 결합)에서도 이와 똑같은 먹이 우선권, 쫓아냄과 회피의 유형이 나타나면 누구라도 아무런 주저 없이 이를 지배권과 관련해 설명하려고 할 것이다. 따라서 앞으로의 연구를 통해 특정한 상황에서는 수컷 보노보가 암컷 보노보를 지배할 수 있다는 것이 입증되지 않는 한 모든 징후로 보아 동물원에서든 야생 상태에서든 무리 중 나이 많은 일부 암컷들이 모든 수컷보다 지위가 높다는 결론을 내릴 수 있다고 생각한다. 앞으로 보다 많은 연구를 통해 이러한 암컷 지배가 암컷들간의 동맹 때문인지 수컷의 억제 때문인지 아니면 연장자이기 때문인지 명확히 밝혀지기를 바란다(암컷 보노보들이 수컷들보다 더 오래 사는 것 같다. 다이크 외〔1995〕는 침팬지들에게서는 그렇다고 보고하고 있다).

11. 가노 1992, 188쪽.

12. 후루이치 1992a.

13. 여키스 영장류센터의 침팬지와 샌디에이고 동물원의 보노보를 상대로 풀로 된 먹이를 놓고 이들이 상호 작용하는 동안 먹이 이동이 어떻게 이루어지는가를 관찰한 결과 4가지 유형이 있다는 것을 알아낼 수 있었다. 용어에 대한 명확한 정의와 여러 수치 — 그런데 이 수치는 먹이 이동에 관대한 태도(편안히 먹기와 함께 먹기)는 침팬지들 사이에서 좀더 일반적으로 발견된다는 것을 보여주고 있다 — 를 아래의 표에 제시해보았다. 분석 결과는 두 종 사이의 차이가 상당히 일반적인 것임을 보여주고 있지만 보노보도 특정 상황에서, 가령 어른 암컷들 사이에서 먹이가 분배될 때는 침팬지와 마찬가지로 (혹은 그보다 더) 관대한 태도를 보여줄지도 모른다.

	침팬지	*보노보*
먹이 이동 총 건수	2,377	598
강제로 빼앗거나 훔쳐 먹기*	9.5%	44.5%
편안히 먹기**	37.1%	15.7%
함께 식사하기***	35.9%	17.6%
주워 먹기****	17.6%	22.2%

* 다른 보노보를 밀쳐내고 먹이를 차지하거나 힘으로 빼앗거나 낚아채 도망가는 방식
** 원래 먹이를 갖고 있는 보노보가 보는 앞에서 위협적인 신호를 보내거나 힘을 쓰지 않고 편안하게 음식을 가져와 먹는 방식
*** 한 마리 이상의 보노보들이 똑같은 먹이를 평화롭게 공유하는 방식
**** 먹이를 가진 보노보 근처에서 부스러기나 조각이 떨어지기를 기다렸다가 주워 먹는 방식

14. 왐바에서 발견된 고환이 없는 수컷은 모두 세 마리였다. 여러 가지 설명이 가능하겠지만 침팬지에게서 관찰된 것과 비슷한 사나운 공격 때문일 가능성 역시 배제할 수 없다(드 왈 1986, 구달 1992). 가노는 놀랄 정도로 다양한 보노보의 신체 기형 유형들을 나열하면서 대부분이 밀렵꾼이 설치한 올가미나 독사에 물렸기 때문이라고 추정하고 있다. 하지만 그는 또한 다음과 같은 설명도 덧붙이고 있다. "상처를 입을 가능성은 암컷보다는 수컷들에게서 더 크게 나타나는 것이 분명하다. 주로 수컷들이 동종간의 싸움에 더 많이 끼어들게 되고, 따라서 난폭하게 서로 공격하고 쫓고 쫓기는 곡예를 거듭해야 하기 때문이다. 그러다가 결국 사고를 당할 위험도 늘어나게 된다"(가노 1984, 5쪽).

15. 패리쉬(근간)는 동물원의 보노보를 대상으로, 싸우다가 상처를 입는 경우에 대해 조사했다. 모든 상처가 암컷이 — 종종 집단적으로 — 수컷을 공격해서 생긴 상처임이 밝혀졌다. 이 책 150~153쪽에 실려 있는 에이미 패리쉬와의 인터뷰를 참조하라.

16. 랭험 1993, 71쪽.

17. 우리 연구자들 대부분이 보노보의 진화 과정에 대해 추론을 내놓기 훨씬 전에 코트란트(1972, 15쪽)가 이와 똑같은 가설을 제시한 바 있다. "피그미 침팬지는 주기적으로 범람하는 콩고 강과 루알라아 강 그리고 칸사이 강 사이 습지의 숲들 사이에 최근에 이차적으로 적응한 것 같은데, 이 숲은 다시 호수와 늪으로 가득 찬 카탕가 저지대와 맞닿아 있다. 이 종의 적응이 이차적 성격을 갖고 있다는 것은 '긴팔원숭이와 비슷해진' 몸집, 먹이에 대한 빠른 반응, 그리고 이들의 행동에서 전형적으로 비-수목 생활에서만 나타나는 요소들이 발견되는 것만 보아도 짐작할 수 있다."

18. 내가 "어머니의 땅(motherland)"이라는 말을 쓴 것은 암컷의 우위 덕분에 보노보들 사이에서는 좀더 평화로운 공유(intercommunity)관계가 생겨날 수 있었기 때문이다. 아마 수컷들은 시와 때를 가리지 않고 같은 무리의 암컷들이 다른 무리의 수컷과 교미하는 것을 막으려고 할 것이다. 하지만 이러한 제한은 상대를 마음껏 고르는 것을 제한하기 때문에 암컷들의 이익에는 부합하지 않는다. 일단 암컷들이 우위를 차지하자 수컷들은 이처럼 중차대한 문제에 대한 결정권을 잃어버리게 되었을 것이다. 다른 무리의 암컷과 수컷들이 정기적으로 성적인 접촉을 하게 되면 수컷들이 영토와 암컷을 두고 싸우는 일도 줄어들게 될 것이다. 왜냐하면 첫째 일부 경쟁자들 — 이웃해 있는 영역에 사는 수컷 "적들" — 은 형제, 아버지, 아들일 수도 있기 때문이다. 둘째로 공유하면서 섞여 수태시킬 가능성이 있다면, 이웃 무리의 암컷에게 접근하기 위해 위험을 무릅쓰고 싸울 필요도 없게 되기 때문이다. 간단히 말해 집단들간의 성관계는 수컷들이 집단간 전쟁을 벌여 얻어내곤 했던 진화상의 이익 중 일부를 없애버릴 수도 있는 것이다.

4장 비너스의 후예들

1. 호켓과 애셔 1968, 34쪽.

2. 웨스콧 1968, 92쪽.

3. 요르단 1977, 175쪽.

4. 샌디에이고 동물원의 집단 거주지에서는 이례적으로 대면위가 후배위보다 일반적이었다. 이러한 경향은 내가 연구를 시작하기 10년 전에도 마찬가지였던 것 같다(패터슨 1979). 아

래의 표는 내가 기록한 698가지 성사회적(sociosexual) 행위 속에서 찾아볼 수 있는 다양한 성 행위 유형과 애무 행위 유형을 나누어본 것이다.

*짝짓기 자세**	*파트너 조합*	
	*암컷과 수컷***	*그 외****
대면위 또는 GG 마찰	81%	52%
후배위	17%	25%
서로 등을 맞대는 자세	0%	5%
펠라티오	0%	3%
(프렌치) 키스	1%	8%
성기 마사지	2%	7%

* 이 외에도 자위는 39회 관찰되었다.
** 어른 개체와 한창 자라는 중인 개체가 이성간에 하는 행위를 말한다.
*** 동성간의 행위나 성적으로 미숙한 개체들간의 접촉을 말한다.

5. 골드풋 외 1980.

6. 수 세비지-럼바우와 윌커슨 1978, 337쪽.

7. 세계의 여러 문화 중 84%에 달하는 곳에서 일부다처제를 허용하고 있다(와이트 1978). 그러나 이러한 사회에서도 대가족을 부양할 만한 능력이 있는 남성은 극소수에 불과하다. 따라서 실질적으로는 세계의 대부분의 가족은 남자 하나 여자 하나로 구성되어 있다고 봐야 한다.

8. 톰슨-핸들러(1990)는 포획된 보노보 16마리의 출산 과정을 관찰한 결과 평균 임신 기간은 244일로, 짧게는 227일에서 길게는 277일까지 걸린다는 것을 알아냈다. 1995년 심포지엄에서 후루이치(미간행)는 왐바의 보노보들의 출산 간격에 대해 언급하면서 보노보의 평균적인 출산 간격(보통 4.5년에 한 마리)이 침팬지보다 짧다는 결론을 내리기 위해서는 좀더 많은 조사가 필요하다고 말했다. 야생 침팬지에 관한 자료는 대부분 상대적으로 개방된 서식지에서 얻은 것이다. 숲에서 사는 침팬지들의 출산 간격은 보노보와 좀더 비슷할지도 모르는데, 환경과 먹이의 획득 가능성이 비슷하기 때문이다.

9. 성기 구조와 생리 주기, 성행위에 관한 자료는 세비지와 베이크만(1978), 달(1986), 달 외(1991), 드 왈(1987), 후루이치(1987, 1992b), 블라운트(1990), 랭험(1993)에서 얻은 것이다.

10. 성기가 부풀어오르는 특징은 원시 인류와 유인원이 갈라진 후에 생긴 것 같다. 그리고 오직 판(*Pan*) 계통에서만 나타난다. 우리 인간과 마찬가지로 고릴라와 오랑우탄도 성기가 부푸는 현상이 없거나 있더라도 거의 눈에 띄지 않는다(영장류 암컷들의 성적인 광고에 관한 개관으로는 흐르디와 위튼 1978을 참조하라). 이것이 사실이라면 우리는 인류가 어떻게 이러한 특징을 "잃어버렸는지"를 설명할 필요가 없다. 애초에 그런 현상이 없었을 테니까 말이다. 하지만 동시에 일부 학자들 중에는 인류도 처음에는 성기를 부풀렸으나 점차적으로 영원히 엉덩이를 부풀리는 방향으로 이를 대체해왔다고 주장하는 사람도 있으며(스자레이와 코스텔로 1991) 우리 인류의 가슴과 도톰한 입술은 각각 엉덩이와 음순(陰脣)을 흉내낸 것이라고 주장하는 사람도 있다(모리스, 1977). 성적인 신호가 뒤쪽에서 앞쪽으로 옮겨오게 된 것은 성행위의 체위가 대면위로 바뀐 것과 관련되어 있을 수도 있다. 따라서 보노보도 도톰한 분홍색 입술을 갖고 있을 뿐만 아니라 가슴도 다른 유인원에 비해 큰 편이라는 점은 상당히 흥미롭다.

11. 피셔 1983, 220쪽.

12. 스몰 1993, 198쪽.

13. 구로다(1982). 일본어로부터 필자 본인이 영어로 옮김.

14. 가노 1992, 169쪽.

15. 아래의 표는 침팬지와 포획된 보노보를 참고로 추정한 야생 보노보 암컷의 삶의 단계들을 보여주고 있다. 보노보와 침팬지의 일생을 비교해보고 싶은 사람은 랭험(1993)과 톰슨-핸들러(1990)의 논문을 참고하라.

삶의 단계	*나이(햇수)*	*출처*
유아기	0-5	구로다, 1989
최초의 성기 팽창(청소년기 시작)	7	가노, 1989
집단들 사이를 떠도는 생활의 시작	8	가노, 1992
새로운 집단에 정착	9-13	후루이치, 1989
초경 및 최초의 완전한 성기 팽창	10	(추정)
성장 중단(성인 크기에 도달)*	14-16	구로다, 1980
첫 출산	13-15	구로다, 1989
배란 정지(폐경기)	40	(추정)
출산 가능 개체 수 수명: 5~6마리	50-55	(추정)

* 포획된 보노보의 몸무게 변화를 가장 자세히 기록한 사람은 패리쉬(근간)이다.

16. 패리쉬(1996b)는 포획된 보노보 암컷들을 관찰하던 중 청년기 동안 자신이 태어난 무리 바깥으로 옮겨지지 않은 암컷들은 다른 무리로 옮겨간 암컷들보다 몇 년 늦게 새끼를 갖는다는 사실을 발견했다.

17. 예외적인 경우는 수컷 보노보가 부계가 같은 여형제나 자기 새끼와 관계를 맺는 경우이다. 아마 초기 인지 과정을 거치지 않아 성적인 금기가 형성되지 않았기 때문일 것이다. 따라서 암컷들이 다른 무리로 옮겨가야 할 필요가 생겨났다. 다른 많은 영장류들에서는 보통 이 문제를 해결하기 위해 수컷이 무리를 떠난다(부시와 파커, 1987).

18. 하시모토와 후루이치 1994, 159쪽.

19. 젊은 수컷들이 겪는 어려운 시기가 섹스와 관련된 것만은 아닐 것이다. 프루트(1995)는 로마코에서 성숙기에 이른 수컷 보노보가 먹이에 접근할 수 없었던 두 가지 사례를 기록해놓았다. 이 수컷들은 과일 나무들로부터 체계적으로 쫓겨나고, 먹이가 있는 곳으로부터 몰려나 결국 동료들이 먹다 남긴 것으로 만족해야 했다. 제 어미와 단독으로 먹이를 찾아 나설 때만 경쟁 없이 마음껏 먹을 수 있을 뿐이었다. 이 수컷들 중 한 마리는 연구 도중 사라져버렸다. 하지만 어린 암컷들은 나이든 암컷 — 이들은 어린 암컷들이 과일 나무들에 접근할 수 있도록 해주었다 — 과 연대함으로써 이 문제를 극복할 수 있었다.

20. 스기야마 1967, 233쪽. 스기야마는 유아 살해의 기원에 대해 제일 먼저 고찰한 사람이었다.

21. 유아 살해가 새끼의 사망률에 미치는 영향에 대해서는 E. H. M. 스터크와 D. 와트, C.P 반 샤이크의 최근 논문을 참고했다(스터크 1995, 121쪽). 인간을 제외한 영장류들에서의 유아 살해에 대한 최근의 논쟁에 대해서는 『진화 인류학*Evolutionary Anthropology*』 2, 2쪽(1995)을 참고하라.

22. 가노 1992, 208쪽.

23. 1994년 심포지엄에서 가노는 나뭇가지를 떨어뜨려 암컷의 시선을 끄는 행동을 자세히 설명했다. 서열이 높을수록 짝짓기 기회가 월등히 많은 것이 사실이지만 왐바의 짝짓기 장소에

서 성숙한 개체의 성행위가 실제 공격 행위에 의해 방해받은 경우는 전체의 5.2%에 불과했다(가노 1996).

24. 랭험(1993)과 패리쉬(1996b)를 참조하라. 가노(미간행)는 1995년에 열린 심포지엄에서 처음으로 유아 살해에 대한 암컷들의 대응책을 공식적으로 발표했다.

5장 보노보와 우리

1. 헥켈(서스먼〔1987, 85쪽〕이 재인용), 말리노프스키(1929), 다이아몬드 외(1990). 다이아몬드는 하와이 원주민들이 어떻게 노래와 춤으로 성기를 찬양하며 아이 때부터 신체의 이 부분들을 어떻게 변형시키는가에 대해 들려준 이야기들을 인용하고 있다. 이들은 여자아이의 질에 모유를 뿜어 넣으며, 음순은 쉽게 벌어지지 않도록 붙여놓는다. 그리고 음핵을 입으로 늘려 기다란 형태로 만든다. 남자아이들의 성기도 여아들처럼 보기 좋게 장식하고 나중에 즐거운 성생활을 할 수 있도록 비슷하게 처리한다는 것이다.

인류학자 중에는 직접적인 관찰보다는 정보 제공자나 초기 탐험가들의 말만 믿고 이 주제를 낭만적으로 묘사하는 사람도 일부 있지만(프리먼〔1983〕의 마가렛 미드 비판을 참조하라) 실제로 이렇게 무절제한 성 문화를 가진 인류 문화는 존재하지 않는다. 섹슈얼리티의 표현에 대한 도덕적 규제가 없으면 견고한 가족 제도는 생각할 수 없기 때문이다. 예를 들어 — 서양인들 눈에 — 아무리 자유로운 성생활을 누리는 듯이 보이더라도 혼외정사에 대한 질투나 폭력에서 자유로운 문화는 없다. 어디서든 성교는 은밀한 장소에서 행해지며(프리들 1994) 성기가 있는 부분은 이성의 욕망을 무의식적으로 자극하는 일이 없도록 보이지 않는 곳에 감추는 것이 일반적이다. 심지어 하와이 원주민들도 초기에는 순결을 중시했다는 것은 허리에 두르는 간단한 옷을 가리키는 말인 말로(malo)만 봐도 잘 알 수 있는데, 이 말은 말레이 어로 수치심을 뜻하는 말루(malu)에서 나왔을 가능성이 크다(불프 쉬펜회벨. 그에게 편지로 문의해본 결과 이러한 사실을 확인할 수 있었다).

2. 레이놀즈 1967b, 34~35쪽.

3. 비비도 인류처럼 평원에 성공적으로 정착한 영장류라고 할 수 있다. 어떤 비비 종들은 수컷 한 마리가 중심이 되어 여러 마리의 암컷과 줄곧 함께 생활하며(쿠머 1968) 또다른 종들은 암컷과 새끼를 보호하기 위해 암컷과 수컷들 간에 "우호 관계"를 유지하는 무리도 있다(스무츠 1985). 한편 침팬지를 닮은 유인원들도 평원에 정착하려고 시도했다고 추정하는 사람들도 있다. 이들은 계속해서 숲에 의지하고 암수 사이에 협력이 원활히 이루어지지 않았기 때문에 이들보다 성공적으로 평원에 정착한 원시 인류에게 쫓겨 다시 숲에 있는 원래의 거주지로 숲으로 돌아가야 했던 것처럼 보인다. 만일 정말로 침팬지가 사바나에 정착하려다 실패한 유인원의 자손이라면 우리는 이들을 '탈인간화(dehumanization)'의 소산이라고 할 수 있을 것이다(코트란트와 반존 1969).

4. 전체 영장류 목(目) 중 긴팔원숭이와 큰긴팔원숭이(시아망)가 속한 휘로바티다이(*Hylobatidae*) 목과 명주원숭이(마모셋)와 남아메리카 명주원숭이(타마린)가 속한 칼리트리키다이(*Callitrichidae*) 목 영장류는 우리 인간 종과 마찬가지로 암수가 한 쌍을 이뤄 생활하는 짝짓기 체계를 진화시켜왔다. 하지만 한 가지 커다란 차이가 있다. 즉 인간의 가족들이 커다란 공동체 안에서 서로 협력하며 사는 것과 달리 이들 영장류들의 가족은 가족 단위로 뿔뿔이 흩어져서 산다.

5. 반 샤이크와 던바(1990)는 긴팔원숭이나 다른 영장류들이 일부일처제를 택한 것은 유아 살해를 막기 위한 것일지도 모른다는 가설을 제시한 바 있다. 두 사람은 유아 살해가 진화 과정에 숨겨진 힘이며, 따라서 방어 전략이 실패하지 않는 한 이것의 효과는 드러나지 않게 된다고 주장한다. 이 두 저자에 따르면 인간의 경우에도 남녀 한 쌍이 결합하는 것은 유아 살해를 막기

위해 생겨난 것일 수 있다. 스무츠(1992)는 이와 관련해 인간의 남녀가 한 쌍끼리 결합하는 것은 처음에는 여성을 강간이나 성적 학대, 그리고 그 밖의 다른 남성 폭력에서 지켜주기 위한 것이라는 가설을 제시한 바 있다. 이 말이 사실이라면 식량을 얻기 위한 섹스라는 러브조이(1981)와 피셔(1983)의 가설의 경우 이러한 섹스는 이차적으로 발달된 것이라고 보는 것이 가장 바람직해 보인다. 즉 먹을거리와 섹스의 교환은 이미 만들어져 있는 보호 장치에 기반하고 있는 것이다.

6. 야생의 침팬지 중 도구를 더 자주 사용하고 능숙하게 다루는 것은 수컷이 아니라 암컷이다(맥 그루 1979, 뵈쉬 부부 1984).

7. 여기서 'homosexual' 이란 단순히 같은 성을 가진 개체 사이의 성적 접촉을 가리키기 위한 용어로만 사용되고 있을 뿐이다. 성적 지향성이나 정체성과 관련된 의미는 담겨 있지 않다. 이미 언급한 것처럼 보노보는 인간과 달리 동성이나 이성 어느 한 그룹의 구성원에 대해서만 관심을 갖지 않는다. 즉 통상적인 의미에서 동성애적이라거나 이성애적이라는 말 자체가 보노보에게 어울리지 않는다. 오히려 말 그대로 범성애적(pansexual)이라고 할 수 있다(이 책에서는 따라서 동성애나 이성애라는 번역어 대신 동성간의 성적 접촉, 이성간의 성적 접촉이라는 표현을 사용했다 — 옮긴이).

8. 수컷의 이익 전체를 고려하는 이러한 추론 방식은 자연 선택은 생식의 '상대적인' 성공을 보장할 때만 작동한다는 점에서 문제를 갖고 있다. 각각의 수컷의 입장에서 보면 유아 살해라는 것은 그것이 다른 수컷들보다 자신의 생식을 더 유리하게 만들어줄 경우에만 폐지될 가치가 있는 것이다.

9. 암컷 우위는 보노보 사회의 가장 놀라운 특징이다. 암컷들간의 협력만으로도 유아 살해를 막기에 충분하지 않았던 것일까? 수컷을 지배하는 것이 완벽한 보호를 위한 필수적인 단계였을까? 아니면 또다른 목적이 있었을까? 먹이를 독점하게 된 암컷들이 얼마나 큰 이익을 얻는지는 쉽게 상상할 수 있다. 그리고 이런 이익은 결코 암컷 우위를 발전시키지 못한 수많은 다른 동물들에게는 해당되지 않는 것일까? 보통 수컷 우위를 보이는 영장류들 사이에서는 암컷들이 먹이에 접근할 수 있는 것은 이와 다른 메커니즘, 예를 들어 수컷들이 암컷들에 대해 상당한 관용 정신을 발휘해야 비로소 확보될 수 있다. 간단히 말해 왜 보노보들이 다른 많은 종에서도 관찰되는 암컷들간의 동맹으로부터 실제적인 암컷 우위로 나갔는지를 여전히 알 수가 없다.

좀더 자세히 관찰해야 할 과제 중의 하나는 암컷의 먹이 우선권이 과연 어느 정도로 강력하게 관철되는가 하는 문제이다. 1941년의 여키스의 관찰 이래 우리는 발정기를 맞은 암컷 침팬지는 먹이 우선권을 주장할 수 있다는 것을 알고 있다. 이때 수컷은 그저 뒤로 물러나 먹이를 암컷에게 내준다. 이러한 설명이 보노보 수컷들에게도 적용될 수 있을까? 암컷 보노보의 성기가 오랫동안 부풀어올라 있게 되면서 성적으로 매력적이 될 때 누리던 이익이 영구적인 조건으로 굳어졌을지도 모른다.

6장 풍부한 감수성

1. 네덜란드의 와세나 동물원은 몇 년 후에 폐쇄되었다. 이곳에 있던 보노보들은 미국의 밀워키 카운티 동물원으로 옮겨졌다.

2. 보노보가 옥시토신(oxytocin)을 다량 분비한다는 가설은 매우 흥미롭다. 포유류가 분비하는 이 호르몬은 어미-새끼 사이의 관계를 돈독히 하는 역할을 한다. 옥시토신은 암컷이 출산할 때 분비되기 시작해 이유기까지 계속해서 나온다. 옥시토신의 원래 역할은 출산과 수유 시 필요한 근육의 수축을 촉발하는 데 있다. 그러나 뇌에 도달하면 이 호르몬은 훨씬 다양한 기능을 하는 것 같다. 설치류의 경우 옥시토신의 분비는 애정어린 행위를 자극하며 반대로 그러한 행위들이 끝나면 옥시토신이 감소했다(인셀 1992). 정말 다량의 옥시토신이 보노보 혈중에 흐

르고 있는 것이 사실이라면 — 이는 정말 확인해볼 만한 가설이다 — 이는 보노보의 높은 사회적 유대감과 성적 유대감을 어느 정도 설명해줄 수 있을 것이다. 하지만 이러한 가능성이 5장에서 논의되고 있는 진화의 가설들을 대체할 수는 없다. 보노보가 강렬한 접촉을 추구하게 만들고 또 그들이 그러한 접촉으로부터 쾌락을 얻게 만드는 생리적 메커니즘이 존재한다면 이러한 메커니즘이 어떻게 진화해왔는가 하는 문제를 설명해야 하는 문제가 남기 때문이다. 보통 자연 선택은 동물들로 하여금 스스로에게 가장 유리한 행위를 하도록 하기 위해 특정한 종류의 행동에 뭔가를 보상해줄 수 있는 경험을 "부착시킨다(attach)"는 것이 일반적인 생각이다.

3. 칸지와 타물리 이야기는 TV 다큐멘터리로 제작되어 일본의 NHK를 통해 방영된 바 있다.

4. 여키스 1925, 246쪽.

에필로그, 보노보의 오늘과 내일

1. 전세계에서 포획된 보노보들은 거의 모두 SSP와 EESP가 시행하는 국제 보노보 출산 프로그램에 의해 관리되고 있다. 이 두 협회는 격년으로 『국제 보노보 연구지*International Studybook of the Bonobo*』를 내고 있는데, 아래의 자료는 이 잡지에서 찾아낸 것이다. 1996년 1월 1일을 기준으로 파악된 동물원과 연구소의 보노보 수는 아래와 같다.

연구소 이름	국가명	수컷	암컷	전체
플랑큰달동물원 (안트웨르펜/메헬렌)	벨기에	5	4	9
안트웨르펜 동물원	벨기에	2	0	2
베를린 동물원	독일	2	2	4
신시내티 동물원	미국	3	3	6
콜럼버스 동물원	미국	4	2	6
포트워스 동물원	미국	3	0	3
프랑크푸르트 동물원	독일	1	7	8
코로그네 동물원	독일	2	3	5
언어연구센터(애틀랜타)	미국	2	4	6
레입지그 동물원	독일	2	1	3
밀워키 동물원	미국	5	6	11
모렐라 동물원	멕시코	2	1	3
샌디에이고 와일드 애니멀 파크	미국	2	4	6
샌디에이고 동물원	미국	3	6	9
슈투트가르트 동물원	독일	4	4	8
트위크로스 동물원	영국	3	2	5
위퍼틀 동물원	독일	4	1	5
여키스 영장류센터(애틀랜타)	미국	2	3	5
전체		51	53	104

2. 전세계의 동물원에 분포되어 있는 보노보에 대한 자세한 정보를 담고 있는 『국제 보노보 연구지』를 얻을 수 있는 주소는 다음과 같다.

Bruno van Puijenbroeck, Royal Zoological Society of Antwerp, Koningin Astridplein 26, Antwerp, Belgium.

참고 문헌

Asquith, P. 1989. Provisioning and the study of free-ranging primates: History, effects, and prospects. *Yearbook of Physical Anthropology* 32: 129–58.

van den Audenaerde, D. F. E. T. 1984. The Tervuren Museum and the pygmy chimpanzee. In *The Pygmy Chimpanzee*, ed. R. L. Susman, 3–11. New York: Plenum Press.

Badrian, A., and N. Badrian. 1977. Pygmy chimpanzees. *Oryx* 13: 463–68.

———. 1984a. The Bonobo branch of the family tree. *Animal Kingdom* 87, 4: 39–45.

———. 1984b. Social organization of *Pan paniscus* in Lomako Forest, Zaire. In *The Pygmy Chimpanzee*, ed. R. L. Susman, 325–46. New York: Plenum Press.

Blount, B. G. 1990. Issues in bonobo (*Pan paniscus*) sexual behavior. *American Anthropologist* 92: 702–14.

Boesch, C. 1991. The effects of leopard predation on grouping patterns in forest chimpanzees. *Behaviour* 117: 220–42.

Boesch, C., and H. Boesch. 1984. Sex differences in the use of natural hammers by wild chimpanzees: A preliminary report. *Journal of Human Evolution* 13: 415–585.

Boesch, H., and C. Boesch. 1994. Hominization in the rainforest: The chimpanzee's piece of the puzzle. *Evolutionary Anthropology* 3, 1: 9–16.

Bolk, L. 1926. *Das Problem der Menschwerdung*. Jena: Gustav Fischer.

van Bree, P. J. H. 1963. On a specimen of *Pan paniscus* Schwarz, 1929, which lived in the Amsterdam Zoo from 1911 till 1916. *Zoologische Garten* 27: 292–95.

Buttersworth, G. E., P. L. Harris, A. M. Leslie, and H. M. Wellman. 1991. *Perspectives on the Child's Theory of Mind*. Oxford: Oxford University Press.

Campbell, S. 1980. Kakowet. *Zoonooz*, December: 7–11.

Cartmill, M. 1993. *A View to a Death in the Morning: Hunting and Nature through History*. Cambridge, Mass.: Harvard University Press.

Clarke, R. J., and P. V. Tobias. 1995. Sterkfontein member 2 foot bones of the oldest South African hominid. *Science* 269: 521–24.

Coolidge, H. J. 1933. *Pan paniscus:* Pygmy chimpanzee from south of the Congo River. *American Journal of Physical Anthropology* 18: 1–57.

———. 1984. Historical remarks bearing on the discovery of *Pan paniscus*. In *The Pygmy Chimpanzee*, ed. R. L. Susman, ix–xiii. New York: Plenum Press.

Dahl, J. F. 1986. Cyclic perineal swelling during the intermenstrual intervals of captive female pygmy chimpanzees (*Pan paniscus*). *Journal of Human Evolution* 15: 369–85.

Dahl, J.F., R.D. Nadler, and D.C. Collins. 1991. Monitoring the ovarian cycles of *Pan troglodytes* and *P. paniscus:* A comparative approach. *American Journal of Primatology* 24: 195–209.

Darwin, C. 1965 [1872]. *The Expression of the Emotions in Man and Animals*. Chicago: University of Chicago Press.

Diamond, M. 1990. Selected cross-generational sexual behavior in traditional Hawai'i: A sexological ethnography. In *Pedophilia: Biosocial Dimensions*, ed. J. R. Feierman, 378–93. New York: Springer.

Dyke, B., T. B. Gage, P. L. Alford, B. Swenson, and S. Williams-Blangero. 1995. Model life table for captive chimpanzees. *American Journal of Primatology* 37: 25–37.

van Elsacker, L., H. Vervaeke, and R. F. Verheyen. 1995. A review of terminology on aggregation patterns in bonobos (*Pan paniscus*). *International Journal of Primatology* 16: 37–52.

Fisher, H. 1983. *The Sex Contract: The Evolution of Human Behavior*. New York: Quill.

Freeman, D. 1983. *Margaret Mead and Samoa*. Cambridge, Mass.: Harvard University Press.

Friedl, E. 1994. Sex the Invisible. *American Anthropologist* 96: 833–44.

Fruth, B. 1995. *Nests and Nest Groups in Wild Bonobos (Pan paniscus): Ecological and Behavioral Correlates*. Aachen: Shaker.

Fruth, B., and Hohmann, G. 1994. Comparative analyses of nest building behavior in bonobos and chimpanzees. In *Chimpanzee Cultures*, ed. R. W. Wrangham, W. C. McGrew, F. B. M. de Waal, and P. Heltne, 109–28. Cambridge, Mass.: Harvard University Press.

Furuichi, T. 1987. Sexual swellings, receptivity, and grouping of wild pygmy chimpanzee females at Wamba, Zaire. *Primates* 28: 309–18.

———. 1989. Social interactions and the life history of female *Pan paniscus* in Wamba, Zaire. *International Journal of Primatology* 10: 173–97.

———. 1992a. Dominance status of wild bonobos (*Pan paniscus*) at Wamba, Zaire. Paper given at the 24th Congress of the International Primatological Society, Strasbourg, France.

———. 1992b. The prolonged estrus of females and factors influencing mating in a wild group of bonobos (*Pan paniscus*) in Wamba, Zaire. In *Topics in Primatology,* vol. 2: *Behavior, Ecology, and Conservation,* ed. N. Itoigawa, Y. Sugiyama, G. P. Sackett, and R. K. R. Thompson, 179–90. Tokyo: University of Tokyo Press.

Furuichi, T., and H. Ihobe. 1994. Variation in male relationships in bonobos and chimpanzees. *Behaviour* 130: 211–28.

Gallup, G. 1982. Self-awareness and the emergence of mind in primates. *American Journal of Primatology* 2: 237–48.

Gerloff, U., C. Schlötterer, K. Rassmann, I. Rambold, G. Hohmann, B. Fruth, and D. Tautz. 1995. Amplification of hypervariable simple sequence repeats (microsatellites) from excremental DNA of wild living bonobos (*Pan paniscus*). *Molecular Ecology* 4: 515–18.

Goldfoot, D. A., H. Westerborg-van Loon, W. Groeneveld, and A. K. Slob. 1980. Behavioral and physiological evidence of sexual climax in the female stump-tailed macaque (*Macaca arctoides*). *Science* 208: 1477–79.

Goodall, J. [van Lawick-]. 1968. The behaviour of free-living chimpanzees in the Gombe Stream Reserve. *Animal Behaviour Monographs* 1: 161–311.

———. 1992. Unusual violence in the overthrow of an alpha male chimpanzee at Gombe. In *Topics in Primatology,* vol. 1: *Human Origins,* ed. T. Nishida, W. C. McGrew, P. Marler, M. Pickford, and F. B. M. de Waal, 131–42. Tokyo: University of Tokyo Press.

Gould, S. J. 1977. *Ontogeny and Phylogeny.* Cambridge, Mass.: Harvard University Press, Belknap Press.

Hashimoto, C., and T. Furuichi. 1994. Social role and development of noncopulatory sexual behavior of wild bonobos. In *Chimpanzee Cultures,* ed. R. W. Wrangham, W. C. McGrew, F. B. M. de Waal, and P. Heltne, 155–68. Cambridge, Mass.: Harvard University Press.

Heublein, E. 1977. Kakowet's family. *Zoonooz,* October: 5–10.

Hockett, C. F., and R. Ascher. 1968 [1964]. The human revolution. In *Culture: Man's Adaptive Dimension,* ed. A. Montagu, 20–101. Oxford: Oxford University Press.

Hohmann, G., and B. Fruth. 1993. Field observations on meat sharing among bonobos (*Pan paniscus*). *Folia primatologica* 60: 225–29.

———. In press. Food sharing and status in provisioned bonobos (*Pan paniscus*): Preliminary results. In *Food and the Status Quest,* ed. P. Wiessner and W. Schiefenhövel. Oxford: Berghahn Publications.

van Hooff, J. A. R. A. M. 1972. A comparative approach to the phylogeny of laughter and smiling. In *Non-verbal Communication,* ed. R. A. Hinde, 209–41. Cambridge: Cambridge University Press.

———. 1973. A structural analysis of the social behaviour of a semi-captive group of chimpanzees. In *Expressive Movement and Non-verbal Communication,* ed. M. von Cranach and I. Vine, 75–162. London: Academic Press.

Hopkins, W. D., and F. B. M. de Waal. 1995. Behavioral laterality in captive bonobos (*Pan paniscus*): Replication and extension. *International Journal of Primatology* 16: 261–76.

Hopkins, W. D., and R. D. Morris. 1993. Handedness in great apes: A review of findings. *International Journal of Primatology* 14: 1–25.

Hrdy, S. B. 1979. Infanticide among animals: A review, classification, and examination of the implications for the reproductive strategies of females. *Ethology and Sociobiology* 1: 13–40.

Hrdy, S. B., and P. L. Whitten. 1987. Patterning of sexual activity. In *Primate Societies,* ed. B. Smuts et al., 370–84. Chicago: University of Chicago Press.

Idani, G. 1990. Relations between unit-groups of bonobos at Wamba: Encounters and temporary fusions. *African Study Monographs* 11: 153–86.

———. 1991. Social relationships between immigrant and resident bonobo (*Pan paniscus*) females at Wamba. *Folia primatologica* 57: 83–95.

Ihobe, H. 1992. Male-male relationships among wild bonobos (*Pan paniscus*) at Wamba, Republic of Zaire. *Primates* 33: 163–79.

Ingmanson, E. 1966. Tool-using behavior in wild *Pan paniscus*: Social and ecological considerations. In *Reaching into Thought: The Minds of the Great Apes*, ed. A. Russon, K. A. Bard, and S. T. Parker, 190–210. Cambridge: Cambridge University Press.

Insel, T. R. 1992. Oxytocin—A neuropeptide for affiliation: Evidence from behavioral, receptor autoradiographic, and comparative studies. *Psychoneuroendocrinology* 17: 3–35.

Jordan, C. 1977. Das Verhalten zoolebender Zwergschimpansen. Diss., Goethe University, Frankfurt.

———. 1982. Object manipulation and tool-use in captive pygmy chimpanzees (*Pan paniscus*). *Journal of Human Evolution* 11: 35–39.

Kano, T. 1980. Social behavior of wild pygmy chimpanzees (*Pan paniscus*) of Wamba: A preliminary report. *Journal of Human Evolution* 9: 243–60.

———. 1984. Observations of physical abnormalities among the wild bonobos (*Pan paniscus*) of Wamba, Zaire. *American Journal of Physical Anthropology* 63: 1–11.

———. 1989. The sexual behavior of pygmy chimpanzees. In *Understanding Chimpanzees*, ed. P. G. Heltne and L. A. Marquardt, 176–83. Cambridge, Mass.: Harvard University Press.

———. 1992. *The Last Ape: Pygmy Chimpanzee Behavior and Ecology.* Stanford, Calif.: Stanford University Press.

———. 1996. Male ranking order and copulation rate in a unit-group of bonobos at Wamba, Zaire. In *Great Ape Societies*, ed. W. C. McGrew, L. Marchant, and T. Nishida, 135–45. Cambridge: Cambridge University Press.

Kortlandt, A. 1972. *New Perspectives on Ape and Human Evolution.* Amsterdam: Stichting voor Psychobiologie, University of Amsterdam.

Kortlandt, A., and J. C. J. van Zon. 1969. The present state of research on the dehumanization hypothesis of African ape evolution. In *Proceedings of the 2nd Congress of the International Primatalogical Society, Atlanta (Ga.)*, 3: 10–13. Basel: Karger.

Kummer, H. 1968. *Social Organization of Hamadryas Baboons: A Field Study.* Chicago: University of Chicago Press.

Kuroda, S. 1979. Grouping of the pygmy chimpanzee. *Primates* 20: 161–83.

———. 1980. Social behavior of the pygmy chimpanzees. *Primates* 21: 181–97.

———. 1982. *The Unknown Ape: The Pygmy Chimpanzee* (in Japanese). Tokyo: Chikuma-Shobo.

———. 1984. Interaction over food among pygmy chimpanzees. In *The Pygmy Chimpanzee*, ed. R. L. Susman, 301–24. New York: Plenum Press.

———. 1989. Developmental retardation and behavioral characteristics in the pygmy chimpanzees. In *Understanding Chimpanzees*, ed. P. G. Heltne and L. A. Marquardt, 184–93. Cambridge, Mass.: Harvard University Press.

Lasswell, H. 1936. *Who Gets What, When and How.* New York: McGraw-Hill.

Learned, B. 1925. Voice and "language" of young chimpanzees. In *Chimpanzee Intelligence and Its Vocal Expressions*, ed. R. M. Yerkes and B. Learned, 57–157. Baltimore: Williams & Wilkins.

Lovejoy, C. O. 1981. The origin of man. *Science* 211: 341–50.

Malenky, R. K., and R. W. Wrangham. 1994. A quantitative comparison of terrestrial herbaceous food consumption by *Pan paniscus* in the Lomako Forest, Zaire, and *Pan troglodytes* in the Kibale Forest, Uganda. *American Journal of Primatology* 32: 1–12.

Malinowski, B. 1929. *The Sexual Life of Savages.* London: Lowe & Brydone.

McGrew, W. C. 1979. Evolutionary implications of sex-differences in chimpanzee predation and tool-use. In *The Great Apes*, ed. D. A. Hamburg and E. R. McCown, 440–63. Menlo Park, Calif.: Benjamin Cummings.

———. 1992. *Chimpanzee Material Culture.* Cambridge: Cambridge University Press.

Mori, A. 1984. An ethological study of pygmy chimpanzees in Wamba, Zaire: A comparison with chimpanzees. *Primates* 25: 255–78.

Morin, P. A., J. J. Moore, R. Chakraborty, L. Jin, J. Goodall, and D. S. Woodruff. 1994. Kin selection, social structure, gene flow, and the evolution of chimpanzees. *Science* 265: 1193–1201.

Morris, D. 1967. *The Naked Ape.* New York: Dell.
———. 1977. *Manwatching: A Field Guide to Human Behaviour.* London: Jonathan Cape.
Nishida, T. 1987. Local traditions and cultural transmission. In *Primate Societies,* ed. B. Smuts et al., 462–74. Chicago: University of Chicago Press.
Parish, A. R. 1993. Sex and food control in the "uncommon chimpanzee": How bonobo females overcome a phylogenetic legacy of male dominance. *Ethology and Sociobiology* 15: 157–79.
———. 1996a. Female relationships in bonobos (*Pan paniscus*): Evidence for bonding, cooperation, and female dominance in a male-philopatric species. *Human Nature* 7: 61–96.
———. 1996b. Timing of first reproduction in female bonobos (*Pan paniscus*). *American Journal of Primatology.*
———. In press. Sexual dimorphism, maturation, and female dominance in bonobos (*Pan paniscus*). *American Journal of Physical Anthropology.*
Parish, A. R., and F. B. M. de Waal. Under review. Social relationships in the bonobo (*Pan paniscus*) redefined: Evidence for female-bonding in a "non-female bonded" primate. *Behaviour.*
Parker, S. T., R. W. Mitchell, and M. L. Boccia, eds. 1994. *Self-Awareness in Animals and Humans: Developmental Perspectives.* Cambridge: Cambridge University Press.
Patterson, T. 1979. The behavior of a group of captive pygmy chimpanzees (*Pan paniscus*). *Primates* 20: 341–54.
Povinelli, D. J., S. T. Boysen, and K. E. Nelson. 1990. Inferences about guessing and knowing by chimpanzees (*Pan troglodytes*). *Journal of Comparative Psychology* 104: 203–10.
Pusey, A. E., and C. Packer. 1987. Dispersal and philopatry. In *Primate Societies,* ed. B. B. Smuts, D. L. Cheney, R. M. Seyfarth, R. W. Wrangham, and T. T. Struhsaker, 250–66. Chicago: University of Chicago Press.
Reynolds, V. 1967a. On the identity of the ape described by Tulp, 1641. *Folia primatologica* 5: 80–87.
———. 1967b. *The Apes.* New York: Dutton.
Rodman, P. S., and H. M. McHenry. 1980. Bioenergetics and the origin of hominid bipedalism. *American Journal of Physical Anthropology* 52: 103–6.
Sabater-Pi, J., M. Bermejo, G. Illera, and J. J. Vea. 1993. Behavior of bonobos (*Pan paniscus*) following their capture of monkeys in Zaire. *International Journal of Primatology* 14: 797–803.
Savage, S., and R. Bakeman. 1978. Sexual morphology and behavior in *Pan paniscus.* In *Proceedings of the 6th International Congress of Primatology,* 613–16. New York: Academic Press.
Savage-Rumbaugh, S., and R. Lewin. 1994. *Kanzi: The Ape at the Brink of the Human Mind.* New York: Wiley.
Savage-Rumbaugh, S., and B. Wilkerson. 1978. Socio-sexual behavior in *Pan paniscus* and *Pan troglodytes:* A comparative study. *Journal of Human Evolution* 7: 327–44.
van Schaik, C. P., and R. I. M. Dunbar. 1990. The evolution of monogamy in large primates: A new hypothesis and some crucial tests. *Behaviour* 115: 30–62.
van Schaik, C. P., E. A. Fox, and A. F. Sitompul. 1996. Manufacture and use of tools in wild Sumatran orangutans: Implications for human evolution. *Naturwissenschaften* 83: 186–88.
Schwarz, E. 1929. Das Vorkommen des Schimpansen auf den linken Kongo-Ufer. *Revue de zoologie et de botanique africaines* 16: 425–26.
Shea, B. T. 1983. Paedomorphosis and neotony in the pygmy chimpanzee. *Science* 222: 521–22.
Shreeve, J. 1996. Sunset on the Savanna. *Discover* 17, 7: 116–25.
Small, M. F. 1993. *Female Choices: Sexual Behavior of Female Primates.* Ithaca, N.Y.: Cornell University Press.
Smuts, B. B. 1985. *Sex and Friendship in Baboons.* New York: Aldine.
———. 1992. Male aggression against women. *Human Nature* 3: 1–44.
Sommer, V. 1994. Infanticide among the langurs of Jodhpur: Testing the sexual selection hypothesis with a long-term record. In *Infanticide and Parental Care,* ed. S. Parmigiani and F. S. vom Saal, 155–87. Chur, Switzerland: Harwood.
Stanyon, R., B. Chiarelli, K. Gottlieb, and W. H. Patton. 1986. The phylogenetic and taxo-

nomic status of *Pan paniscus:* A chromosomal perpective. *American Journal of Physical Anthropology* 69: 489–98.

Sterck, E. H. M. 1995. Females, foods and fights. Diss., University of Utrecht.

Streudel, K. 1994. Locomotor energetics and hominid evolution. *Evolutionary Anthropology* 3, 2: 42–48.

Sugiyama, Y. 1967. Social organization of Hanuman langurs. In *Social Communication among Primates,* ed. S. A. Altmann, 221–53. Chicago: University of Chicago Press.

———. 1988. Grooming interactions among adult chimpanzees at Bossou, Guinea, with special reference to social structure. *International Journal of Primatology* 9: 393–408.

Susman, R. L. 1984. The locomotor behavior of *Pan paniscus* in the Lomako Forest. In *The Pygmy Chimpanzee,* ed. R. L. Susman, 369–93. New York: Plenum.

———. 1987. Pygmy chimpanzees and common chimpanzees: Models for the behavioral ecology of the earliest hominids. In *The Evolution of Human Behavior: Primate Models,* ed. W. G. Kinzey, 72–86. Albany: State University of New York Press.

Susman, R. L., J. T. Stern, and W. L. Jungers. 1984. Arboreality and bipedality in the Hadar hominids. *Folia primatologica* 43: 113–56.

Suzuki, A. 1971. Carnivority and cannibalism observed among forest-living chimpanzees. *Journal of the Anthropological Society of Nippon* 79: 30–48.

Szalay, F. S., and R. K. Costello. 1991. Evolution of permanent estrus displays in hominids. *Journal of Human Evolution* 20: 439–64.

Thompson-Handler, N. 1990. The Pygmy Chimpanzee: Sociosexual Behavior, Reproductive Biology and Life History Patterns. Diss., Yale University.

Thompson-Handler, N., R. K. Malenky, and G. E. Reinartz. 1995. *Action Plan for* Pan paniscus: *Report on Free Ranging Populations and Proposals for Their Preservation.* Milwaukee: Zoological Society of Milwaukee County.

Tomasello, M., S. Savage-Rumbaugh, and A. C. Kruger. 1993. Imitative learning of actions on objects by children, chimpanzees, and enculturated chimpanzees. *Child Development* 64: 1688–1705.

Tratz, E. P., and H. Heck. 1954. Der afrikanische Anthropoide "Bonobo": Eine neue Menschenaffengattung. *Säugetierkundliche Mitteilungen* 2: 97–101.

Vauclair, J., and K. Bard. 1983. Development of manipulations with objects in ape and human infants. *Journal of Human Evolution* 12: 631–45.

de Waal, F. B. M. 1986. The brutal elimination of a rival among captive male chimpanzees. *Ethology and Sociobiology* 7: 237–51.

———. 1987. Tension regulation and nonreproductive functions of sex among captive bonobos (*Pan paniscus*). *National Geographic Research* 3: 318–335.

———. 1988. The communicative repertoire of captive bonobos (*Pan paniscus*), compared to that of chimpanzees. *Behaviour* 106: 183–251.

———. 1989 [1982]. *Chimpanzee Politics: Power and Sex among Apes.* Baltimore: Johns Hopkins University Press.

———. 1989. *Peacemaking among Primates.* Cambridge, Mass.: Harvard University Press.

———. 1992. Appeasement, celebration, and food sharing in the two *Pan* species. In *Topics in Primatology,* vol. 1: *Human Origins,* ed. T. Nishida, W. C. McGrew, P. Marler, M. Pickford, and F. B. M. de Waal, 37–50. Tokyo: University of Tokyo Press.

———. 1994. The chimpanzee's adaptive potential: A comparison of social life under captive and wild conditions. In *Chimpanzee Cultures,* ed. R. W. Wrangham, W. C. McGrew, F. B. M. de Waal, and P. Heltne, 243–60. Cambridge, Mass.: Harvard University Press.

———. 1995. Sex as an alternative to aggression in the bonobo. In *Sexual Nature, Sexual Culture,* ed. P. Abramson and S. Pinkerton, 37–56. Chicago: University of Chicago Press.

———. 1996. *Good Natured: The Origins of Right and Wrong in Humans and Other Animals.* Cambridge, Mass.: Harvard University Press.

Walraven, V., L. van Elsacker, and R. Verheyen. 1995. Reactions of a group of pygmy chimpanzees (*Pan paniscus*) to their mirror-images: Evidence of self-recognition. *Primates* 36: 145–50.

Wescott, R. W. 1968 [1963]. In *Culture: Man's Adaptive Dimension,* ed. A. Montagu, 91–93. Oxford: Oxford University Press.

Westergaard, G. C., and C. W. Hyatt. 1994. The responses of bonobos (*Pan paniscus*) to their mirror images: Evidence of self-recognition. *Human Evolution* 9: 273–79.

White, F. J., and C. A. Chapman. 1994. Contrasting chimpanzees and bonobos: Nearest neighbor distances and choices. *Folia primatologica* 63: 181–91.

White, F. J., and R. W. Wrangham. 1988. Feeding competition and patch size in the chimpanzee species *Pan paniscus* and *P. troglodytes. Behaviour* 105: 148–64.

Whiten, A. 1991. *Natural Theories of Mind: Evolution, Development and Simulation of Everyday Mindreading.* Oxford: Blackwell.

Whyte, M. K. 1978. Cross-cultural codes dealing with the relative status of women. *Ethnology* 17: 211–37.

Wrangham, R. W. 1986. Ecology and social relationships in two species of chimpanzee. In *Ecology and Social Evolution: Birds and Mammals,* ed. D. I. Rubenstein and R. W. Wrangham, 353–78. Princeton, N.J.: Princeton University Press.

———. 1993. The evolution of sexuality in chimpanzees and bonobos. *Human Nature* 4: 47–79.

Wrangham, R. W., W. C. McGrew, F. B. M. de Waal, and P. Heltne, eds. 1994. *Chimpanzee Cultures.* Cambridge, Mass.: Harvard University Press.

Yerkes, R. M. 1925. *Almost Human.* New York: Century.

———. 1941. Conjugal contrasts among chimpanzees. *Journal of Abnormal and Social Psychology* 36: 175–99.

Zihlman, A. L. 1984. Body build and tissue composition in *Pan paniscus* and *Pan troglodytes,* with comparisons to other hominoids. In *The Pygmy Chimpanzee,* ed. R. L. Susman, 179–200. New York: Plenum.

Zihlman, A. L., J. E. Cronin, D. L. Cramer, and V. M. Sarich. 1978. Pygmy chimpanzee as a possible prototype for the common ancestor of humans, chimpanzees, and gorillas. *Nature* 275: 744–46.

감사의 말

가장 중요한 일부 국제 보노보 전문가들의 열정적인 협력이 없었다면 이 책은 전혀 불가능했을 것입니다. 이렇게 스스로를 보노보 전문가라고 부를 수 있는 연구자들은 정말 얼마 안 되는데, 이들 각각의 고유하고 독특한 통찰들이 이 책에서 보노보 사회의 전체 상(像)을 그려나가는 데 큰 도움이 되었습니다. 자연 서식지와 동물원 그리고 실험실 등 각자의 연구 장소는 달랐지만 모든 분들이 기꺼이 자기가 알아낸 것, 발견한 것을 공유하고자 했습니다. 특히 감사드리고 싶은 분들은 인터뷰에 응해주신 여섯 분, 즉 바바라 프루트, 고트프리드 호만, 다카요시 가노, 스에히사 구로다, 에이미 패리쉬, 수 세비지-럼바우입니다. 이들 대부분이 친절하게도 원고의 해당 부분을 꼼꼼히 읽고 논평까지 해주었습니다.

마리안느 홀트쾨터, 리처드 말렌키, 게이 레이나르츠, 불프 쉬펜호벨, 메레디스 스몰, 낸시 톰슨-핸들러는 그외의 많은 정보를 제공해주었습니다. 물론 이 책의 내용에 오류가 있다면 결국 우리 두 사람의 책임이지만 사실상의 오류들을 지적해주고 추가적인 정보를 제공해주고 우리 생각을 좀더 명확하게 표현할 수 있도록 해준 데 대해 위에 언급한 모든 동료들에게 감사드립니다.

샌디에이고 동물원에서 진행된 프란스 드 왈의 연구는 내셔널 지오그래픽 사(社)와 매디슨에 있는 위스콘신 영장류연구소의 지원을 받았습니다. 또 내가 잠시 다른 일을 멈추고 뮌헨에서 칩거하며, 가끔 엥글리셔 가르텐(이 곳은 1930년대 처음으로 보노보에 대한 행동 연구가 시작된 아주 상징적인 장소입니다)에서 유유자적하게 산책이나 즐기면서 집필에 전념할 수 있도록 배려해준 칼 프리드리히 폰 지멘스 재단에게도 감사를 표합니다. 언제나 친절하게 대해준 불프 쉬펜회벨과 그레테 쉬펜회벨 부부, 마리안 외르틀, 하인리히 마이어와 바입케 마이어 부부, 그리고 그외 바이에른 지역 주민들에게도 감사드립니다. 사랑하는 아내 마린은 바쁜 와중에도 나와 함께 해주었고 초안을 모두 꼼꼼히 읽어주었습니다. 보노보에 관한 강의를 듣고 성의 있는 질문과 비평을 아끼지 않은 독일, 오스트리아, 네덜란드의 청중들에게도 아울러 감사드립니다. 여러분의 피드백은 이 책에서의 논의를 구성하는 데 큰 도움이 되었습니다.

프란스 랜팅의 왐바, 자이르 탐험은 내셔널 지오그래픽 사의 지원을 받았습니다. 아프리카에서는 다카요시 가노, 다케시 후루이치, 지에 하시모토, 엘렌 잉그맨슨, 야리셀레 선교회의 고(故) 피에트 신부님, 해리 구달, 마이크 챔버스, 델피 메신저, 기독비행모임(MAF), 자이르 자연보존연구소, 생물의학국제연구소, 망코토 마엠베렐레, 칼 암만과 캐서린 암만 부부, 그리고 음지(Mzee)의 도움을 받았습니다. 그리고 미국에서는 애틀랜타 동물원과 신시내티 동물원, 샌디에이고 동물원, 샌디에이고 와일드 애니멀 파크, 조지아 주립 대학교 언어연구센터 관계자 여러분, 애드리엔 질먼과 에이미 패리쉬, 게자 텔레키, 밥 카푸토, 이자벨 스터링, 니콘 사(社)의 도움을 받았습니다. 네덜란드 쪽에서는 벌허스 동물원의 안톤 반호프와 말라리아에 걸린 나를 정성껏 치료해준 로테르담 항만병원의 훌륭한 의사들에게도 감사를 전합니다. 또 내셔널 지오그래픽 사와의 작업에서는 이전 편집자들인 빌 가렛과 매리 스미스, 빌 알렌, 톰 케네디, 켄트 코버스틴, 알 로이스, 네바 폴크, 앤 저지, 제인 베슬, 그리고 촬영 기구 전문 매장에 아울러 감사드립니다. 수 세비지-럼바우와 두안 럼바우 부부, 민덴 영화사 관계자 여러분, 줄리아 비레인저, 크리스틴 애선션, 미셸 레이놀즈 그리고 프란스 랜팅 포토그래피 직원 여러분에게는 특별히 따로 감사를 드려야 할 것 같습니다. 또 크리스틴 엑스트롬은 편집자로서 어떻게 하면 내 생각에 초점을 맞추어 전달할 수 있는지에 대해 귀중한 조언들을 아끼지 않았습니다. 마지막으로 내 눈앞에서 유인원과 인간의 경계를 흐려버릴 수 있도록 해준 간지와 라나, 로레타, 센, 판바니샤, 아킬리, 그외의 모든 보노보들에게 감사의 인사를 전합니다.

조지아 주 애틀랜타에서 프란스 B. M. 드 왈
캘리포니아 주 산타크루즈에서 프란스 랜팅

촬영 장소

아르티스 동물원, 암스테르담, 네덜란드: 21쪽.

부르헤르스 디에렌파르크, 아른헴, 네덜란드: 41쪽.

자이르 중부: 53쪽, 82쪽.

신시내티 동물원: 10～11쪽, 212쪽.

콜럼버스 동물원: 188쪽 왼편.

카후지 비에가 국립공원, 자이르: 39쪽.

언어연구센터, 조지아 주립대학: 63쪽, 69쪽, 70쪽.

델피 메신저의 고아원, 킨샤사, 자이르: 170쪽, 186～187쪽, 188쪽 오른편, 222쪽.

개인이 돌보고 있음, 케냐: 40쪽.

사바, 보르네오: 37쪽.

샌디에이고 동물원과 샌디에이고 와일드 애니멀 파크: 6～7쪽, 16쪽, 77쪽, 78쪽, 80쪽, 81쪽, 132쪽, 136쪽, 148쪽, 160쪽, 164～165쪽, 168～169쪽, 171쪽, 172쪽, 189쪽, 194쪽, 197쪽, 204～205쪽, 206쪽, 208쪽, 209쪽, 228쪽.

왐바, 자이르: 2쪽, 8～9쪽, 12쪽, 34～35쪽, 42쪽, 74～75쪽, 76쪽, 79쪽, 87쪽, 96쪽, 103쪽, 107쪽, 115쪽, 116쪽, 124～125쪽, 126～127쪽, 128쪽, 129쪽, 130쪽, 131쪽, 142쪽, 166쪽, 167쪽, 183쪽, 190쪽, 191쪽, 192～193쪽, 207쪽, 210쪽, 211쪽, 214쪽, 218쪽, 222～223쪽, 224쪽, 225쪽, 226～227쪽.

여키스 영장류센터, 애틀랜타: 27쪽.

애틀랜타 동물원: 36쪽, 38쪽.

찾아보기

도서와 논문

기타

도움을 주실 분들께

전세계에서 야생의 보노보들을 보호하기 위해 진행되고 있는 프로그램에 대한 보다 자세한 정보는 「판파니스쿠스 행동 계획서Action Plan for *Pan paniscus*」(톰슨-핸들러 외, 1995)에 실려 있습니다. 이 자료를 얻고자 하시는 분은 다음의 주소로 요청하십시오.

Dr. Gay Reinartz, Bonobo SSP Coordinator, Zoological Society of Milwaukee County,
10005 W. Bluemound Road, Milwaukee, WI 53226, USA

보노보 보호를 위해 돈을 기부해주실 독자들은 가까운 보노보 동물원에 문의하시면 됩니다. 몇몇 동물학회에서 보노보 현장 조사와 보존 계획을 후원하고 있습니다. 특히 아래의 조직들은 자이르에 살고 있는 보노보를 보호 및 보존하고자 노력하는 곳입니다.

The Bonobo Protection and Conservation Fund
Laboratory of Human Evolution Studies,
(c/o Dr. Suehisa Kuroda),
Faculty of Science,
Kyoto University,
Sakyo, Kyoto, 606 Japan

Language Research Center
(c/o Dr. Sue Savage-Rumbaugh),
Georgia State University Foundation,
University Plaza,
Atlanta, GA 30303-3083, USA

Zoological Society of Kinshasa
Delfi Messinger,
c/o P. O. Box 1106,
Port Isabel, TX 78578, USA

Conservation Fund of the American Society of Primatologists(ASP)
Dr. Ramon Rhine, Chair,
Psychology Department,
University of California,
Riverside, CA 92521, USA

더 많은 정보를 얻을 수 있는 곳

다음 웹사이트를 통해 보노보와 기타 영장류에 대해 더 많은 정보를 얻을 수 있습니다.

1. 위스콘신영장류연구소 영장류정보네트워크
(http://www.primate.wisc.edu/pin/)
2. 보노보 동물원 소개
(http://weber.u.washington.edu/wcalvin/bonobo.html)
3. 침팬지 보호 · 보존을 위한 일본 센터 소식지
(http://jinrui.zool.kyoto-u.ac.jp/PAN/home.html)
4. 미영장류학회 홈페이지(http://www.asp.org)

프란스 랜팅의 작업에 대한 보다 자세한 정보를 얻으려면 다음 주소로 요청하십시오.
Terra Editions, P. O. Box 409, Davenport, CA 95017, USA
또는 그의 웹사이트를 방문해보십시오: http://www.lanting.com